艾雯全集2

散文卷二

生活小品
艾雯散文選
曇花開的晚上
浮生散記

目次 Contents

生活小品

艾雯散文選

浮生散記

艾雯全集2
散文卷二

生活小品

生活小品：台北，國華出版社，一九五五年八月初版。三十二開，九十五頁。後改由高雄市，三信出版社重排印行，一九七二年四月發行初版，三十開，一五三頁。

◎國華版原目：

寫在前面、良好的開始、歡樂年年、日曆、春的喜悅、手和心、聲音的奇蹟、生活的陽光、家庭食客、地上的天堂、人生的階梯、生命之筆、習慣的奴隸、精神上的疫症、回憶的泥潭、莫等待、旅行、魚與熊掌、工具？魔鬼？、撲滿教育、小心靈的潤澤、池水、早春的蓓蕾、祝福母親、端陽瑣語、狐狸性格、愛情的陰影、偷得浮生半日閒、嘗試、最苦的孤獨、珍惜語言、缺陷人生、婚姻悲劇、幽蘭與素石、聯誼會、三千煩惱絲、謹防氾濫、「流行」病、生活的羅盤、無形的書、一枕綠窗小睡、竹馬、思想之舟、黑暗的啟示、福燈長明、不散的筵席、新年禮物。

◎三信版新增篇目：

再版小言，並抽去精神上的疫症、三千煩惱絲、謹防氾濫、「流行」病等四篇，改原題篇名「習慣的奴隸」為「習慣的回憶」。

◎說明：

本集據國華初版編入。

三信版新增篇目收錄於國華版末。

寫在前面

人是不能超於生活的。每一個人都在生活，每一個人都要生活。人生若是一場無日無之的鬥爭，生活便在戰鬥中展開，不斷地應付著日常的煩慮，和沉重的工作。生命若是一條永不停息的流，生活便得緊跟著不停地奔流，一路上艱辛地沖激礁石，越過險灘。這冗長的鬥爭，這單調的奔流，往往使人厭倦，使人心力交瘁。尤其是做為一個家庭主婦，長年被繁冗而瑣碎的家務囚繫在小圈子中，不免深深地感到生活的枯燥乏味，何況更有那無邊無際的寂寞、煩悶、苦惱橫亙在生活裡面，就像無法跨越的沙漠，橫亙在宇宙中。

那天讀《羅曼羅蘭傳》，中間有那麼一段……人生原是與苦俱來的，我們來做人的名分不是咒詛人生，因為它給我們苦痛，我們正應該在苦痛中學習、修養、覺悟，在苦痛中發現我們內蘊的寶藏，也在苦痛中領會人生的真際。……這幾句話曾給了我不少啟示，不是嗎？原來我們所生活的世界是如此廣大，原來生活中充滿了情趣，有如蘊藏豐富的礦脈，只待掘發。原來每個人都擁有世上最可貴的財富，乃是智慧、愛和快活的心地。可是我們都忘記了，忽視了，只為日常生活在我們心靈上蒙上了一層油煙，只為世俗的煩慮在我們的思想上蒙上了一層塵垢，我們被現實生活壓彎了脊骨，只是低頭專注於面前做不完的瑣事，不曉得抬起頭來望一望，想一想，環顧一下周圍的境界和事物，檢視一番心底的寶藏。

為鞭策自己，在生活中添注一點向上向善的什麼，也想給所有為生活壓扁了的人們打打氣，我開始借用一位達觀而賢能主婦思瑾的口吻，寫下這些她在生活中所體驗的，領略的，以及她對人生的觀念，品性的修養，對處世的哲學，孩子的教育，感情的處理，治家的心得以及心聲的抒寫和偶然的感觸，原來用「主婦隨筆」這一題目，連載於《中央日報・婦女與家庭週刊》。在連載期間，意外地接到各方面讀者們來信，給我意見和鼓勵，使我有勇氣連續寫了一年。如今，我又把它彙編成冊，只是由於所涉及的範圍較廣泛，狹義的「主婦」兩字，已不足以代表全書，便改取今名，祈正於可敬的讀者諸君，如果這一本薄薄的小冊子能為大家作一次「竹馬」（見本書〈竹馬〉篇），那在我已經是十分榮幸而如願以償了。

最後，多謝好友琰如的協助和梁雲坡先生設計封面。

岡山・民國四十四年六月十六日

編註：本文原刊於《中華日報・婦女與家庭週刊》，一九五五年七月六日，第六版，原題〈序「生活小品」〉。

良好的開始

我又握起了這支破筆，開始寫日記了。

關於寫日記，我已不知「開始」過多少次數，有時偶爾翻到曾經寫了半本甚至三五頁的日記本，所記的事情有些早已忘懷，有些記憶模糊，重讀一遍，彷彿他鄉遇故知，剪燭西窗，重數往事，說一會，想一會，又癡笑一會，喟歎一番——又恍惚恢復到過去的日子，重擁抱著失去的青春，為往日的悲哀落淚，為往日的煩憂感傷，在往日的歡樂裡陶醉！——然而，儘管開始時轟轟烈烈，到末了總是虎頭蛇尾，我那過去的上半輩子就從來沒有自始至終寫完過一本日記。為什麼，又是什麼時候中輟的？連自己也茫然！

這一次我是下了決心，要考驗自己的「恆力」。

我要把親筆記下的日記當作一面鏡子，不是憑照唇膏有沒有搽勻，衣服裁剪得合不合適。而是反映整個生活。一個家庭主婦的生活是平凡的，庸俗而瑣屑的。沒有刺激，也不會發生新奇。做主婦的不僅要有高度的涵養，忍受這無盡的庸碌、瑣屑，還得要具有淘金者的耐心和精細，在庸碌瑣屑中淘取樂趣。我所以要這面反映生活的鏡子，我是照看自己究竟是被生活征服了，做了生活的奴隸；抑是由自己駕御著生活，從生活中獲取樂趣。向生活低頭，就是做奴隸，向生活挑戰，就是主人！這中間只有二條路：根本不容徘徊躊躇。日記，是反映這一點最忠實的鏡子。

我要把日記本當作我值得傾心相許，剖腹相示的知友。當我有什麼話想說時，我便寫下來，當我的情感需要發洩時，我便寫下來，當我有什麼獲得或失意時，也要寫下來，人都有宣洩的本能，然而你不能相信別人的舌頭。所以，日記本是最理想而又能保守緘默的聽眾。

我把日記本做為我的備忘錄。

以上三點是我寫日記的主旨。還有三點必須遵行的是：

生活的流水帳不寫。

無病呻吟不寫。

寫不出時不勉強寫。——由於這一點，這也許不一定是「日」記。我可以叫它週記，或是隨筆。或是生活的斷片。題名原無所謂，反正主要的是忠於自己。

今天，就是我握筆的此刻，孩子們都在學校裡，霈也上班去了。小屋裡靜悄悄的，只阿咪蹲在我肘旁喉嚨頭咕嚕咕嚕地響。抬首窗外是一片輝朗的藍天，小院一角兩叢火黃的美人蕉正開得鮮豔，此時此刻，正吻合了天時、地利、人和。良好的開始便是成功的一半，但願我能貫徹始終！

編註：本文原刊於《中央日報・婦女與家庭週刊》，一九五四年一月十三日，第六版。

歡樂年年

陽曆新年匆匆地來了，又匆匆地去了。除了機關放假慶祝，編編新的預算、計畫，似乎未曾在人們心裡增減些什麼。如今農曆新年又姍姍降臨，卻無端的從心頭兜起一種說不出是惆悵，是惶惑的心情，我猜像我們這輩中年人大概都會有這份感觸，老年人自然更甚。儘管往年的歡樂繁榮恍如隔世，往年的憧憬似夢境，儘管舊曆年曾被廢黜，被改頭換面，但這幾千年沿傳下來的民間習俗，早已深深的在人們心裡生了根，留下不可磨滅的印象，不是嗎？人間最堅強的原是風俗、習慣和文化。

農曆年如今改為「春節」，我覺得更恰如其分，在我國三大節，春節、夏節（端午）、秋節（中秋）中，不僅「春」字本身就寓有新生、朝氣、活潑、希望種種美麗的象徵，也是最富人情味的一個節。在我們家鄉，逢上過年沒有一家不蒸糕印糰，做幾種精美的糕點。年上，就以這些手製的糕點互相饋贈親友，這裡不含一點虛偽矯揉，純粹是表示一種親切的情誼。而平時大家都忙於生活，難得年頭上剩出幾日空暇，趁著拜年串串門子，在情感上又何嘗不是一種聯繫！最有意思的還是那一餐意味著大團圓的年夜飯，不管千里迢遙，家裡的每一分子都得在除夕前趕回家團圓，守歲燭的紅光搖曳著一片瑞祥，銅盆裡燃著芸香和柏枝的香煙繚繞中，闔家二代、三代……甚至五代老小圍坐一桌，說說笑笑，融融洩洩，這一幅家庭歡聚的情景，不也正是太平時代，農業社會歡樂慶度豐年的縮影！

果然，過年時有些繁文縟節令人煩厭，有的過於鋪張近於浪費，但撇開這些，我還是深喜那份親切，那份淳厚的人情味，和那種「滌舊迎新」的精神上的澄清和振奮，因此，我不一定會給孩子們在襪子裡裝上玩具，但不會忘記在他們枕頭底下放下紅紙包的壓歲錢。

晚上，我把桌子檢清了，找出四只空香煙罐，外面用紅紙裹上一小枝青翠的柏枝，燃上四支紅蠟燭，擺四碟糖果橘子，中間供奉著一大瓶一個朋友送來的鮮花——有大理花和菊花，但沒有天竺蠟梅，孩子們看著新鮮，盡爭著詢問在大陸過年時的情景，可憐他們就從未享受過像我們童年所享受的歡樂，對這富有民族色彩的節日，他們的印象是淡漠的。連年來，戰亂頻仍，流亡顛沛，難得一家子在客居中湊付著度個安樂年，能不感謝上蒼！默對著燭影朦朧，花氣氤氳，我不禁深深地緬懷，緬懷那逝去的歡樂，那些在童年時共燃花炮的伴侶：那些關在鐵幕裡失去了恭賀新年自由的人……

「思瑾，妳當真預備守歲麼。」一隻手悄悄地按在我肩上，霈站在我後面輕輕地問，沉思中，卻不覺夜色已深沉了，一支蠟燭上不知何時凝結了一朵火花，光焰閃熠。

「是的。」我握住他的手，諦視著那一朵火花，憧憬地說：「我要守候這漫漫長夜過去，迎接那新的一年，勝利的一年！」

午夜的鐘聲響了。

「歡樂年年！」我打開日記，寫下了祝福。

編註：本文原刊於《中央日報・婦女與家庭週刊》，一九五四年三月十日，第六版。

日曆

早晨，我撕下日曆，揭開了一天的序幕，迎接一個新鮮美麗的日子。

記得有誰曾這麼說過：說是看一個家庭是不是勤勉，日子是不是被安排得恰當，只要看他們家裡的日曆，一個珍惜時間而能把握時間的人，絕不會讓已經過去了的，不能再發生作用的日子，駐留在日曆上。相反的，浪費時間的人從來不會覺得日子的可貴的。昨天，今天和明天，又有什麼分別？不撕，一隔三五七八天。一撕，把下星期的日子都預支了。這期間的日子，橫豎不過是一段空白。再有就是那些生怕日子過去的人，就像跟不上時代妄想拉住時代一樣：怕日子帶走了自己的青春，卻連撕日曆的勇氣都沒有了。

有一段時期，我也有點怕撕日曆。那時，我總是晚上撕。每天晚上臨睡前，帶著些微猶疑，緩緩地撕下一張日曆，心裡總有點說不出的惆悵，一天又過去了！這一天我又做了些什麼？想了些什麼？撕掉一張日曆，人生的途程便減短了一些，一生便這麼庸庸碌碌把生命支付，多沒有意思？有時我又覺得日曆太殘忍了，一天天毫不留情的計算著從出生到進墳墓的路程，教人時時怵惕心驚。沒有日曆，混混沌沌過日子不更好嗎？於是我不再撕日曆，幾天之後，居然連什麼日子都忘記了，可是，習慣上似乎又似失去了什麼依附，恍恍惚惚就像生活的海洋中一葉迷失了方向的船——最後，我還是一把撕下了一疊日曆。

同時我便改成每天早晨撕日曆。早晨，從酣夢中醒來，抖落昨夜的疲困。精神充沛，心智煥發。愉快地撕下日曆，猛地就擁抱了那新鮮明快的新的一天，這新的一天，有陽光照耀，有星辰閃爍，這新的一天，充滿了生氣和活力，這新的一天，可以盡著自己的意志安排。這新的一天，可以有許多工作被完成，許多計畫被實踐，這新的一天洋溢著希望和喜悅展現在眼前，而這以後，還有無盡止的這一天，等著從日曆上慢慢撕去。

日曆是個嚴厲的監督者，它在牆上高高俯視著人們的一舉一動，毫不苟且的告訴人們這一天是什麼日子，該做什麼事。日曆又是個誠摯的友侶，它偎依在案頭親切的諦視著你，當你把那天要做什麼的計畫用筆告訴它，到那天，它便提醒你按時去履行。那計算時刻的鐘錶或有快慢停滯，但普天下的日曆卻是一般無二的，就像真理只有一個一樣，它告訴人們的總是一個日子。

我喜歡那些印有格言和名人雋語的日曆。早晨，心神最澄清寧靜的瞬間，撕下日曆，那含有真理的言語便深深印入腦中，如果能放在心裡默默深思尋味，更將悟徹人生的一個新的境界。

還記得從前年少時，總盼望日曆快點撕，一到星期三便想到星期六，一到星期五又盼望著星期日，更恨不得一把撕去半本日曆，馬上就是暑假寒假了。那時撕日曆時輕率而魯莽，如今撕日曆時卻變得鄭重而小心。鄭重的撕去一張張日曆，不是嗎？日子必須仔細的安排，仔細的領略。

編註：本文原刊於《中央日報・婦女與家庭週刊》，一九五四年三月二十四日，第六版。

春的喜悅

春天來了！新穎的春裝出籠了；有初生小鵝身上的絨毛似的黃，有枝頭嫩芽似的綠，有遠天似的藍，有雲霞似的橙，泉水似的碧……炫耀街頭的卻便是這些彩色，不是春色。

「春天來了！花兒開，蝴蝶飛，小鳥兒唱著歌，春天真美麗！」翻開孩子們的作文簿，在開學後第一次作文，「春天」的題目裡，開頭就這樣寫著，無數的驚歎號表示著他們對春天的讚美。

春天真的來了嗎？我停下針線，望望日曆，這時候在家鄉不正是春雪未溶，春寒凜冽！我又望望窗外，小園裡經年常綠的樹木依舊繁茂，那一抹藍天始終澄澈明媚。我懷疑自己感覺的遲鈍，偶一低頭卻瞥見籬角下一枝纖細的日日春開放了第一朵粉紅色的小花！

我在貧瘠而堅硬的泥土上撒下花種時，並沒有存下多大的希望，但春神卻不曾忽略這一小枝。我彷彿從那朵粉紅色的花上看見了她那盈盈的笑靨，便忙不迭放下針線跑出去，霈和孩子們聽見我的歡呼，跟在我後面。

「春來了，這便是她的蹤跡。」我像顯示奇蹟般指給他們看那朵小花。喜悅地說：「原來我嫌地瘠，怕枉費心力，如今證明了我的推測並不正確，讓我們把地耕一耕，趁著春天，另外還有些種籽也撒下吧！」

大家一致表示贊成，於是找來了工具，我和霈輪番耕鬆堅實的土地，又幫著孩子們把土中的石子撿去，捻細泥塊。平常，孩子們玩泥是被禁止的，今天有機會大玩特玩，一個個都興高采烈，我將劃兩小塊土地，分給他們兄妹倆自己照管，也讓他們領略播種時的希望，萌芽時的喜悅，和收穫所賦予心靈上的滿足。

當潤軟的土粒像黑色的泉水般從我指隙流下時，我深深地感到泥土的親切。造物所造萬物，我覺得大地是最神祕偉大的傑作，不是嗎？任何一角土地，只要播下種籽，經過春風的薰沐，春雨的滋潤，便把世界裝點得美侖美奐，洋溢著一片生氣！

就像每一幢住屋前面一定有一塊空地一樣，每一個人的心中也有一片園地。供我們墾植。善良，正直，寬恕，愛和美，這都是人性最美麗的花朵，我們應該珍視這些高貴的花朵，而小心的加以培養，用崇高的希望和雨露灌溉，以莊嚴的思想似和風鼓舞，而智慧與心靈溶融所揚射的光芒，便是三春的陽光。

荒蕪了自己的園地的人，實在對自己做了不可恕的蠢事！

我憧憬著等夏天到來，我們將擁有一個小小的花園，供我們遊賞，當我在瑣碎的工作中感到厭倦感到煩躁時，那一片燦爛悅目的花朵，定將給予我精神上以一種新的喜悅和振奮。

植罷，手有點瘦，但內心卻感到無限快慰，血液中彷彿注射了新的力量，是泥土把春的意志傳布給我，只覺活力充沛，生氣盎然。

我將告訴友人們鄰居們，是春天了，別忘了在自己的園地栽植心愛的花朵！

編註：本文原刊於《中央日報・婦女與家庭週刊》，一九五四年三月三日，第六版。

手和心

昨晚上為著趕好小瑾的一件絨線衫，睡覺已很遲了。生怕今天會起得太晏，還好，醒來時太陽還不曾出來，窗前那棵大榕樹上，吱吱喳喳的一片鳥聲正合奏著黎明前奏曲哩！早起已成了我的習慣，不僅僅是「早起三日當一天」。一早晨可以做好許多事情。而我最喜歡看太陽上升，當那一輪旭日冉冉升起在對面那一排樹巔，柔和而溫暖的光線一接觸我的肌膚，我彷彿就從它那兒獲得了光和熱，獲得了生命的活力。而這一天開始便充沛著生氣和喜悅。

我給小瑾穿上新絨線衫，她驚喜的說：「哦！就打好了，媽媽真快！」她那雙烏溜溜的眼睛揚射著喜悅的光輝，襯著圓圓的臉，紅白相間的絨線衫，確是可愛。忽然，她挽住我的頸項，踮起腳尖把溫軟的小嘴印在我頰上——世上多少做母親的，為撫育兒女瀝盡了心血，嘗遍了辛勤。然而，只要這片刻無言的親密，這一份無邪的愛的熨貼，便抵償了一切！

今天買菜的時候，在小姑娘的花籃裡發現了一束我和霈最喜歡的紫羅蘭，我懷著無限歡喜從小姑娘手裡接過來。我不知道女人是不是都有愛花的癖好，每天上菜場，我總得在花攤前巡逡一番。縱使不天天買，欣賞一會也就把被魚場肉市的腥羶薰得膩膩的心情，換添一份清新。看得中意的就攜一束回去，不管是昂貴的夜來香、芍藥，或便宜的萬壽菊、千年紅，——甚至幾枝青翠的綠葉，屋裡若供一瓶鮮花，平添不少春意和蓬勃的生氣——所以，我總是隔一天便在規定的菜錢裡扣下一份花錢——這也是糧食，跟書籍是精神糧食一樣：圖畫、音樂、鮮花……一切美麗的事物都是心靈的滋潤。

我把花供在霈自己製的小書架上，一高興，索性又把書架和藤椅挪移了個角度，雖然我們只有不多的幾件藤的竹的家具，我卻喜歡時常變動它們的位置，使屋裡常有新穎的感覺，我覺得使一個家庭裡顯得舒適、美觀，不一定要依仗華麗的窗紗地毯、昂貴的沙發、柚木家具，一張竹檯子，鋪上手製的布桌布，瓶裡供兩枝鮮花，角上隨意貼兩朵小花的白布門簾，抽紗的白布窗簾，甚至在疊起的箱子上鋪一塊潔淨的白布，擺一個小相架、小玩意什麼的……只要安排得恰當、妥貼，一樣的看著順眼。我布置屋子的信條便是清潔、和諧、舒適。而主要的還是造成屋子裡溫暖、恬靜的氛圍。

我也喜歡烹飪，我覺得把那些不能入口的生菜生肉煮成可口的菜餚和把空空四壁的屋子布置成充滿溫暖的家，都是一種藝術。雖然，有時為這些單調的無盡止的收拾、抹拭、洗滌、烹煮，也會感到些許枯燥煩膩，但一想到這一切都只是為自己親愛的人，讓他們從自己獲得溫暖和舒適，讓他們從自己享受口腹之樂，施予者是要比領受者更為有福的，於是，我又釋然。

記得在一本什麼書上說：「造成一個家的是女人的手和心！」一個「家」並不單純。《大學》上也說：「家齊而後國治」，家，是一個「國」的基礎，孩子們做人處世的教育是在家裡受的，男士們在社會上廉潔守法的精神是在家裡培養的。然而，操縱這家的卻是一個女人——一個主婦！做主婦的難道不該自負和自勵嗎？

編註：本文原刊於《中央日報．婦女與家庭週刊》，一九五四年一月二十日，第六版，原題〈溫暖與恬靜〉。

聲音的奇蹟

「爸爸早！媽媽早！」孩子們一睜開眼睛，就像兩隻啾啾唧唧的小麻雀，經過一夜充足的睡眠，精神抖擻，高興地嚷著，年輕活潑的聲音突破了清晨的沉肅。

我喜歡這一套與其說是著重孩子禮貌的養成，不如說我更愛聽這可愛的聲音。

聲音這東西十分微妙和神祕，看不見，摸不著，但影響人生卻是很大的。在家庭裡，父母慈藹的聲音是孩子們靈智上的滋潤，而孩子們天真稚憨的聲音，也是做父母的心靈上的慰藉。我是愛清靜的人，可是我並不討厭孩子們的笑聲，歡呼聲，和歌唱聲，還有母雞生蛋的報信聲，小狗迎客的吠聲，貓咪親暱的「咕咕」聲，一到晚上，一家人團聚一室說說笑笑時，我更不忘記開放幾支可以美化氣氛、澄清情緒、振作精神的留聲機音樂片，一直讓音樂聲伴著孩子進入甜蜜的夢鄉——我覺得一個家庭必須要擁有這些聲音才顯得興旺，融洽和愉快。每一個聲音彷彿是一根弦線，而家是綜合這些弦線的琴，只要調度得恰當，自能彈奏出和諧、輕鬆的曲調。

這一部混聲大合奏該是人生最真摯美麗的曲調，然而卻有不少人不懂得調理，將弦線弄得亂七八糟，或是格格不能入調，家裡不時勃谿口角，了無樂趣。也有像瘖了的弦琴，奏不出一個動人的音符。所謂「家」彷彿荒山古廟——今天下午杜太太在我這裡訴說了半天，就埋怨家裡冷靜得像墓穴。她說：「……妳不曉得我有多寂寞、苦悶，一個人孤零鬼似的，忙了一天家務，只想等他回來談談說說講幾句話，他呀！回到家裡就像把舌頭遺忘在外面了，半句話都懶得說，有時我隨便和他談談，他卻說女人家愛說東家長西家短。就是談談家務事，他也沒有興趣，那麼他說點什麼我聽聽呀，卻又金口難開。上班回來，除了吃飯，便是看報，睡覺。別看兩人對坐在六個榻榻米的小房間裡，他把報一打開，中間就像隔了層深厚難測的紙幕。——有時寂寞的恐怖使我感到窒息，我有一種狂怒的衝動，想大聲狂喊，想毀掉什麼，想拿只茶杯摔過去打碎他的紙幕……」杜太太的一席話，使我記起不久在一本雜誌上看到的一則趣話，也是說一個丈夫的回到家裡便學金人三緘其口，一天他太太在房裡找什麼東西，從抽屜裡找到櫃頂上，從地板上找到桌子底下，足足找了半小時，終於驚動了那位正在看報的丈夫，問她：「妳究竟在找什麼？」太太立刻高興的說：「我終於找到了！」「找到什麼？」「你的聲音。」

弦琴所以格格不能入調，所以瘖啞，我認為大半該歸咎於做丈夫的。的確，像杜先生那一類的男人我聽過不少，他們辦了八小時公回來，也許是維持自己的尊嚴，也許是覺得自己夠累了，連隨便說說話都認為是耗費精力的事，習慣下來，男人一直是一家之主，主弦不發，其他副弦、屬弦，自然悶聲不響，於是家裡便瀰漫著沉悶的低氣壓。聰明的丈夫如果想一想：融洽的氣氛可以輕鬆自己的情緒，遠甚於閉口納福，閉目養神。那麼只要輕輕巧巧幾句話，便足以澄清精神，滌除一天的疲乏。

幾時有機會，我要告訴那些「金口難開」的丈夫們，不要忘記動動他的舌頭。

夜深了，靜悄悄的房裡只有孩子均勻的鼻息和霈靠在牀上翻翻書頁的聲音，小夜曲輕幽的旋律是今天這一天的尾聲。

編註：本文原刊於《中央日報·婦女與家庭週刊》，一九五四年二月十七日，第六版。

生活的陽光

霈正跟孩子們講故事，講到好笑處，就似點燃了一掛小爆竹似的，清脆地揚起一串銀鈴的笑聲，那天真的笑聲又似一注噴泉般噴射上屋頂，噴灑了一室。我也忍不住笑了，不是為故事，而是為笑本身的感染。

笑原是最容易感染的一種情感，就像打呵欠一樣，不是嗎！有時我們默默地坐在一間屋子裡，忽然有人打了個呵欠，其餘的人一定也會不自主的接著陪上一個，有時有一個人因為看到書上好笑處而忍不住發笑，或是兩個人講一個風趣的故事而哈哈大笑，旁邊的人也會望著他莫名其妙的附和著笑起來。不過呵欠的感染，給人帶來的是一種懶散頹廢的氣氛，而笑的感染，卻給人帶來振奮和輕鬆的心情。在庸碌的生活中，這份心情卻是值得珍視的。

爽朗愉快的笑聲，常使一個家庭充滿樂趣和活力，就似絢爛璀璨的陽光，使大地顯得生氣蓬勃。

在操作了一天瑣煩的家事之後，笑一笑，便會忘記疲勞。

在完成了一件艱辛費神的工作之後，笑一笑，緊張的心情便鬆弛了。

在情緒惡劣心情不愉快時，笑一笑，便憂煩全消。

哪怕僅僅是一個會心的微笑，也能消弭這心理上漫天的愁雲慘霧，然而，我們卻常常忘記了怎樣笑。感情是一肩負擔，事業和生活是一肩負擔，當一個成年人一旦肩負起這兩肩負擔時，總是太嚴肅認真的較量著現實，而忽略了生活中那俯拾即是，可以博得粲然一笑的事——像一句詼諧的話，一個輕鬆的動作，一個小小的玩笑——這，應該是精神上莫大的一樁損失。

有人說：快樂的笑聲是生活中的陽光，給我們精神的健康；有人說：歡暢的笑聲是人生的萬應靈丹，因為笑能刺激神經中樞，促進血液循環，幫助胃腸運動，可以驅除百病而給我們身體的健康。那麼，為什麼不像我們打開窗子迎進明媚的陽光一樣，也讓我們打開心靈的窗子，讓笑聲氾濫——而在這年代，也許我們都無能給予孩子們物質上太多滿足，那就讓他們盡情地多笑笑吧，讓笑滋潤和豐富他們幼小的身心，有如陽光、雨露滋潤樹木，使之蓬勃生長！

假如不是矯揉作態，不是為表現笑而笑，笑，原是人性中最純真的情感，最美麗善良的花朵，那些臉上的肌肉終日繃得鼓皮一樣，笑比河清的人，是在人性中有缺陷的人。

世上最動人的音樂不是音樂名家的作曲，而是孩子們天真嬌憨的歡笑。

女人臉上最美的化妝不是香粉唇膏，而是一個恬靜、親切的微笑。

一個家庭顯得和諧、融洽而情趣盎然，不是名譽、金錢、地位，而是不時洋溢著爽朗愉快的笑聲。

孩子天真的笑，是天使的笑。

少女嫣然的笑，是四月的薔薇，綻開在雙頰。

老人和藹的笑，是冬日溫暖的陽光。

而夫婦們融洽親暱的笑，是沉醉的春風。

一個家庭若擁有這許多美麗珍貴的財富，這才是世上最幸福美滿的家庭。

編註：本文原刊於《中央日報・婦女與家庭週刊》，一九五四年八月十一日，第六版。

家庭食客

築成一幢房子的是磚瓦、木材、石灰和水泥等，而使它美化悅目的卻是花草樹木。組成一個家庭的是男人的精神和腦力，女人的手和心，孩子的哭和笑。而點綴這一片融洽的氛圍的，是那些溫馴可愛的小動物，家庭裡的小食客。

不是嗎？如果你豢養著一隻狗，那麼，當你遠道回家，第一個迎接你的總是牠，那怕只半天不見，牠也親熱高興得歡躍上好一會，別說牠不曉得鐘點，每天快到男主人和小主人下班放學的時候，牠早就聚精會神恭候在門邊，只待人一進來，便帶著牠全部熱情跳躍著撲上去，牠對人的感情是熱烈、摯誠，而忠貞不移。

如果你豢養著一隻貓，那麼，當你感到些微疲倦而靠在椅子裡伸展一下肢體，或是長期的縫紉使你感到枯寂時，貓咪便似來慰藉你的寂寞似地悄悄地過來，輕輕地在你腿上摩擦著，或是跳上你的膝頭，腳爪那樣一收一放，喉際發出親暱的咕咕聲，有時你伏案寫讀，牠便蜷伏在檯燈下小憩，貓對人的感情是親切、細緻，而溫柔纏綿。

雞鴨等雖然不大懂得表示情感，但牠們也認識天天餵食的主人。有時圍繞足前，來往索食十分可愛，而眼看著蛋孵出雛雞，絨球似的雛雞又長成軒昂的公雞，美麗的母雞，這期間更給家裡增添不少的情趣和喜悅！

溫馴的小動物不僅是一個家庭的點綴，也是孩子們最好的伴侶，除了使他們的感情和興趣有發揮的機會，還可以養成他們對動物的友善和愛護，有時當孩子和一隻狗靜靜的坐在一起，孩子的手挽著狗的頭頸，狗的下巴擱在孩子身上，那種無言溫存，密切偎依的神情，真是動人。

如果在門口台階上安舒地伏著一隻狗，常常顯示著這個家庭和平和安謐。

如果在窗台上或爐邊悠閒地蹲著一隻貓，往往顯示著這個家庭的溫暖和安逸。

而在園地的一角，圍上一群雞，幾隻鴨，小雞啾啾，母雞咯咯，一聲引吭長啼，都顯示著這一個家庭的繁榮和勤儉。

沒有人會不珍視家庭裡這份和平和安謐，溫暖和安逸，繁榮和勤儉的氣氛，因此，我們家裡總是經常養著一些小食客：二隻狗、三隻貓、一群雞鴨，而母狗生了小狗捨不得送，母貓生了小貓也捨不得丟，總是有增無減，幾乎有超過人口的趨勢哩！有人偏愛貓，有人偏愛狗，但在我們家卻無分軒輊。有時覺得空氣太沉寂了，便逗逗狗，摸摸貓，輕鬆輕鬆緊張的情緒，牠們那些稚氣而嬌憨的動作，常常引的我們哄堂大笑，驅散了一天的煩困，最得我們全家寵愛的是一隻狼狗妮妮，牠會把郵差插在門縫裡的信啣進來，牠會找出藏著的東西和躲起來的人，而牠更是家裡最公正的執法官，不管誰打誰一下，牠便毫不容情地咆哮著撲過去攔阻侵略者，又舐舐那個被辱害的，以示撫慰。

人不能都有「門下食客三千」的豪邁勁，但收留這些小食客的慈愛和慷慨總該有的。何況牠們是那樣馴良可愛，牠們的友誼又那樣忠實誠摯，你盡可以高枕無憂，有那忠心的狗為你看守門戶，你可以一點不擔心衣服食物的被損壞，有那機警的貓為你肅清內奸，而那些新鮮的蛋還可以補充你營養的不足——可愛的小動物不僅是家庭的點綴，而且是家庭得力的一員哩！

編註：本文原刊於《中央日報・婦女與家庭週刊》，一九五四年八月二十五日，第六版。

地上的天堂

從一個朋友的婚禮中告辭出來，滿街氾濫著銀輝。為貪戀月色，我和霈安步當車走回家去。夜靜，人更靜，只有腳步輕叩著街磚。

「累不累？」

「不。」我微微搖頭。「你喝醉沒有？」

「沒有醉。」霈笑了笑，「只是有點醺意。」

有點醺意！可不是，我也有點醺意。在這種喜慶場合中，常常瀰漫著一種神祕而微妙的氣氛，使沐浴其中的人都感到一種如飲醇酒的醺意。在未婚的男女是亢奮、陶醉和無限憧憬，在已婚的男女更滲入一份淡淡的惆悵和感慨，而不由得想起自己扮演這人生最莊嚴、動人的一幕時那些情景，那一瞥間的心神融貫，那一笑間的靈魂偎依，那怕是最微小的一個動作，也像一個扣人心弦的旋律，一朵永不凋謝的鮮花。這一切就像一條綺麗的虹，橫跨在記憶的天空。然而，虹原來便容易幻滅，更何況在記憶的天空？

有人說，如果人生是在演戲，那麼，女人卻像是一場愛情文藝電影。結婚，是在一些熱烈、緊張、美麗的情節後，最後在銀幕上放映的，雪白耀眼的「完」字。但這裡的「完」字不應該看作結束，應該是少女生活的告一段落。如果過去一直客串著那些美麗、光輝、熱烈而又荒謬的喜劇，那麼，現在卻是扮演一個更嚴肅平凡的角色。在這悠久而漫長的演出中，沒有捧場的觀眾，沒有阿諛的喝采，更沒有鼓舞的掌聲。在這平凡而單調的演出中，必須面對現實準備開始接受生活的考驗。

考驗是嚴酷無情的，因此，不少對愛情一直懷著詩樣的憧憬，做著旖旎的美夢的少女，一旦承受嚴酷的考驗，體味到結婚生活並不似想像中那樣：始終充滿著柔情蜜意，輕憐摯愛，就不由得不感到幻滅的悲哀，而多少婚姻的悲劇，便由此醞釀。

人生果然美麗，卻也是冷酷的。社會對每個人有太多的要求，每個人對社會也有太多的需索，而除此以外，還有做人的責任、義務，以及更重大的生活意義。若是退一步想：如果真的有人什麼也不做，什麼也不想，成天成晚，甚至一輩子只是卿卿我我，浸沉在愛情中，極盡纏綿溫存之能事，想想不也有一點起膩嗎？

戀愛需要全部熱情，而熱情並非全部生活。夫婦間相處久了，熱情自會逐漸沖淡，但這並不是幻滅。彼此間有了更深的認識，應該建立的是一種深深的默契，和更多的了解與體諒。

夫婦間無上的諒解，才是完美生活的最大基礎。

有人說：「愛情所在的地方便是天堂。」有人說：「倘有人能把諒解和幸福併進婚姻裡，便是得到地上的天堂了。」不是嗎？世俗所謂上帝所在的天堂是太虛無渺茫了，努力在生命裡尋求天堂，在地球上建立樂園，不比妄想進天堂要容易得多了？而只有在生命中建立的天堂，才是真正不朽的天國，為什麼不去試著努力？

已望到從家裡窗中投射出來的一抹幽靜的燈光，我舒一口氣，扣緊霈的手臂，加快了腳步，剛才那一份淡淡的醺意已被涼風吹散了。

編註：本文原刊於《中央日報‧婦女與家庭週刊》，一九五四年六月二十三日，第五版。

人生的階梯

下午有那麼一段屬於我自己的閒暇，泡一杯綠茶，執一卷愛讀的書，我傍著窗子坐下來，對面人家的平台前有一座高高的石階，有兩個孩子正在那裡追逐嬉戲，他們順著階梯往上跑，忽然，一個一蹶，從梯階上跌下來，便蹲在地上傷心地哭泣著，再沒有勇氣往上爬；一個卻一口氣跑上階梯上層，在那裡趾高氣揚地拍手歡笑。就在這一躓仆，一懽樂之間。我恍惚似有所領悟，這豈不是人生的一幅縮影！

不是嗎？每個人出生後一到智慧初開，面前便給安置好一座階梯，小腳開始蹣跚地跨上第一級，接著第二級，第三級……順著階梯一步一步的向上爬，攀緣一開始，那天真無邪的小腦筋裡便得放進點什麼思索，那迷茫無知的小心靈裡便得擱進點什麼牽掛——明天的功課，考試的成績……這是學業的階梯，這階梯雖然在攀緣時亦必須耗費些心力，但並無外來的阻力。爬完學業的階梯，已由孩童長成青年。還來不及喘一口氣哩，巍然矗立在面前的卻又是一座莊嚴，高大，一眼望不到盡頭的階梯——這便是事業的階梯。人生最漫長，艱辛的階梯。

事業的階梯普通一般攀緣時總顯得有點費力，必須要有恆心，有毅力，有不屈不撓的精神做為柱杖，步步踏實地向上攀緣。有人跨一步，歇一歇；有跨了一步，要歇許久許久；有人勇往直前；有人遲疑不進；但也有人很快就爬上上層，像那個趾高氣揚的孩子，也有人一不小心摔下來；像那個悲哀沮喪的孩子。自然，爬得快不能說全靠運氣，摔下來也不能全歸咎於自己的疏怠。很多人並不見得才幹卓越，智慧超人，碰巧便有早爬上上層的人伸手一提攜，於是很快便攀升了。很多人勤勤懇懇，切切實實的一步一步攀緣，偏生又碰到上面有阻擋，下面有扯腿，或是打橫裡又是傾軋，又是排擠，不讓有上進的機會。

在一般世俗的人眼中，能夠高高攀升上階梯的人，便是享有「成功」的榮譽的人。而只得局促在階梯低層，沒有機會上進的人，都是吞嚥著「失敗」苦果的人。前者也就躊躇志滿，自命不凡，後者便意志消沉，一蹶不振——我覺得這兩種人都不大聰明。

成功是攀緣無頂的階梯，永遠無法達到極峰的，自滿即便是自欺自棄。而失敗的定義更難斷定，大發明家愛迪生便曾說過，成功不以其結果計之，而以其努力之總和計之。這就是說：事業的成功並不在登峰造極，攀上階梯的頂端，而只要知道自己確已為人群貢獻了全部力量，已使生命與工作結合，已問心無愧。果然如此，就在階梯中途小憩又何妨！但小憩並不是從此裹足不前，而是養精蓄銳。

階梯既然是人生必經的途徑，又何必斤斤較量於一時成敗利鈍！只顧泰然攀緣，盡力而為。一路上自有花異草，美景佳境。而一旦攀上頂峰，更是光芒萬丈了！

別固步自封，別越級跳上，也別跑得太快了失足，寄語階梯上的人們：好自為之！

編註：本文原刊於《中央日報・婦女與家庭週刊》，一九五四年四月七日，第六版。

生命之筆

窗外正落著雨，夜涼如水，一室靜寂，霈在他那犄角裡看書，孩子們伏在桌上做功課，我坐到書桌前，扭亮幽淡的檯燈，悄悄從抽屜裡拿出日記本，執筆支頤，追憶這一天做了些什麼……

「媽，我寫壞了一張，讓我撕掉去吧。」小瑾正練習毛筆字，寫壞了就想撕。

「不能留著再重寫一張麼！」

「我不嗎！留著難看死了。」她執拗的望著我，一手抓住那一頁做出要撕的姿勢。

「撕就撕罷。」我只得順著她說，其實就是我不答應，她還不是會悄悄地撕掉。記得我自己小時候，不也是這麼寫壞了就撕嗎？儘管老師告誡著不許隨便撕本子，可是一不小心寫壞了自己看著不順眼，為了保持全部的整潔、劃一，終於忍不住撕掉一張，又是一張——就是現在，寫壞日記帳簿什麼的，還不是照樣不加思索的「撕啦」一聲，把寫壞的那一頁撕掉？

寫壞了撕掉一頁，多麼輕而易舉的事！誰又不曾做過？無而，世上卻還有無法塗改，更不能撕毀的冊頁，那是什麼？那便是我們可貴的生命之頁！

生命之頁，當我們一開始呼吸人世的空氣時，便展開在我們面前，每一頁都潔淨而空白，等我們用生命之筆去填充，而我們的行為，便是我們的生命之筆。

我們的生命之筆，曾經在我們生命之頁上寫下了幼稚而可愛的童話，荒誕而美麗的詩篇，親切而真實的故事……略一回顧，我們一定會驚訝它不知不覺卻已填寫了這一厚疊，但當日子一天一天的來臨，更有數不盡的一頁頁新鮮而潔白的生命之頁，等我們用生命之筆來填寫。

有的人毫不珍惜的將生命之筆一頓亂塗，那些醜惡卑污的行為蹧蹋了整本生命之頁，有的人不加考慮的抹上兩筆，做幾件荒唐事，便留下不可磨滅的污垢，那怕只是由於一時的衝動，一時的愚蠢，不經意的說錯了一句不該說的話，做錯一件不該做的事，也將成為白璧之瑕，永遠記載在生命之頁上，成為一生的憾恨！

是的，任何本子上的一頁寫錯了可以塗改，寫壞了可以撕掉，而生命之頁是無法塗改也不能撕掉的。我們不該謹慎我們的言行，謹慎我們的所作所為，謹慎的運用我們的生命之筆嗎？

自然，人不全是聖人、完人，而我們也並不奢望每個人的生命之頁都填成不朽的史詩，輝煌的鉅著，和什麼懿行嘉言錄，但願我們的生命之筆能在生命之頁上填上一些充滿了善良和樸實、真摯和誠懇、愛和美的故事，而主要的是忠實於自己，當我們偶或展視以往的紀錄，更無愧對良心之處。

小瑾把寫好的習字本給我看，我撫著她一頭柔髮說：

「以後寫時還是小心點好，不要隨便撕掉，妳要曉得有些東西寫上了是撕不掉的，而留下污垢，將成為一生的憾恨。」小瑾答應著，卻望著我露出一副困惑不解的神情，我不禁啞然失笑，我竟一時糊塗了，她還小哩，她如今的生命之筆是最純潔的了，而她那潔淨的生命之頁，不正開始填上世間最美好純真的一筆麼。

當心，生命之筆是不許有敗筆的。

編註：本文原刊於《中央日報・婦女與家庭週刊》，一九五四年六月十五日，第六版。

習慣的奴隸

今天下午霈跟小瑾正在走廊上起勁地玩他們用壓歲錢買來的積木，一個嬌憨的小女孩聲音一聲聲在外面呼喚著小瑾。小瑾正玩得出神，沒哼氣兒。

「小瑾，是薇薇在喚妳吧。」我說：「怎麼不答應人家呢？妳不請她一起來玩積木麼？」

小瑾立刻走到門口把小朋友喚進來，薇薇是巷口康太太的女兒，康太太精明能幹，很會治家，平常總是把女兒打扮得整整齊齊、乾乾淨淨的，但今天卻與平常迥然不同。雷燙過的頭髮像雀窠似地蓬鬆著，一個揉得皺舊的大紅蝴蝶結垂在耳邊。一件黃絨衣變了色，手臉也不大乾淨——我覺得很詫異。

「薇薇妳怎麼——妳媽呢？」

「媽咪打牌去了，她每天去打牌都給我一元錢。」薇薇天真地在小朋友面前炫耀著，「今天我打了一元錢的大霸王！」

「大霸王？」

「嗯，就是門口賣冰淇淋的。贏了就得一個頂大的大霸王。」

哦！做媽媽的成天打牌，連孩子都變野了，還學會了賭博！

記得前幾天在什麼報上看到一篇短評：說是「春節算是過去了，卻留下一條尾巴。」這條尾巴就像壁虎尾巴，雖然脫離了母體還是節節活的，那是什麼？那便是賭博。原來洗手了的，如今趁著春節，不免湊熱鬧重做馮婦，原來就浸沉其中的，自然更有藉口，變本加厲。如是，新春過去了，元宵也過去了，他們的豪興卻像脫了韁的馬兒，一時無法收止，還不知馳騁到何日？

我覺得那些耽迷於方城之戰的人，彷彿受了蠱，著了魔似的，一旦牌在手，意志也喪失了，理智也泯滅了，廢寢忘餐，全副身心浸沉其中。平常精明能幹，把家治理得井井有條的人，卻把家全丟給下女，平常克勤克儉，什麼都有預算的人，卻一輸動輒幾十幾百，甚至輸得連第二天的菜錢都得向人挪借。當做丈夫的辦了一天公，拖著疲困的身子回來，想在安舒的家裡獲得一份溫暖和體貼，然而一進門迎著他的卻是污穢的孩子，亂糟糟的房間，下女弄出來的難以下嚥的飯菜。或是當做妻子的料理了一天的瑣事，渴望丈夫回來談談說說，享受一份溫暖和體貼。但自己小心烹煮的餚菜並不為丈夫賞識，匆匆吃完便走了。還得獨自守候漫漫的長夜，還有孩子的無告無依……這失望的空虛，等待的寂寞，這難熬的忍耐，無邊的清冷，不知身受的人是怎樣一種況味？而那製造這氣氛的人，會不會在片刻的寧靜中，想一想被自己忽略的對方，想一想被自己破壞的家庭的溫暖，恬美的氣氛，而感到慚悳和內疚？

果然，一個人的生活中，有工作，也必須有娛樂。娛樂唯一的目的是使在工作中困頓了一天的身心獲得調劑，使緊張的神經得於輕鬆，且不管什麼娛樂是高尚的，什麼娛樂是低級的，消極的，一切娛樂總要適可而止，才不傷大雅，而保留一份餘味和回味。如果某種娛樂成了習慣，而人變作這習慣的奴隸，這實在是可悲可歎的！

但願那些放縱豪情，像脫了韁的野馬似的，能及早勒住韁繩！

編註：本文原刊於《中央日報・婦女與家庭週刊》，一九五四年二月二十四日，第六版。

精神上的疫症

「三八」，那屬於我們女人節日又過去了好一陣了。自然，這紀念日的本身是無比的輝煌而富有意義的。一年一度，它應該帶給我們警惕和自勵。可是當如今我們來紀念它時，卻是寫紀念文章的管自己寫紀念文章；開會演說的管自開會演說，而深居在家庭裡的真正婦女大眾，幾乎完全忽略了這麼一回事，記得「三八」那天早晨，我在赴菜場的路上碰見黃太太和林太太，就興孜孜地笑著招呼道：

「日子真快，今天又是一年一度的婦女節了！」

「是嗎，我都忘記了這回事。」黃太太淡淡地回答，一副漠不相關的神情。

「婦女節又能怎樣，還不是照常得行那一套吃飯公事，誰又撈得到一天半天假？」林太太把眉毛一揚，嘴一牽動，語氣中摻著牢騷和怨憤。

兜頭一盆冷水，我怔愣了一會，不禁噤默無語。

追索四十多年前推行婦女運動的指標所要求的便是婦女在政治、經濟、婚姻和職業上的自由平等，這運動的本身成績如何，似乎用不著我曉舌，還記得數年前為了婦女走出廚房，抑是回到廚房裡去這個問題，曾展開了一場劇烈的筆戰。結果好像依舊不分勝負，但事實上呢！恐怕百分之六、七十的婦女還是乖乖地留在廚房裡。

這些留在廚房裡的婦女，大部分都受過中等或高等教育，她們做少女時，又何嘗沒有遠大的抱負，崇高的理想，但從少女而少婦的時期不過那麼幾年，麻煩可就來了，先不提許多事業機關就不用已婚婦女，而一個家，總有家務，總有孩子，人的精力、智力終究是有限量的。最後，在熊掌和魚不能兼得的狀況下，終於只能選擇了後者。

當一個犧牲了抱負的女人，初初關進廚房時，可以想像得到她的心情是沉重的，她不甘平庸，但又不得不如此。慢慢地，她只得帶著點自暴自棄的心理認了命，認為自己一輩子只有蟄伏廚房，不能再有所作為，於是意志消沉了，情熱降落了，智慧黯淡了，養成一種惰性；不求進取，不願多想。生活在狹隘的小圈子裡，一天天渾渾噩噩地打發著日子過去，除了家務、吃飯、聊天和睡覺，對任何身外的事物，任何社會活動都不發生興趣，缺少熱忱。——像黃太太和林太太便是一個例子。

這種麻木，這種淡漠，都是一種可怕的、精神上的疫症。這疫症的染患，就同生疥癬一樣；來的時候是輕微的、紓緩的，但一旦成了痼疾，就難以醫治了。

自然，這種精神上的疫症不是不能免疫的，唯一的免疫的方法是自己時時警惕，刻刻自省，不管在什麼惡劣的環境中，不管在怎樣冗繁的家務裡，永遠保持一顆進取的、向上的心，不要忘記充實自己，擴大視野，像清晨打開那緊緊關閉著的，心靈的窗子，領略這廣大自由的世界，給委頹的生命裡注射進新鮮的血液！

編註：本文原刊於《中央日報・婦女與家庭週刊》，一九五四年三月十七日，第六版。

回憶的泥潭

記憶有時候是一種累贅，當人們念念不忘於過去所受的不平的待遇、屈辱以及人與人間的私隙和仇恨，它便成為精神上沉重的負擔。記憶有時候又是無底的泥潭，當有些人戀戀不忘於過去的顯赫、逸樂、享受，它便使人泥足深陷，浸沉不能自拔，但記憶有時候也是一枚清淡的橄欖，當人們偶然嚼食時，卻是回味無窮！

我不討厭在現實生活中偶然咀嚼一枚橄欖，回味回味已成為過去的事情，譬如過去與生活的奮鬥，生活中重大的遭遇、冒險，不平凡的經歷，有趣和好玩的事……回味中有時也寓有淡淡的警惕與自勵，還有結婚許久，熱情降退的夫婦們，不妨回憶一下熱戀時某一個情景，一些可笑而可愛的舉止，一個初吻，一句傻話……當兩人同時回憶及此，青春的情熱彷彿又回到身畔，生活裡又有了羅曼蒂克的氣息——但這都只能偶爾為之，如果橄欖因盡嚼而嚼得淡而無味，猶自自作多情，迷戀骸骨，就不免陷入「回憶」的泥潭中了。

然而，世上偏有不少人甘願沉浸泥潭，自得其樂，自我陶醉。

前些日子我去拜訪一家名分上是我長輩的遠親，他們便是屬於生活在過去和回憶中的那種人，這拜訪在我是一種精神上的虐待，但在禮節上不能不如是。一進門我就渾身緊張，戰戰兢兢，小心應對，極力避免任何可能引起「過去」的話題，然而在他們極力把話題引到過去的企圖中，我這種努力最後終歸失敗了。譬如我剛剛一提到天氣有點熱，女主人馬上接口說：「就是嘛，現在天一熱，只得受煎熬，那比得從前呀！家裡電氣冰箱、電風扇，什麼都齊備，就是熱到一百度，身上也不出一滴汗。從前哪……」於是從天氣講起她從前的生活是怎樣安逸享受，有多少傭人侍候她，家裡的事都不用她費神，她從前出過多少風頭，穿衣服又多考究——如果我剛一提起目前的選舉，男主人便不屑地嗤之以鼻，把民選事批評得體無完膚，於是把話題那麼輕巧的一轉，馬上又轉到自己從前在政治舞台上握權時，怎樣的顯赫，怎樣的威風，怎樣的長袖善舞……只要一談到過去，他們便神采飛揚，容光煥發，滔滔不絕，如數家珍，儘管那些事不止講過百十遍，連聽的人都能背了，他們講來還是津津有味，彷彿只有那一段過去的時間他們才真正生活過來，真正享受了人生。好不容易等他們「想當初——到如今」，一半兒自我陶醉，一半兒感慨系之，把話告一段落，我忙起身告辭時，卻已汗流浹背了。走到外面，重新看見璀璨的陽光，明朗的天空，我覺得自己彷彿正從一個陰暗發霉的地窖裡走出來。

我的遠親只是一個例子，正有很多經不起一點打擊，受不住一點挫折的人，在現實生活中稍遇不如意事，便裹足不前，似這般沉湎在回憶中，他們不願再展望未來，認為未來是渺茫的。他們不敢正視現在，認為現在對他們太苛刻。唯有過去，過去可以使他們自得其樂，使他們自我陶醉！

但「過去」是已經死去，已經定型，它不能給人生加添什麼，它對人生的價值是有限的了。記得泰戈爾有這樣的詩句：「只管走過去，不必逗留著去採了花朵來保存，因為一路上，花朵自會繼續開放！」謹抄錄下來移贈沉湎在「過去」的人們！

編註：本文原刊於《中央日報・婦女與家庭週刊》，一九五四年四月二十八日，第六版。

莫等待

今天我做了一件娛悅我自己的事，就在此刻，我還帶著那份完成了一樁大工程的愉快，做完了一樁苦工的輕鬆，但我所做的並不是什麼大工程，也不是什麼苦工，那只是日常生活中最微小的事，然而卻是我「自己願意」做的事——我終於抽出一晚上的時間，把歷年來朋友所贈和自己的相片整理好了，貼在相片簿上，我一直打算這樣做，又老覺得匀不出時間。彷彿總是有許多「必須要」做的，更「重要」的事堆積著，等著去完成，我常對我自己說：「等一等，等幾時有空暇，抽得出功夫……」

是的，「等一等，等幾時有空暇，有機會——」世上有不少人，就為這一句話，給耽誤了多少事，錯過了多少充實自己的機會，忽略了多少生活中的情趣！從小到大，我就不知道給自己許下了多少心願。小時也許我的氣質有點近於藝術曾經想學音樂，想學繪畫；小時我又是個身體孱弱的孩子，就想等身體強壯了，去學習游泳、騎馬、爬山等各種青年人愛好的時髦玩意，但我的身體似乎一直不能勝任，自然我也就一直沒有機會嘗試。及至長大了，又總想等生活安定下來，想等有一個清靜的環境，自己好好地念點書，補習兩種以上的語文，想等幾時能摒除生活中的瑣事，出去旅行一番，想等幾時有空，把房子粉刷一下，想去看幾位朋友，想等，想等……但當我們「想等」的時候，時間並不因此而等著走得慢些，一晃眼：時間已跑過去一大截，把你撇在後面老遠，再想去抓握時，熱情已降落了，興趣已減退了，時機已不再了，想著自己原可以比現在知道得更多，實行得更多，體驗得更多，也只有徒自懊悔，徒自抱憾。

光「想」永遠不會實現，盡「等」也永遠不能如願，但「等」能夠適可而止，也還能「亡羊補牢未為遲」，最大的悲哀是從來不曾真正的生活過，一輩子便在期待中度過！等機會發展抱負，等機會逞揚壯志，等機會有所作為，等有了時間怎樣，等有了錢，得了權又怎樣怎樣……等到最後，把願望全帶進了墳墓。

不是嗎？人多少都有點惰性，想的比說的多，說的又比實行的多，「當我們在想在說時，可妒嫉的時光悄然過去了，今天是你自己的，明天就不是你的了。」想想真是可恨得很呢，今天的時光明天就不是我們的，甚至剛才的時光現在就不是我們的了，但我們卻不經意地讓它從我們身邊，從我們牀畔，從我們指縫裡悄悄溜走，還盜走了我們的青春、熱忱和一切成就……可是，我們原可以支配它，駕馭它的，如果我們不想「等」的話。

為什麼不馬上動手呢？當我們心裡想做一件自己喜歡做的事時，果真有許多必須要做的，更重要做的事等著去做嗎？那些重要的事果真便急不容待，不能勻出那麼一點時間嗎？也許，我們處理那些「必須要」做的事往往是多慮而誇張了，在生活中，「需要」和「欲望」是同樣重要的，也唯有將那些「必須要做的事」與「我們願意做的事」，妥善安排，使之和諧協調，我們才能說是真正生活過來。

從今天起，我要把「等」字從我的日記中剔除，我將盡量利用時間做我願意做的事——哪怕是生活中最微小的事。

——每一個人需要決定的問題，並不是一旦他有了金錢、時間、勢力以及教育機會以後，他將做什麼，而是盡他目前所有他將做些什麼——我願把這位先哲的話抄下來，作為自己的座右銘。

編註：本文原刊於《中央日報・婦女與家庭週刊》，一九五四年五月十九日，第六版。

旅行

連日只見報上刊登著春遊的消息：「今年日月潭遊客逾萬人」，「阿里山櫻花已謝，增設之遊覽快車停駛」——眼看春已老去，海島上火傘似的陽光將一天比一天灼熱炙人，今年的旅行計畫，也許又要告吹了。

每年，我們都有個旅行計畫，但一年一年過去，計畫始終止於計畫。

「旅行」，多誘人的字眼！它在混混沌沌、庸庸碌碌的生活中，該是唯一能使人耳目清醒，心曠神怡的一件事，人只有回到大自然的懷抱裡，才能擺脫那些人情世故，覓回了「自我」，才能顯示出一直為塵思俗慮所掩蔽，可貴的品性——單純。

然而，儘管大自然敞開懷抱，在時移序變中春花秋月，白雲藍天，綠草清溪，曾經一再打扮，一再修飾，等著人們隨時駕臨，但人們似乎永遠要辜負了這些美意，不是嗎？人們彷彿生來就是為的忙碌，無謂的忙碌，一些生活中的瑣事俗務，像數不清的線頭，纏繞在人身上，人們便像春蠶繅絲似的，把一輩子紡不盡的線頭做成繭殼，讓自己與自然隔離開來。偶然心血來潮，也會想到旅行一次，換換新鮮空氣吧，但問題馬上又接著來了，工作上請不動假，家裡乏人照顧，一會兒擔心颱風，一會兒擔心下雨，既怕太陽曬得頭暈，又怕山高爬不動；還有，要遊當然遊名勝，而名勝一經品題身價十倍；據說日月潭畔的旅社每人一夜的宿費便需新台幣九十元，再加上旅費、餐費，這浩大的費用又豈是一般薪水階級所能負擔？再說中國人一向是捨不得把錢花費在旅行上的，「一動不如一靜」，於是，好不容易提起的遊興就此打消，若是犯癮，乾脆躺在牀上讀讀「遊記」之類算數。

不是說外國的月亮比中國的圓，人家旅行可真輕鬆，也真起勁，週末旅行，星期日旅行，一年更有無數次行程較遠長的旅行，一牀氈子，一籃乾糧，一輛自行車，便到處去得，更有家庭列車，生活便是旅行，這就難怪人家胸襟開闊，年輕活潑，事事樂觀。多與自然接觸，人自會顯得朝氣蓬勃活力充沛。

記得年少時都有那麼一股豪興，或是隨同學校團體，或是星期日邀約幾個同學友好，背著乾糧袋，戴一頂草帽，一口氣跑上幾十里路，逢著下雨，淋得像隻落湯雞；逢上烈日，又烤得像印度阿三，回去還得脫一層皮，到了目的地，對那些勝景佳境也不懂得深深領略，慢慢欣賞，只覺得好玩，新鮮。跳跳蹦蹦，走馬看花一番，回去又跑上十幾里路，興致仍不減來時。而如今只想有一個清靜幽僻的去處，或是仰臥山巒，看白雲冉冉飄過，或是俯伏溪畔，看流水淙淙奔流，大自然中一朵花的開放，一片葉的舒展，都蘊含無限生機，無限情趣，摒卻一切俗念，只為靜靜的領略，靜靜的體會——然而豪興已為歲月沖淡，顧慮重重，旅行計畫像孩子們吹的肥皂泡泡，一個個產生又幻滅了——但是，希望是無窮的，就在這一瞬間，我又有了一個新計畫：不是嗎？世上若果有桃源，沒有陶潛也無人知曉，所有名勝風景若沒有人發現宣揚，還不是沒沒無聞的山和水。「花朵不因為有人看才開得美」，未經品題的山水風景在在皆是，何必一定人云亦云的去擠熱鬧，明天，噢！明天我就馬上去旅行，只要走出這屋子，走出這城郊，大自然不正敞開著懷抱等著我們哩！

編註：本文原刊於《中央日報・婦女與家庭週刊》，一九五四年四月二十一日，第六版。

魚與熊掌

凌小姐對我傾訴她的煩惱：她有兩個男朋友，卻不能決定選哪一個做為終身伴侶；張家大弟告訴我他的困惑：他不能決定隨自己的志願考空軍，抑是隨著興趣去考外文系；許太太為著明天要參加一個婚禮，猶疑著不知該穿哪一件旗袍……在我們的生活中，常常會遇到上述這類「何去何從」「何取何予」的煩惱，煩惱的事情或巨或細，但煩惱的主因卻是一致——如何選擇。

不是嗎！「一個人不能同時愛兩樣相反的東西，就像不能走兩個不同的方向一樣，誰又能卑賤又高貴，誰又能自私又利人，誰又能兼有魚和熊掌呢！沒有一個人穿著寒帶的衣服又穿上熱帶的衣服，所以，我們凡事必須加以選擇。」從我們小時候選擇玩具，到選擇學校、選擇信仰、選擇職業、選擇配偶、或是選擇某一個步驟，某一個行動，而在日常生活中還有無數需要選擇的瑣細小事，一個主婦會為著一塊豬肉的肥瘦，一個鴨蛋的大小，挑選上半天，一個女人會在布店裡挑選一件花式合意的衣料，煞費躊躇——遇上該選擇的時候，人的意志彷彿顯得軟弱而判斷力也變得遲鈍了。如果有人能把人們耗費在選擇上的時間作一個統計，那數字一定是很驚人，而使聽的人難於相信的。

「必須選擇對我每每是最難堪的事，選擇一樣事物對我顯得與其說是拔萃，毋寧說是拋開沒有被我選中的事物。」——紀德。可不是的，當我們在選擇任何事物時，也常常會產生大文豪紀德所描述的這種感覺，選擇前是猶疑不決，徬徨無主，而一經決定後，稍微有點不盡如理想，便又懷疑著自己選擇的並不是最好的，那時又會悔恨沒有選擇而被自己拋開的另一件，那沒有好好把握錯過了的時機。而更多的悔恨卻是悔恨自己的選擇錯誤，一雙不合心意的皮鞋，一直要怨恨到被著破，一份不順遂的工作，越做越心灰意懶，而一對不和諧的配偶，便將悔恨一輩子！這就似另一位哲人所說：「把三分之二的生命消耗在猶疑上，而剩下的最後三分之一，又消耗在悔恨上。」人有的時候可並不像想像中那樣聰明哩。

若是悔恨既不能改善既成事實，而只有增加厭倦而變得更不能忍受，那麼為什麼不學習去適應、去發掘它的優點呢？別以為越是高枝的花朵越豔麗，那原是自己給得不到的事物加添一層幻影，如果摘下來了，還不是同自己栽在窗前的一般！

在我們這一生中，往往浪費了許多時間在躊躇不決，猶豫遲疑上，但是，當我們必須作選擇的最後決定時，卻僅僅是那麼短暫的一瞬間，「是」或「否」，「東」或「西」。這電光似的一閃，往往足以決定一個人的命運，關聯著一個人一生的成就和幸福，也是我們耗費了許多時間在猶豫中唯一把握住的一瞬間。

這決定必須選擇的一瞬間對我們是太重要了，這其間，再不容許我們觀望與徬徨，而要運用全部機智與思慮，作有力的決定，而一經決定，便不再後顧前慮，徘徊不前，如果我們選擇的是平坦的大道，果然要邁步前進。如果我們選擇的竟是坎坷崎嶇的小路，我們仍得拿出耐心和毅力，披荊斬棘前進，因為，那是我們自己選擇的。

編註：本文原刊於《中央日報・婦女與家庭週刊》，一九五四年十月六日，第六版。

工具？魔鬼？

在這個時代，普通一個主婦能夠被冠上「賢能」兩字的，她的第一個條件，就必須是個理財專家。自然，這裡的所謂理財，並不是指家裡有多少田地房屋，金條銀錢，亟待去經營運用，而是要能夠把丈夫不太豐厚的薪金收入，支配運用得恰到好處，使一家衣食不虞匱乏，使孩子教育如期完成，還能一毛一分地剋扣節省起來，添置一架縫紉機，或是一輛腳踏車——事前得精密計畫，實行時得嚴厲執行，事後得仔細檢討。這小家庭裡的理財家卻實在比大銀行中的經理還難做哩。然而我們賢能的主婦卻能應付自如。

我有榮幸認識過幾位這樣的賢能主婦，她們把買菜的錢，買肥皂的錢，分配得清清楚楚，絲毫歪扯不得，算盤更是打得緊緊的，錙銖必較，哪怕孩子要買兩毛錢的手工紙，如果是超出預算之外的，也硬起心腸，斷然拒絕支付——我除了對她們由衷的欽佩外，在這一點上，我自認永遠不配做一個賢能的主婦，與其說我缺乏理財的頭腦，不如說我對生活上不忍太苛刻了。譬如說，如果上街時順便買一包可口的點心可以博得老人欣忭，一冊美麗的故事畫可以哄得孩子歡喜，我們為什麼又要吝嗇這份欣忭和歡喜呢？如果一場值得一看的好電影可以使精神愉快，一次簡單的野餐可以使身心振奮，我們為什麼又要捨棄這份愉快和興奮呢？如果一瓶鮮花，一件屋裡的小飾物可以增添家中優美的氣氛，一冊感人的書刊可以增添無限情趣，還有一些意味深長的紀念品，為我們留下甜蜜的回憶，那麼我們為什麼又要摒除這優美的氣氛，無限的情趣，和甜蜜的憶念？

金錢的賺取和支付，不僅為了維持生活，也為了豐富生活，物質生活與精神生活有似鳥的雙翼，無分軒輊。但物質生活的貧乏，一時無法奢求，而精神生活要使之豐富，只要懂得尋覓和操縱，常常用極少的錢，便能獲得很大的效果——金錢的價值，並不是在它本身的價值，而是在於它使用的價值，這價值是在換取的東西是不是需要和合適。使用得當而獲得內心的愉悅，不也是生活中最可愛的享受嗎？

對生活我沒有太多的奢求，卻十分珍視生活中這小小可愛的享受，這充滿人情味的溫暖，因此，朋友總說我捨不得花大錢（像她們那樣添置衣物），專喜歡用小錢，而我自己也常常不知道把錢用到哪裡去了。但至少我可以這樣告慰自己，當我這樣做時，我只感到由於自己的興趣和需要而在支配金錢，並不曾處處顧忌它，受它牽制而被它征服，受它奴役。

有人清高超然，把金錢視為阿堵物，這是可愛的傻瓜。有人任意揮霍，浪費心力和血汗的代價，這是糊塗蟲。有人如同把偶像視為命運的主宰一樣，把金錢當作生活的權威，忘記了這權威原是人自己賦予的，卻愚昧的來頂禮膜拜，這是守財奴——在擅於運用的人，金錢是改善生活的「工具」，在把錢視若「神靈」的人，錢或許便是蠱惑人害人的「魔鬼」。錢財殺人的靈魂，有時甚於白刃殺人的肉體。

在錢的處理上，我既不配做擅於理財的「賢能」主婦，又不是傻瓜、糊塗蟲，更不是守財奴。一位經濟權威說——聰明人問著自己的錢「將」用在哪裡；笨的人問著自己的錢「已經」用在哪裡——也許，我是有點笨拙，但如果這笨拙尚不失真摯樸質，那麼，我就讓他笨一點吧！

編註：本文原刊於《中央日報．婦女與家庭週刊》，一九五四年八月四日，第六版。

撲滿教育

前些日子給孩子買了個撲滿，是一個紅色的小郵筒。精緻玲巧，比我們小時候玩的那種黃泥燒的，不知要美觀多少。小瑾從此只要看見有用剩的零錢，就要去投進郵筒裡。她把一角的鎳幣叫明信片，兩角的是平信，五角的插縫中塞不進，可就得打開筒底擺進去當掛號寄了。我很少給她錢讓她自己去買東西，因此她對金錢的觀念也十分淡漠。但是她卻那樣興趣濃厚的一角兩角積存起來，這不禁使我想起自己小的時候，也是那樣並不知道金錢的價值，只為儲蓄而儲蓄，我深深了解那種一點一滴累積的樂趣。

不是嗎？儲蓄本身就給予人一種樂趣。就同有蒐集癖的人在蒐集中獲致無限情趣一樣，有人喜歡集郵，有人喜歡藏書，也有人喜歡蒐集鈕扣、火柴盒子什麼的小東西，想想那一點一滴的累積，那一分一毫的儲存，這其間該蘊含著多少細緻的耐心，多少期待的喜悅！

人們有看得見的儲蓄，存在撲滿裡，銀行裡，保險箱裡；有看不見的儲蓄，存在腦中，存在心頭，前者往往因為過分而使人變得庸俗、自私、吝嗇、貪婪；後者卻變換一個人的氣質，使人變得睿智、靈慧、豁達、涵博；前者便是金錢，金錢可以應付生活，滿足物質上的欲望；後者是知識，知識的提煉是智慧，知識的累積是力量，可以使人生豐富充實。但是，世上庸庸碌碌，又有多少人求知若求財？「沒有誰滿足於自己的財富，誰都滿足於自己的智能。」托氏這句話一點也不誇張，很多人只是在求學那一階段，儲蓄了一點知識，一旦從事工作，離開學校久了，無形中便終止了再儲存，彷彿積存那一點知識只是做為應付環境的工具，至於這工具是否嫌過時了，鏽鈍了，便從不加以補充、磨礪。世上便最多這樣的人，只能永遠生存在狹隘的一隅，不能有所作為。

也有不少人完全忽略了知識的積蓄，一味拳拳於金錢的斂刮，這樣的人縱使富可敵國，物質上極盡享受之能事，但他們還是貧乏的，靈智上的赤貧，人生對他們只是一場富貴夢。

也有很少的人全然漠視金錢的積蓄，專心致志於知識的獲取，這樣的人也許從不在意物質的匱乏，但他們卻生活在廣泛的世界中，人生對他們是無限豐富，奧妙和美麗，掘發不盡。

如果將人們看得見和看不見的儲蓄作一番調節，如果人們能把求財的切心分注一半在求知上，也許，世界也將隨之改觀了，不是充滿了殺戮、搶奪、侵占，而是安定、進步、不斷的在改善中。

是的，儲蓄和蒐集一樣，本身便給予人一種樂趣，但是，當大人教孩子們開始嘗試這份樂趣時，便給他們撲滿，把重視金錢的觀念不知不覺便移植在孩子腦中。自然，儲蓄能養成節儉的習慣，這是好的。只是當我們鼓勵孩子把錢投入撲滿中時，千萬不要忘記告訴他們：一個人一生中還有比金錢更重要更有益的東西需要儲蓄，那是知識。人本身就似一隻碩大無比的活撲滿，隨時隨地要從書本、從大自然、從社會、從實驗和發明中吸收新的知識，投入自己這大撲滿裡。

別光記著充滿儲錢的撲滿，而自己卻是腹內空空如也。

編註：本文原刊於《中央日報・婦女與家庭週刊》，一九五四年十二月二十二日，第六版。

小心靈的潤澤

記得在一次畫展中，有一張很使我感動的畫，那深刻的印象至今還留在我腦子裡。畫的是一個年輕的母親正坐在一張藤椅中，一面編織毛衣，一面和藹地向孩子們在講述什麼。圍在她面前的是兩個六七歲的孩子，一個小手托著紅潤的臉頰偎在小椅子裡，一隻手還曳著個洋娃娃，一個兩腳交叉翹起，雙手支撐著下頰，俯伏在地上，兩人都一樣的聚精會神，睜大眼睛望著他們的母親，顯然是在聽一個美麗的故事，整個小心靈全被動人的情節吸住了，融貫了，而畫得最傳神的還是那兩對眼睛，湖水般澄清、明亮，又矇矓地閃爍著夢幻似的光彩。那凝神一注，歡欣嚮往的神情，彷彿使人看到那幼小的心靈，正似向陽的花瓣般欣然啟開，而那些美麗的字句被吸入心瓣又似露水滴入花蕊，無聲地溶解、潤澤……

聽故事，這兒時心靈上無上的享受，縱使在回憶中也充滿溫馨，沒有一個孩子不酷愛聽故事，就像沒有一棵花木不渴需雨露一樣：孩子們的求知欲是旺盛的，他們對一切感到新奇，因而那對廣博的世界，深奧的人生有所啟示的故事，他們的需求是永遠貪得無饜的，有似填不滿的無底深壑。

當孩子們搖著膝頭，懇求著，「媽，講個故事吧！」望著仰起的小臉上那渴望的神情，誰又能忍心拒絕？可是，給他講些什麼呢？

是的，給孩子講些什麼？這幾乎成了做父母的一個難題目。還記得我小時候就因為聽多了狐鬼神怪的故事，無形中卻造成了一種懼怕黑暗的心理。最初的印象往往即是最深刻的印象，孩子的心原是最容易感受塑鐫的，給他美的就是美的，給他醜的就是醜的，但知接受，不會選擇。幼時所耳濡目染的，也許便影響他們未來的心理、人格和作為，那麼，那足以啟迪他的智慧，培養他的人格，陶冶他們品性的故事，又怎能不鄭重選擇！可是，且拭目看看我們兒童讀物的領域吧，除了那些荒謬不經的連環圖畫，充斥文化市場的便全是販賣得來的洋神話、洋故事，不是國王公主，就是海盜遊俠，雖然其中也有極少數寓有教育意義的，但究竟限於各國的民族特性，生活習慣不同，收效也極微。再說，荒謬的連環圖，那些販賣來的洋神話，早在我們這一代聽的看的就是這些，如今隔了二、三十年，還是這些，在這悠長的一段過程中，我們新文藝的園地已由萌芽而長成一片茂盛，唯獨這一角兒童文學，卻始終是一片荒涼！

人家有的是安徒生、格林……我們有的是什麼？孩子們嘴裡唸唸不忘的是人家的小飛俠、白雪公主、阿里巴巴，而屬於我們自己的呢？卻是看了誘使孩子們結伴潛逃，想上荒山深谷去學飛劍的故事。

人們常譬作家是靈魂的工程師，一個工程師不會忘記把基礎築得堅固，為何我們靈魂的工程卻忽略了幼小的心靈？

常聽見作家們強調著要深入社會，深入農村，深入軍中……可是，請別忘了也要深入到廣大的孩子群中，用赤子之心，純淨的筆，為他們寫些人性中至善的、愛和美、善和真的故事，寫些富於優美的想像力而不至近於荒謬，寫些富有教育意義，而不是刻板的教條，寫些發揚民族精神，而不是嚴肅得像歷史課本的故事。

做為一個母親，一個為應付孩子們無盡止的需求傷透腦筋，搜索枯腸的母親，我很想請求作家們別太吝嗇用思想和情熱，去潤澤充實那些幼小的心靈。

編註：本文原刊於《中央日報・婦女與家庭週刊》，一九五四年八月十八日，第六版，原題〈小心靈的培護〉。

池水

夏日漫漫，午後更是困人，連狗和貓都睡得靜悄悄的，一院子驕陽灼灼，闃寂無聲。我斜倚在窗台上翻閱著當天的報紙，雙眼已感到倦澀，驀地裡院中一陣咶噪，原來是那隻老公雞正欺侮那群脫離了母翼庇護的小雞哩。只見牠昂首揚趾，舉起尖銳的喙，毫不憐惜地向近旁一隻稚弱的雛雞身上啄去，可憐那些無力抵抗的小雞，只嚇得惶亂無主，四散竄逃。我忍不住揚起手裡的報紙，吆喝著逐退了公雞，小雞們才各自從藏匿的地方跑攏來，驚魂甫定，便又呼喚著衝散的夥伴，一路東啄西啄，啾啾而去。小東西不知天高地厚，嬌憨淘氣，而被公雞追啄時又顯得那樣恐怖惶急，驚懼欲絕。

我望著牠們，忽然聯想起剛才看的一則新聞，不禁在腦中映上另外一幕：一個身材魁偉的教師，正向面前一個矮小的學生大聲咆哮著，猛地伸出巨掌，便左右開弓，給了那孩子重重的兩巴掌，一會兒又換成拳腳交加，一陣擂打，一會兒又舉起教鞭、掃帚什麼的攔頭攔面一頓亂抽，捱打的孩子被打得頭臉紅腫，搖搖欲倒，但不敢反抗也不敢掙扎，只是呼痛飲泣。那教師不就像那昂首揚趾，容易激怒的公雞，那捱打的孩子不恰似那稚弱無助的雛雞？但小雞被啄時還可以逃避，受鞭笞的孩子是不許動的，而小雞被啄時所感受的只是肉體上的疼痛，但是人，哪怕是幼小的孩子，還必須忍受自尊心被損傷的痛苦。軀體上的損傷會隨著時間過去而過去，而稚弱的心靈上所受的損傷，卻常常一輩子不會磨滅。「損害孩子的心靈是一種莫大的罪惡」。然而，不知是不是正如一位醫學博士所說的，台灣因為氣候關係，人的性情容易變得急躁粗暴。不是嗎？近年來，教師任意毆打學生的事就層出不窮。恍惚間，幾乎使人懷疑是時代又趨向野蠻了。

想想自己正教育著那新生的一代，灌溉著那寄託著人類希望的民族的幼苗，難道那些急躁的為人師者，就不為自己所從事的如此神聖的重任而自重自勵嗎？

想想那些稚弱的，正待啟發，陶鑄的心靈，那些天真無邪、渴需慈愛和同情的甘露滋潤的赤子之心，難道那些粗暴的為人師者，就能毫不顧憐的任性加以毆打嗎？

也許，孩子們有時太頑皮，太淘氣了。但做為一個教師不會不懂得兒童心理的，他應該知道「愛的教育勝於力的教育」。如果他們能平心靜氣，以純摯慈祥的愛、同情心和誠懇和悅的態度，去感化孩子，我相信天真的孩子是不會不被感悟的。

大教育家凱欣斯泰納曾說：「充滿了仁慈和同情的愛心，才是教育精神的本質。」夏丏尊在《愛的教育》序言裡也說：「教育好像掘池，而池裡的水就是情、就是愛。教育沒有了情愛，就成了無水的池。任你四方形也罷，圓形也罷，總逃不了一個空虛。」顯然的，我們那些性情粗暴急躁的可尊敬的教師們完全忽視了教育精神的本質，更忘記在掘鑿的池裡注下同情和慈愛的水！

孩子們需要的教育是：優美人格的陶鑄，正確思想的啟發，適當行為的利導，良好態度的培養，這一切應該是在他們內心發生一種潛移默化的效能，而不是讓他們接受粗暴的，摧殘他們身心健康的待遇。為下一代，為我們民族新生的細胞著想，檢定師資，重要的不是證件文憑，而應該是教師的品格和性情。那些對兒童缺乏仁慈和同情的愛心的人，是不配教育孩子的！

編註：本文原刊於《中央日報・婦女與家庭週刊》，一九五四年七月七日，第六版。

早春的蓓蕾

所有的花木自萌芽至開花，都要經過一定的時序，吸收足夠的雨露滋潤和陽光照射。但這其中也偶爾有得天獨厚，一枝占先的奇葩。所有的玉石自開鑿以至可供雕用，一定要經過一番琢磨，但這其中也偶爾有脫穎而出，鋒芒早露的靈玉。像這早春的蓓蕾，這鋒芒早露的靈玉，在人類中所表現的，該便是那些天資特殊，聰明過人的所謂「天才兒童」和「神童」了。這些日子來，報上不就連續刊載了好幾次有關天才兒童、神童的照片和特寫！有人說，這是人瑞。

智慧有時在人類身上所表現的簡直像奇蹟，它能使一個微小的生命變得光輝，有如晚空第一顆閃現的星子，那些受它眷愛的孩子，不只聰慧過人，而且總天賦一種特殊的才能，有書法的天才，有繪畫的天才，有音樂的天才……這些天才如果因勢循導，小心培植，日後的成就自不可限量。但是，這早熟的智慧，有時帶給他們的命運，卻並不是幸運，而是悲哀。這悲哀的成因，就是因為好事的大人為他們加封了什麼「天才兒童」、「神童」的頭銜。而愚昧的父母更因為生了這麼一個光耀門楣的兒女，當作稀世的寶貝般到處炫耀，隨時隨地當眾表現一番，以博取幾聲誇獎。自然，若能引起記者先生的注意，在報上發表一兩段消息照片，更覺十分光彩；卻不知自己這樣做時，已在兒女們的生命中投下了一些陰影，影響到他們日後的發展。還記得我小時候便曾隨父親去「參觀」過一個「神童」，他年齡不比我大多少，但站在他父親旁邊那循規蹈矩的神情，和木然缺乏表情的顏面，卻彷彿一個小大人似的。由於他父親時常帶他出去表現，也時常有人來家參觀，他當著我們便從容不迫地在安排好的白宣紙上大書特書起對聯來，寫完了自然又博取了不少誇獎，但他好像接受慣了，臉上依然毫無表情，倒是他父親，拈鬚微笑，一副得意的神情。那時我練毛筆字能夠搭橋似的把架子搭像已很費勁了，看見人家寫出這一筆端端正正的大字，自然佩服得五體投地，覺得他真了不起。至於將來怎樣了不起，我倒沒有想到。但無論如何也想不到十幾年後回到家鄉時，早年這位聰明過人的神童，卻在玄妙觀裡擺攤子專替人家寫對聯！

不管天才不天才，孩子的心總是純潔無瑕，像一張白紙，任意抹上色彩的全是大人，他們先培養了他驕傲自負的性格，又造成他愛出風頭的虛榮心。試想，一個從小在誇獎中長大的孩子，隨時隨地都在準備接受人家的誇獎，自然受不了一點冷落。而憑恃天才，驕矜自負，將來在社會上又怎能與人相處？憑恃天才，不屑學習求進步，十歲以前是天才，二十歲以後也是庸才了。原來大家對他期望甚高，自己也期許甚高，但一旦發覺自己的成就不過如此，並不出類拔萃，更引不起別人的另眼相看，捧場喝采，這一下心理上的打擊，彷彿從高樓上摔到地下，往往使「天才」消沉墮落，一蹶不振。「小時了了，大未必佳」。多少小時候聰明過人，大有作為的天才兒童，最後卻只博得這麼一句評語，其命運可悲亦復可哀！

有天才的兒童是枝早春的蓓蕾，需要更周密的培養和灌溉。而太多的獎賞和誇耀，只是麻醉性的毒劑，恰當的循導與勉勵，才是甘霖和雨露。做父母的似不應該忽略了這點！

編註：本文原刊於《中央日報・婦女與家庭週刊》，一九五四年六月三十日，第五版。

祝福母親

今天是星期日，上班的、上學的都還沉沉睡著。我一個人悄悄地起了牀，悄悄地盥洗後，換上件潔淨的旗袍，又悄悄地開門走到小院裡，空氣涼沁清新，花壇上，一小叢康乃馨正帶著露水開得鮮妍。我滿懷欣悅，摘下那最紅豔的一朵，鄭重地佩在胸前。立刻，一股溫暖從心底氾濫——今天是母親節，那鮮豔的丹紅，正象徵著母愛的永輝。

世上還有哪一個節日比得上母親節那樣充滿了愛與和平！還有哪一個節日，值得我們如此深深感恩！

不是嗎？誰都有母親，誰都享受過母親深厚的愛，每個母親不僅給予她的兒女骨肉、血液，還有，她自己的愛心，她愛這從自己體內分裂出來的生命，甚於自己。當饑饉時，她第一個先想到的是兒女是不是餓了；當氣候變化時，她第一個先想到的是兒女會不會受冷受寒。她的兒女慢慢大了，學業、事業、婚姻，更沒有一樣不要她操心，不要她費神，有時，我們做兒女的還要笑她們喜歡多慮，但回過頭來想一想，那種縝密的思慮中，該蘊蓄了多少的愛！所有的母親便以這汲之不竭，取之不盡的愛，一點一滴充實兒女的生命，滋潤兒女的心靈，這期間又是多麼悠長而艱辛的歲月！

母親的愛是力量，使我們敢於面對現實，接受人生的考驗，母親的愛是意志，當我們在人生的路程上受挫折時，跌倒時，使我們重新振作，繼續邁進，母親的愛密密層層包圍著我們，使我們不受邪惡的侵害，而當我們心裡有什麼失望、空虛、不如意時，母親的愛又立刻彌蓋，撫平了這一切。

自有宇宙生命以來，便有母愛，普天下母親的愛原是一般的，千萬年來，已有多少頌讚母愛的文字，千萬年以後，仍將寫出多少頌讚母愛的文章，但偉大崇高的母愛是永遠永遠寫不完的，更不是一支拙筆所能渲染。我不想頌讚，我只想在這一天，這一年中最值得感恩的一天，靜靜地想一想：自己曾做過哪些違拗母親心意的事，也流些愧疚之淚，想一想今天又該做些什麼母親所喜歡的事，也博得她老人家粲然一笑！

「媽媽戴了紅花，真漂亮！」

「媽媽，妳不說自己栽的花不准摘？」

孩子們不知什麼時候溜到門口來，一見我便拍手喧嚷著，我笑著告訴他們今天是母親節，戴紅花是象徵母愛，他們立刻又嚷著也要戴紅花，這時，霈睡眼惺忪地從窗戶裡探出頭來，問我們清早鬧些什麼？小瑾連忙摘了朵紅花遞上去說：「爸爸，今天是母親節，你也佩朵紅花吧！」

「哦！母親節？」霈掂著花，聲音低沉了，眼光黯淡了，我這才恍然記起，他的母親還留在大陸！八年來音訊不通，更未卜生死存亡！

每一個做母親的都渴望著和平、安樂，她們大半生辛苦勤勞，只盼望在晚年同所愛的人在一起度過安樂日子。然而，戰亂頻仍，多少做母親的喪失了親愛的兒女，多少做母親的關在鐵幕裡，日夜懸念著亡在外的兒女，更有多少做母親的，眼看她們親生的兒女，舉起叛逆的手，摧毀她們的希望和安慰，她們的心碎了，她們流的不是眼淚，是心血，一滴一滴，滴在失去自由的土地上——

我從霈手裡拿過紅花，插在他口袋裡，肅穆地望著他說：「佩上這朵紅花吧，讓我們敬謹祈禱，為普天下的母親祝福！告訴她們：我們必將盡力於把她們企求的和平安樂，在另一個母親節當作禮物呈獻！」

編註：本文原刊於《中央日報・婦女與家庭週刊》，一九五四年五月九日，第六版。

端陽瑣語

南部夏早，陽光已一天比一天灼熱，就在屋內隔著那薄薄的瓦片，也能感受到它的威力，似乎並不遜於朝夕相對的煤爐。熱，使一切物體擴張，連日子也拉長了，熱，使人昏沉欲睡，只有晚上，晚上才好容易喘過一口氣，從雙重威力中解脫出來。我剛將一些俗務處理完畢，帶著勞頓後的一份輕鬆，揮著扇子，在窗口坐下。小瑾好像早便盼待著我這一個步驟，馬上走了過來，挨著我央求道：「媽，給我起個頭吧。」還不等我答允哩，小手便鄭重的拈著小小的一角白色的東西遞到我面前，那是一只用圖畫紙摺成的，五角形的粽子，和一根紅絲線，原來她這半天一聲不響地伏在桌上，便在摺這小玩意兒！

我一看日曆，才曉得還有兩天便是端午節了。在故鄉，這時不正是榴花紅得耀眼的時候？榴花一紅，大家就惦著過節了，不是嗎？生活是呆板而單調的，一年有那麼幾個節日，也讓大人小孩忙碌一番，高興一番。

我接過小瑾手裡的粽子和絲線，在線的一端挽上個結，嵌入粽子縫裡，便繞著四個角牽纏起來，兒時的玩藝還依稀不曾忘記，但如今熱中於此這的卻是我的女兒！時間所安排的，實在令人不可思議，可是，生命不便是這般延續下去，以至綿亙無盡麼！

我纏著一根紅絲線又一根綠絲線，把我自己纏入回憶，一瞬間恍惚我又拾回了失去的童心。童年的節日就似那些五色繽紛的絲線綢緞，閃耀著一片光彩，不是嗎？女孩子們對那些美麗精緻的小物件都有著特別的愛好和傾心，更有一份逞強好勝的心理，而端午節就彷彿專給女孩子們逞弄聰明的。離過節還遠著哩，早便忙著選絲線，向大人討綢緞的碎角，設計香袋，好到那天掛出來一爭長短！那些用五彩絲線纏繞的粽子、銅錢，綫網綴成的樟腦袋，那些用鮮豔美麗的綢緞碎角拼成的雞心、猴子和拖著鴨絨鬍鬚的老虎頭，那些金光燦爛的彩球，那些裝滿了檀香粉末的精緻的香袋……一件件都精巧玲瓏，豔麗奪目，孩子們懸在胸前，就像一串串華麗的瓔珞——就是這些意義深長的小飾物點綴得節日更是綺麗而情趣盎然。

記得有一次過節，我的小肚子裡塞滿了粽子，雄黃酒喝得醉醺醺的。父親把我攬入懷中，問我曉不曉得為什麼端午節要吃粽子？我不假思索地回答：「因為過端午節，就要吃粽子。」父親慈祥地笑了，接著他就給我講了那個三閭大夫屈原投汨羅江的故事，說是屈原死後，楚人為了紀念他，每年便在五月五日用竹筒裝了米，投在江裡祭他，後來有人夢見屈原說米都給蛟龍偷吃了，如果改用楝樹葉子裹米，再用五色絲線縛住，蛟龍就不敢吃了。這就是現在粽子的來源，可是現在大家都只記得形式，完全忘記了原來紀念的意義，父親說到詩人用那種尊敬的口吻，和父親講故事時那種莊穆虔敬神色，就在此刻，我閉上眼睛依稀還能記起，如今，父親已作古，又該輪著我給我的孩子講這個故事了。

端午節不僅為了紀念這位高風亮節，忠貞愛國的詩人，更含有環境衛生的意義，不是嗎？打掃一番，消毒一番，牆腳壁角灑些雄黃酒，燒著艾葉菖蒲各處薰薰，亂離中說不上過節，但卻願把那些有毒的、腐朽的、黑色的、紅色的細菌一起肅清消滅，迎來炎炎長夏！

編註：本文原刊於《中央日報・婦女與家庭週刊》，一九五四年六月三日，第六版，原題〈憶端陽〉。

狐狸性格

友人江君傍晚來看我們，平時他總是談笑風生，風流自賞。今天卻神色沮喪，沒精打采，活像一隻打敗了的公雞。原來他最近在情場失意，他追求一個女孩子，那女孩卻同別人訂了婚。

「別沮喪，情感上的挫傷，時間便是最好的治療。」我為他泡了杯茶，試著鼓勵他。

「這是無法治療的，這不僅是挫傷，簡直是一種無比的侮辱。」他悻悻地說。

「侮辱！因為她不接受你的愛情？但你知道感情原是不能勉強的。」

「愛情，其實她懂得什麼愛情，淺薄、幼稚、虛榮……」江君越說越激憤，竟批評得他愛過的女孩子容貌、性情、品德，一無可取處。他的話使我的同情變作反感，忍不住截住他說：

「我記得你過去曾告訴我：她是個純潔、高貴、溫柔可愛的女孩子。」

「那是因為我過去對她認識不夠。」

「這就錯了。」我嚴正地說：「如果你當真把愛情盲目地獻給一個認識還不夠的女孩子，那是你自己的愚蠢；如果你是因為沒有獲致對方的愛情而故意誹謗，那便顯示了你性格中卑劣的一面。你記得伊索寓言中那個狐狸饞涎高牆上的葡萄，卻因為吃不到而說它是酸的故事嗎？得不到愛情而詆毀別人的品性，就像狐狸吃不到葡萄而說葡萄是酸的，是一樣的心理。」

江君紅著臉想爭辯，我不讓他打岔，繼續說下去道：

「有人說愛情是色欲與友情的乘積，前者純粹是自私的占有欲，後者是寬恕、諒解和同情。如果愛情中缺乏了後者，那就只剩下自私的占有欲；只有占有欲的愛情就像人們喜歡一件瓷器，一件雕刻，或一件任何可愛的物件而想據為己有一樣，僅僅是想滿足自己的欲望而已。不看見有些任性的孩子，常常因為不能占有喜歡的東西，索性就把它毀了。這種不能占有，便是毀壞的性格，表現在男士們的愛惡上，也便是那些殘忍的毀容謀殺，和惡意誹謗。雖然一種是有形的肉體上的傷害，一種是無形的精神上的傷害，但兩者卻同樣是一種有意的企圖，一種最卑劣的行為。」

「需要撫慰的人卻等到了一頓鞭笞，」他苦笑說，「依妳說遇到了這樣的事，應該怎樣處理自己的情感？」

「如果你真正愛她，應該為她所選擇的幸福慶幸，捺下自己的痛苦，去為她祝福！」

「妳把人都看作聖人了！」他向我揶揄著。

「慢慢地忘記它，像忘記一個春夢。」

「夢裡的創傷，醒來還是痛。」

「那麼，聽我唸這段，」我打開手裡的書，翻到那一段唸下去：「在一個消逝的，愛情的最後一聲歎息的回響，還沒有完全消滅在空中以前，聽到一個新生的戀愛的最初的音階，在心靈中震盪，這是一種最舒適的情緒，正如看了落日，回過頭來看對方的明月一樣舒適——如果落日的餘輝已不能使你感到溫暖，又為什麼不等待明月上升？」

「是的，我會去等明月上升，更不會忘記帶著鞭子。」（註）他嘲弄地說，喝完一杯茶便走了。顯然的，我的一番口舌算是白費，他並沒有解除因戀愛失意所引起對那女孩子，以及對所有的女人的敵意和仇視。

男士們往往在追求一個女人時，便把她供奉在心上，當作神；追求不到時，卻又在背後任意詆毀，貶成蛇蠍。這種性格無以名之，姑名之曰：「狐狸性格」。

註：尼采曾說：「到女人面前去，不要忘記帶鞭子。」

編註：本文原刊於《中央日報・婦女與家庭週刊》，一九五四年七月二十一日，第六版。

愛情的陰影

我正讀著副刊上一篇小品，坐在對面的霈忽然笑著把他手裡的報紙遞給我說：「看這裡一個小故事正好給女人一個警惕，那位義國太太可以說把妳們女人的天性發揮到最高度了。」

他指給我看的一段是：一個患二期肺病，多疑與憂鬱的義國太太，多少年來就一直懷疑她的丈夫有外遇，整日價以淚洗面，不能自己地計算著自己的末日的來臨。一天，當她無意間發現她的丈夫正和一位女友談天時，驟然心裡一緊，全身發冷，悲憤間，她的聲音失去了，成了啞子……

「如果她的丈夫在感情上確有虧負她的地方，那麼，她的妒嫉，正是顯示出情感的真摯與崇高。如果她純粹是由於多心和猜忌，那也不能就籠統的稱為女人的『天性』，就像有的男人有色情狂，你也不能就說色情狂是男人的天性一樣。」我說。

「這一點，妳應該為妳們女人向一般人提出抗議。」霈望著我笑笑，卻又拿起他的報紙來。我卻被他的話挑逗得有點激動。不是嗎？一般人，不，應該說是男士們，總是動輒便譏諷女人心地狹窄，挖苦女人多疑善妒，便把妒嫉看作是女人特賦的一種卑劣的性格。

先說妒嫉果然是一種卑劣的性格嗎？不然。如果妒嫉得適當而必要，卻正顯示著情感的真摯和可貴。「愛情的眼中是容納不下一粒沙子的。」尤其是女人，女人常把愛情當作生命。若是發覺做丈夫的感情上有所動搖或轉移，又怎能容忍？傳說中唐太宗因房玄齡之妻不容房納妾，而賞賜毒藥要她選擇的故事，她不能活著讓別人分潤她所愛的人的愛情，而寧願仰藥以殉情，雖然皇帝同她開了個玩笑，瓶裡裝的是醋不是毒藥，但她事前並不知情。這一點足以顯示出她那一片堅韌執著，至高無上的至情摯愛。這分明是一個為愛情而不惜犧牲的故事，流傳下來，人們卻忽略了情感崇高的一面，只是謔笑著房妻的妒嫉，而編造些「醋瓶子」、「醋罈字」的名詞調侃女人的妒嫉。根據這一點，我們可以說因為做丈夫的自己在情感上不忠實，企圖卸罪，便說是做妻子的善妒，沿襲下來，妒嫉便被硬按作是女人的一種卑劣的性格了。但是，如果做妻子的當真寬宏大量，應該妒嫉而不妒嫉，丈夫的愛情也不能引起妻子的重視，那夫婦間的感情也就岌岌可危了。

應當妒嫉而妒嫉，這是一種人的本能，並不是誰的天性，自然，也有不應該妒嫉而妒嫉的。像有些神經過敏的妻子們，總是懷疑丈夫的情感不堅貞，她丈夫一上班就惶惑不安。在家裡空閨獨守，不免產生種種幻想，由幻想而猜疑。每天丈夫一回來，就像審判官鞫訊犯人似的，要把他當日的一舉一動逐一逼供。這不是妒嫉，完全是盲目而愚昧的猜忌，如果不是心理上的變態，便是夫婦間了解不深，彼此缺乏信心。像這種情形，倒是十分嚴重而應該改善的。

不管是女人的天性，男人的罪行，妒嫉總是一片陰影，像雲翳遮蔽了太陽似的，遮掩了愛情的光輝。彼此真誠相愛，坦白相處，注意培養互信互賴，建立一種安全感。那麼，這片陰影永遠不會有機會遮蔽掉愛情的光輝。

編註：本文原刊於《中央日報・婦女與家庭週刊》，一九五四年七月十四日，第六版。

偷得浮生半日閒

夕陽淡去，炎熱全消。

浴罷，我端一張竹椅坐在小園裡，晚風輕輕，花氣氳氤，西邊的彩霞還剩著一抹餘輝，東邊寬大的椰葉隙間卻已升起一輪淡淡的月亮。田野裡隨風飄來清脆的蛙鳴，我仰靠在椅背上，凝神矚望，攜了一卷書，卻一頁未掀，只是閒置在膝上。端了杯新泡的菊花茶，卻一口未啜，只是逗留在唇畔。這時如果有人問我在想什麼，我會告訴他：

「什麼也沒有想。」

這時如果有人問我需要什麼，我會對他說：

「什麼也不需要。」

是的，此時此刻，我什麼也不想，什麼也不需要。只有那片刻的清閒，那份恬淡安謐的寧靜，那種出塵忘俗的寧靜，才是我願以全心靈浸沉的。我把思想的閘門如同水龍頭似地關了，把一天的疲累像一件又髒又濕的外衣，丟棄在浴室裡，讓僵硬的筋肉和緊張的神經鬆弛下來。我的心裡充滿了一種綠蔭的清涼，一種湖水的澄澈，一種寧靜的幸福，我覺得只有這片刻我是我自己，我從那使我迷失的塵囂中找回了自己。

片刻的寧靜，乃是人間至高的清福！然而，懂得領略這份清福的似乎並不多，有的人是因為忙，他們彷彿永遠有忙不完的事情要做，永遠覺得沒有充裕的時間來完成那些壓在肩頭的、沉重的工作。不僅為正在做的工作焦急，還得為下一個將做的工作煩惱，為過去已完成的工作憂慮。就這樣把自己束縛在日漸堆積的、緊張的情緒中，就像飛蟲投入黏性的蛛網裡，只是做著徒然的掙扎卻無法擺脫。而過去的縱使未曾做好，但已成為過去而無能為力，未來的也不因為煩惱而便能改善，而現在的儘管焦急，照樣得按部就班地做下去——結果是徒自怔忡不寧，心力交瘁，永遠無法獲致片刻鬆懈的機會。

相反的，有些人卻是因為太空閒，「人在福中不知福」，因為太空閒了，反而體會不到片刻的寧靜有怎樣的可貴可愛，反而身心閒散得不知該怎樣安排，而「懶」又是個最善於投機的傢伙，只要趁著人們意志稍稍鬆懈，它便乘虛而入。那時，人只覺得閒得寂寞，閒得無聊，閒得苦悶，誰又理會得到那種「偷得浮生半日閒」的樂趣？

忙得無暇領略清福的人是可憐的，因為他們不能支配生活。

閒得不會體會清福的人是可悲的，因為他們不懂得安排生活。

只有那些懂怎樣從繁冗、瑣屑的工作中，獲得片刻的鬆懈、片刻的寧靜的人，才能深深體味到完全擺脫塵思俗慮的這份清福，是怎樣至高無上的享受！

人有的時候是很愚蠢的，常常誇大自己的忙碌、不幸、寂寞、絕望，而讓自己浸淫其中，卻忽略了身邊那隨時可以獲致並享受的那份清福，而我自己，又何嘗不是芸芸眾生的一個！如今只偶爾獲得這片刻寧靜罷了，便來喋喋弄舌，不也可憐可悲嗎？

編註：本文原刊於《中央日報・婦女與家庭週刊》，一九五四年五月二十六日，第六版。

嘗試

今天，我在生活中又嘗試了一種新的樂趣，就像在沙漠中發掘了一注冷冽的清泉。不勝自喜。

平時，我最是羨慕那些鳥兒在天空自由飛翔，那些魚兒在水裡隨意浮沉，比較起來，總覺得陸地上的動物用兩隻或四隻腳挪動著，顯得笨拙多了。因此，我雖然不會游泳，卻很喜歡欣賞別人在水裡浮沉，想像著別人浸浴在水裡載浮載沉的無限情趣。但是，我自己卻從來沒有下水一試的勇氣，今天卻被瑜妹和她的同學硬嬲著我下了水，在水裡，起初我身不由主像塊石頭般往下沉，但我馬上緊抓住池沿，用腳拍打著水，我的身軀立刻被一種浮力托住，浮了起來，那種被水托著的舒適和新奇的感覺，是難以形容的，我越泡越覺得興趣濃厚，慢慢地忘記了大地所給予它的兒女的塵思煩慮，簡直是樂不思岸了——然而，這許多年來，我卻一直怯於去嘗試。

生活中在在都蘊藏著無窮的樂趣，旁人象沙漠中深埋著清泉一樣，而掘發生活中的情趣，又何止千萬倍易於掘發沙漠中的清泉！可是，我們卻常常缺乏那份嘗試的勇氣。不是嗎？在年輕時雖然缺乏生活經驗，卻誰都有一股不顧一切，勇往直前的熱勁，什麼都想嘗試。隨著年齡和生活經驗的累積，顧慮卻也一天一天增多了。有時很想學點什麼；不管是為充實自己，抑或是為娛樂自己的，卻總是因為缺乏嘗試的勇氣而終止了。更有些女人一結了婚，生了孩子，便認為自己已給「家」拖老了。（心理上的）「六十歲學打拳，不怕人笑掉牙齒」，老了還能學什麼！這輩子還不是帶帶孩子做做管家婆完了！前者是對自己缺乏信心，後者是自暴自棄。這兩者築成一道無形的牆，便橫在獲致生活情趣的中間。

生活裡沒有了嘗試，沒有了學習，沒有了新的情趣，就像一只停了擺的鐘，只是停留在某一個固定的階段，這種心理上的未老先衰，等於縮短自己的生命，放棄了對人生的領略和享受。生活，已失去了它的意義。

世界是那樣寬廣而豐富，生活中各種情趣恰似無窮的寶藏，只待我們去掘發。然而，偏缺乏那份嘗試的勇氣，甘自讓那無邊無際的荒涼、寂寞、煩悶，在生活裡面橫亙著；好像宇宙中的沙漠一樣，而自己便在沙發中踽踽躑躅、消磨上大半輩子——不都有點傻嗎？

可是，不說別的，先看看人家，人家美國的雷諾祖母六十四歲才進大學，如今九十歲了，照樣還嘗試著學習彈琴、游泳、擊劍，孜孜不倦，我們不有點愧恧嗎？「只有使自己的靈魂永不鬆弛，永不祈求安息，人才能永遠年輕。」是的，只有在學習中，在嘗試著任何活動中，我們才感到我們還年輕，更何況我們並不曾老！

那堵牆，那堵隔閡了生活情趣的牆，原是我們自己築成的，還是讓我們自己來拆除吧。這是很奇怪的，當我們越是畏縮不前時，牆看來越是厚實，如果我們稍稍鼓勇向前，只要伸出一個指頭去一推，更摧枯拉朽似地傾圮了。

世界上最快樂的人，也就是在生活各方面都能去嘗試的人。

編註：本文原刊於《中央日報・婦女與家庭週刊》，一九五四年七月二十八日，第六版。

最苦的孤獨

夜闌人靜，我獨無睡意，扭亮牀頭的小燈，隨手翻開一本書——當我讀到哲人「不能將自己傳達是最苦的孤獨」一句時，彷彿有一隻手指在我靜止的心弦上輕輕一撥，不禁掩卷沉思，不是嗎？人與人之間的距離往往像橫亙著一座山，而彼此藉以表達思想，溝通感情最簡捷的工具唯有語言。但是，就像人人都有著喉嚨，卻不是每個人都會唱歌一樣：人人都能說話，卻不一定每個人都能把言語運用自如。最苦惱的正是那種詞不達意，不能恰如其分地傳達自己的感情和思想。譬如有時故舊久別重逢，儘管熱情溢腔，卻找不出恰當的語言表達自己的思念之情，有時是對某一個人敬仰已久，會見時卻不知該說什麼表達自己的仰慕之忱。有時自己覺得有一肚子的意見想發揮，有時別人歪曲事實，很想辯護一番，偏又一時間不知如何措詞……逢上這樣的時候，心裡就像沸騰的水壺，滿壺蒸氣，但卻封蓋得密密的無從宣洩。自己已是窘迫局促，而不了解的人還以為是你天性冷淡哩。

我不由得又記起上午友人嫻來閒談時，也曾為自己的不擅應對而感到遺憾，她說尤其是與那些口若懸河、鋒芒太露的人在一起，簡直是精神上一種不堪承受的威脅。當她或他滔滔不絕地講去時，彷彿像一只氣球盡量給他自己吹入空氣而逐漸膨大，自己在他面前卻越來越縮小，又像一棵枝椏縱橫的樹，獨自霸遮了一切光彩，遂使別人似一株掩蔽在它濃蔭下的小樹，顯得黯淡渺小，而不為人注意。

我自己也是個口笨舌鈍、拙於辭令的人，我也常常會有那種被密封著裝滿蒸氣的開水壺的感覺。但我卻不在乎別人霸遮一切光彩，我覺得那些口若懸河、滔滔不絕的人並不一定能使人心悅誠服，而引人入勝的該是那些風趣、幽默、含蓄、雋永、廣證博引、舌底生花、隨手拈來、妙語如珠的談吐，這不是信口雌黃，而是揉合了說話的天才機智學識和一種高尚的修養，令人由衷的折服和欽佩。至於那些一開口便似河堤決口，滔滔不絕，或只為標榜自己，炫耀自己，或是一片流水帳似的，背自己的經歷，作自我宣傳，聽的人起初還唯唯諾諾，到後來只想打呵欠，感到敷衍下去簡直成了一種精神上的虐待。但說的還一味口沫四濺地說下去，越說越起勁，牛皮糖似的，岔岔不開，攔也攔不斷，這不是健談，而是不知趣。——所有的光彩和榮耀原該屬於前者，而後者，卻只是浪費別人時間的空談的嘵舌者，惹厭是他應得的份兒。

諸如此類世上滔滔者皆是，但有高尚修養的卻不多，是因天才、技巧、機智，和使談話內容涵博豐富的學識，更不是一朝一夕所能模擬學習可得，想著與其做那些不知趣的半瓶子醋惹人生厭，還不如木訥寡言，藏拙三分，想到這裡，我也就甘於默默承受那份「最苦的孤獨」了。

編註：本文原刊於《中央日報・婦女與家庭週刊》，一九五四年十一月三日，第六版。

珍惜語言

偶然在一本雜誌上看到一幅漫畫：畫裡一個胖胖的女人正張著嘴指手劃腳地在說什麼，一個男人——大概是她的丈夫，雙手支頤，神情沮喪地坐在沙發中，兩個孩子畏怯地靠在一起，連一隻狗也俯首貼耳，伏在地上蜷縮成一團，從開著的窗戶裡可以看見鄰家的窗門都緊緊關閉著——驀地一隻黃蜂冒冒失失地向張著的嘴裡飛了進去，接著是一頓忙亂，但那一直張開的嘴從此便緊緊抿著了，這一來，屋子裡頓時轉換了空氣。那個丈夫顯得生氣勃勃，興高采烈，那兩個孩子也變得活潑伶俐，那隻狗更聳起耳朵，翹著尾巴，一副躍躍欲試的樣子，鄰家緊閉的窗門也全打開了——整幅畫不著一字，但主題卻很明顯，只是誇張地諷刺一個愛嘮叨的女人！

果然，男士們總是喜歡過於挑剔和誇大女人的缺點，但一個終日為一點小事喋喋不休的女人，的確是有點令人望而生畏，由於她的嘮叨，破壞了家庭中恬靜融洽的氣氛，給家裡每一個人一種心神上的威脅，夫婦間更潛伏著一觸即發的衝突——然而，每一個愛嘵舌的女人也並不是天性就愛嘵舌的，可以說一百個所以變得愛嘮叨的女人中，有九十九個是與男人有關，因為一百個愛嘮叨的女人，倒有九十九個是婚後才變得嘮叨的。

一個女人從少女而進入主婦階段，在生活中，情感上都是一個大大的轉捩，如果馬上能夠好好適應環境的，便是真正成熟了的賢主婦，若一時不能適應，由於內心的矛盾和苦悶，那就逐漸變成喋喋不休，喜歡嘮叨的女人了，足以引起嘮叨的原因很多：有的是因為在做少女時把愛情生活看成詩一樣的美，對婚姻卻持著一種浪漫的觀念，等一結了婚，才曉得現實生活與詩完全是兩樁事，而「理想中的愛人」也不過是平凡的人。於是夢想幻滅了，覺得自己是受了騙，失望之餘，就不斷的訴說自己的不平；有的是因為丈夫太隨便，用了牙膏不蓋，開了抽屜不關，報紙、煙蒂到處亂丟——老是由一點小事破壞家庭的秩序和整潔；有的是因為丈夫過於沉默，悶了一天，只盼他回家說說笑笑，偏他忽略了太太的期待，學金人三緘其口；有的是因為家事太忙，忙得心煩意躁，忍不住怨天尤人；有的是因為太空閒，覺得自己失去了重要性，只有用嘵舌來強調自己的存在，掩飾自己的不充實；有的是因為孩子太淘氣；有的是因為經濟，因為丈夫賺的錢不能滿足自己的虛榮和欲望，覺得自己處處不如人。而最大的原因還是因為生活圈子太小，心胸都變狹窄了，專門為一點小事生氣，在小事上吹毛求疵……可悲的是好嘮叨的人永遠不知道自己是在嘮叨，更不知道嘮叨不僅不能使人折服，達到所以引起嘮叨的目的，相反的，引起的卻是反感，甚至更惡劣的後果。

嘮叨並不是女人的天性，實在應該說是一種心理上的病態。就像我們踩著石子過河，一不小心就會在任何一塊石頭上失足滑入河裡一樣，有這許多原因，這許多潛伏的勢力，可以促使一個女人婚後變得好嘮叨、喜嘵舌，想想實在可怕得很哩！

要學會能夠容讓，容納別人的思想，別人的願望，別人的行動，別人的生活方式。那麼，就沒有什麼可以嘮叨的了。

「天給人兩眼、兩耳一口，乃欲使其多見聞而少言語」——蘇格拉底——讓可以增廣見聞，充實自己的眼睛和耳朵閒置著，卻盡浪費些不必要的口舌不亦太傻嗎？

編註：本文原刊於《中央日報・婦女與家庭週刊》，一九五四年六月九日，第六版。

缺陷人生

近些日子傳播著流行性感冒流行的消息，就像一陣風吹過生活的水面，掀起微微漣漪，這個喚頭痛，那個說乏力，彷彿人人都變得敏感起來，小瑾這幾天也是食欲不振，有點咳嗽。上午帶她去醫院檢查，只見醫院裡的病人比起平時來似乎也特別擁擠。

「我最怕兩種病人，」李醫師告訴我說：「一種是神經過敏自以為是的病人，專喜歡誇大自己的病痛，一知半解地搬出一堆病名來問你，好像非要你把他針尖大一點毛病診斷成嚴重的才甘心。還有一種是諱疾忌醫的病人，不到真正病得危在旦夕，不肯就醫——不過嚴格地說起來，很少有人的身體是沒有一點毛病的，有的胃腸不好，有的心肺衰弱，最少也有點沙眼、牙痛、香港腳什麼的，所以我覺得身體上的缺陷並不稀罕，倒是完全正常才難得哩！」

李醫師的話忽然使我想起在一本什麼書上看過的一段小言：「正常才是世界上最難得的東西，每一個人，在生理或心理上，都有著某種缺陷，不是身體有缺陷，便是心理不正常。」李醫師所說的那兩種病人，心理上不就是有著偏見和固執！此外，像意志薄弱，優柔寡斷，思想遲鈍，心地褊狹，固執自私，刻薄小器，剛愎專橫，急躁粗暴，這都是屬於心理上的缺陷，心理上的缺陷也許並不少於身體上的缺陷，只是肉體上有病一定有痛苦喚起人的注意，而精神上有病卻往往是不自覺的，被忽視了的。

身體上的病有時固然會危害生命，心理上的缺陷往往也可以影響人的一生，譬如有的事需要當機立斷的，偏是猶豫不決，遲疑不前，機會一失便不再來了；而有的事必須慎重考慮的，偏不加思索，冒昧從事，又不免弄巧成拙。意志薄弱，優柔寡斷的人，一輩子都徘徊在猶疑和後悔的苦惱中。心地褊狹，固執自私的人，永遠被摒棄在人情溫暖的門外。而剛愎專橫的人，便從來就不會享受到人與人之間那份真摯的互相尊敬，了解合作的愉快。

如果我們能平心靜氣，自我檢視一番，不難發現或深或淺，在心理上都有著一兩種缺陷，有的是缺乏自知之明，有的知道了還故意姑息著，——人也許都有著寬容的美德，但最大的寬容往往總是給了自己。然而，忘記了寬容在這裡卻成了養癰貽患，姑息養奸，不是嗎？健全的「身」「心」才是我們向著完美生活前進列車的雙輪，若是有一個輪子被蟲蟻蛀壞了，列車又怎能進行？

生理上有病，我們可以把自己交託給醫生，而醫治心理上的痼疾，卻完全要靠自己。首先自己要有自知之明，有徹底去做的恆心和意志，還有最親密，了解自己最深的人的協助——夫婦間彼此善意的規勸和鼓舞，這樣雖然不一定馬上便能根除，多少總能慢慢地糾正過來。

別以為心理上的病不會遺傳或傳染，有時卻比生理上的病更甚，如果在一個懦弱畏怯的父親薰陶下，難望孩子會長成堅強、果敢，如果在浮躁粗暴的母親教養下，又怎能苛求孩子溫和有禮？

我並不過分奢望孩子將來做聖人、做完人，但願他們做個「正常」的人，在心理上是正直無偏，在身體上是健康強壯。

編註：本文原刊於《中央日報・婦女與家庭週刊》，一九五四年九月八日，第六版。

婚姻悲劇

放下報紙，心頭感到沉重有似窗外灰暗的雲層。雨還在落，成串的雨珠落在寬大的芋葉上又迸濺四散，這期間偶然有兩滴同時滾入葉心裡，立即融合成一顆大珠。但不一會葉子一震，驀地又分裂為兩滴，各自下墜——噢，這偶然的融合，這驟然的分散，不正似那些稍縱即逝的愛情：那些虹彩般短暫的婚姻！兩顆心合而為一，又裂而成二，這上面，也許猶自沾著受創的心靈所滲出的鮮血斑痕！

友人多方和解無效，杜和琪終究還是仳離了，報上便是登載著他們的離婚啟事。還記得三年前參加他倆的婚禮，聽他們虔誠地說下婚誓：「從此親愛相處，不分彼此，甘苦與共，永不分離。」曾幾何時，卻各奔東西，視同路人。

其實這一對夫婦志趣相投，應該是十分美滿幸福的，如果說兩人的個性有什麼特點，那就是兩人的自尊心都很強，也許，就由於這太特出的自我意識，破壞了那種使婚姻生活融洽和諧的，彼此建立在心靈上共有的一種感覺，心理學家名之謂「我們感覺」。這種感覺可能堅強如鋼索，把兩顆相愛的心緊緊聯繫在一起，也可能脆薄如名貴的瓷器，一碰即碎。

不是嗎？夫婦間都會有這種心靈上、行動上和精神上合一的感覺，當我們啟目四顧，這裡那裡，是我們合力建立的家，是我們一手布置的房子，是我們一起選擇的用具，是我們共有的孩子。我們曾經共同經歷過生活中任何一種困苦，我們曾經分享過心靈上任何一份喜悅，我們生活在共同的希望裡，現在共同努力，只為謀求未來共有的幸福，這一切在在都象徵著彼此間密切的聯繫，……可是，這一切，也許是只為一點意氣之爭，彼此不肯忍讓；也許是只為執著於一種成見，彼此不肯遷就，也不過是剎那間的事，便喪失摧毀。

那種感覺一旦喪失或日漸淡薄，痛苦和煩惱便由此產生，一句話，一個動作便將引起誤會，一點誤會便形成怨恨，那些小小的委屈鬱結在心頭不散，彼此都自以為感情受了創傷而趨向孤獨，而彼此猜疑挑剔，於是勃谿時起，若不是受一紙婚書的束縛而捱受無期徒刑，便只有宣告決裂。

是的，我們每個人都需要適度的驕傲維護個人的自尊，但是，如果想想那自己嚴厲相待的人原是自己選擇的終身伴侶；想想那自己兇狠對付的人正是與自己密切相依的人，只要一個微笑，一句詼諧或溫柔的話，便能平息一切無意義的齟齬；只要一點忍讓，一點遷就，便能避免任何婚姻的悲劇，驕傲和固執在這時間簡直是最愚蠢的行為，它的作用不是維護尊嚴，而是摧毀終身的幸福。

有一位作家論婚姻說是：「幸福的婚姻真是難得，人們只能把兩個意志中間的一個摧殘了，或竟把兩個一齊摧殘了，才能把他們聯繫在一起。」這句話說得過分了些，很多人便都有著這樣的錯誤觀念，要使婚姻幸福，實在用不著作「摧殘意志」這樣大的犧牲，那僅僅是為維護那種「我們感覺」而抑制一下自己的脾氣，為自己鍾愛的人作一點點忍讓。是的，只要一點點忍讓，一點點遷就，一個微笑，一句溫柔的話，世上不知將免除多少婚姻的悲劇。

編註：本文原刊於《中央日報・婦女與家庭週刊》，一九五四年十二月十六日，第六版。

幽蘭與素石

閒來偶爾翻閱書篋，在一本封面金字均已黯淡褪蝕的紀念冊中，我獨珍視於一小幅淡墨畫，畫的是一枝蘭草傍著一塊素石，蘭清幽雅潔，石掘樸無華，畫的右上角一行行書題著：

石愛蘭清
蘭愛石潔
君子之交
不在顏色

我反覆吟誦，不禁悠然神馳，雖只寥寥四句，這其間寓意又何等崇高！何等雋永！儘管題書的年月距今已數度春花秋月，回憶中那一縷溫馨的友情，恰似幽蘭淡淡的清香，兀自縈迴不已——時間和空間並不曾拉長友誼的距離，沖淡友情的芳醇。

友誼是永恆的流，流過人生的路程，一路灌溉著路畔生意盎然的芳草。友誼是美麗芬芳的花朵，把生命點綴得燦爛豐盈。友誼又像一枝「出污泥而不染」的白蓮，超然翹立於世俗的羈絆之上。

與知己剪燭西窗，風雨聯牀，彼此披肝瀝膽，互訴衷曲，這等情景固然令人如飲芳醇般沉醉，星月之夜，偕三兩良友，席坐草地！縱談人生甘辛，這般情景，又何嘗不令人渾然忘俗！而相互間的鞭策鼓舞，使人向上向善，努力不懈。相互間的患難相扶，同舟共濟，使人感到人間充滿了溫情和希望！「……得一知己，把你整個生命交託在他手裡，他也把他整個生命交託在你手裡。……快樂的是傾心相許，剖腹相示，一身為知己所左右……當你疲憊了，多年的人生重負使你感到厭倦時，能夠在朋友身上再生，恢復你的青春與朝氣……」在作家的筆下，更把友誼描寫得絲絲入扣。也唯有那了解人性最深的人，最識得人性中這朵至善至美的花朵。

友誼是沒有契約束縛，不用誓言保證的。友誼如水月彼此相映成輝，這其間更無占有的欲念。只要以真誠培植，以坦率和諒解灌溉，友誼的花圃中便將鮮花燦爛，四季常春。但是人們卻常常忽略了這點，甘自用冷漠築籬，用防嫌作牆，用自私作門，讓自己緊緊的關在寂寞而孤獨的蝸居中——「人生是艱苦的……在孤獨與靜寂中展開對生活的鬥爭、貧窮、日常的煩慮，沉重與愚笨的勞作，無盡的消耗著他們的精力……他們求助，求一個朋友……但大多數還彼此隔離著，不知道彼此的存在。」——是的，彼此都隔離著。但橫亙在中間的不是別的，是每一個人自己的愚昧。

走出這孤獨寂寞的蝸居吧！別以為鍾子期之於伯牙，鮑叔牙之於管仲是可遇而不可求的，如果不走出屋子，又怎能相遇呢？我不信友誼會似彩雲般從天而降，會似火柴般一擦即亮，假如真是這般，但有濃度沒有深度的友誼，這彩輝、這閃亮，怕也一剎便幻滅了。友誼應該像築城牆，是一塊磚一塊磚堆砌起來，友誼應該像泉潭，是一點一滴積聚起來的，友誼更應該像蒔花，要以真誠培植，以諒解灌溉，使之開出芬芳絢麗的奇葩！

我掩上紀念冊，為彌補這一陣的疏懶，我想，我該給遠方的友人寄去我的祝福和懷念。

編註：本文原刊於《中央日報・婦女與家庭週刊》，一九五四年十月二十日，第六版。

聯誼會

前些日子，我應邀參加了一個簡單而親切的聯歡會——純粹是女眷們的一個聚會。這在終年囚困在家務中的主婦們是一個很難得的機會，參加的人出我意料之外的眾多。聯歡會進行中有優美的音樂，有客串節目，還有一點茶點招待。起初大家還有點靦腆和陌生，但在那安排得輕鬆而融洽的氣氛中，擺脫了那些束縛人真性情的拘謹和虛套，坐在一起的便很自然地作著自我介紹，交談起來。不消一會兒便混熟了。聯歡的時間在歡笑中很快的過去。分手時，珍重道別，老朋友似地依依不捨。人與人之間的距離原是十分微妙的，漠不相識時，彼此之間彷彿橫隔了一道茫茫大海，等友誼的橋樑一架設，這距離便無形中縮短了，撤除了，但是，平時彷彿誰都在海邊築起了防禦工程，沒有架設橋樑的機會——人便是這樣讓自己孤立起來。

這一個愉快的聯歡會給了我一個啟示，一份憧憬，為什麼我們不能為自己多安排些類似的聚會！

主婦們成年累月周旋在單調瑣碎的家務中，起膩、起煩，有時很想找點什麼滋潤滋潤渴乏的心靈，有時又盼望有個知交談談說說，把憋在心裡的苦悶寂寞發洩發洩，但丈夫上班了，孩子上學了，朋友，也許住得很遠很遠，天天見面的左鄰右舍，扯來扯去不外是東家長，西家短，扯不出新鮮的話題，生活在小圈子裡，沒有機會結交新朋友，沒有機會學習新技能，沒有機會培養新興趣，甚至連早日所學的也因為沒有機會致用或溫習而生疏淡忘了——沒有機會，是的，有很多事情和願望都被機會限制了。但是，為什麼一定要等機會、碰機會，不會自己造機會呢？譬如說：配合婦女大眾的需要，讓我們合力辦一個婦女聯誼會。

這一個聯誼會不只限於消極的娛樂和消遣，同時也是積極的給主婦們有一個進修的機會，裡面有小型的圖書室，讓喜歡閱讀的不再感到精神上的渴乏；有音樂室，讓愛好音樂者盡情在鋼琴或提琴上奏幾個曲子，放開喉嚨練練嗓子，不用顧忌妨礙了鄰居而惹起不快。讓愛好調色板的盡情在畫架上塗抹，不用擔心孩子們的搗蛋破壞。還有戲劇、縫紉、烹飪、健身房……不僅可以隨著自己的志趣相投的同志一起研討，還有榮譽會員作義務指導，聘請專家作專題講演，舉辦座談會。聯誼會中最大最美的一間房子是交誼室，在這裡大家全撤除了防禦工程，讓友誼像一股暖氣，一支熱流般瀰漫在室內，手裡作著編織或針線，廣泛地交換著育兒、縫紉、烹飪、園藝……各方面的意見和心得，歡暢的縱談著大至宇宙，小至針頭的事項，隔些日子便舉行一次聯歡會，讓大家帶去一小件自製的點心或禮物，每人客串一個節目，同時還有臨時托兒所，有小孩的便可把孩子交託了，空出身子來隨自己的興趣好好支配那幾小時的餘暇。

在學習中，在友情的鼓舞中，人會變得年輕而熱情，精神獲得了調劑，家庭裡不少因主婦們的煩躁而引起的不快，自然便消弭了。

自然，要創辦這麼一個聯誼會不是件容易的事，但羅馬城也不是一天造成的，希望總有那麼一天，我的希望變成事實。

編註：本文原刊於《中央日報・婦女與家庭週刊》，一九五四年四月十四日，第六版，原題〈婦女聯誼會〉。

三千煩惱絲

最近看新到出版的一本雜誌上，做為封面女郎的是中國影壇上名聞遐邇，擁有最多影迷的一顆光芒四射的炯炯明星，她風姿綽約，儀態萬千，早為觀眾所熟知而不用細敘，可是，在這一幀所謂最近的玉照中，我不禁驚詫她何以一下子就變醜了，也變老了。原是勻淨端正的臉蛋，如今顯得輪廓粗糙，原來的明眸皓齒，如今顯得粗眉大眼，那種嫵媚嬌柔的神態也已消失殆盡，仔細端詳，才發覺原來是她那一頭雲鬟花環，如今已改剪成前面是不整齊的短瀏海，後面是鴨屁股——現在最流行的奧黛麗赫本式了。做為一個藝人，尤其是享有盛名的藝人，就像在藝術上應該有其獨特的成就一樣，服飾方面，自然亦該有她獨創的風格。可是，連我們的大明星竟亦不能免俗而模仿起「流行」來，足見「流行」的魔力！狂風所至，幾乎無人不被捲入，「流行」又像一種最容易感染的熱症，每一個人一染上就帶著那種近於發高燒的暈眩，熱狂的崇拜讚美模仿。

從美的觀點出發，髮型果然對一個女人的容姿很有關係，可是流行的卻未必就是美好的，更未必就是適宜於自己的臉型的，近年來從英格麗褒曼式以至奧黛麗赫本式：一直是流行著短頭髮，而且越來越短，短到要用男人的剃鬚刀來剃頸後的頭髮，露出那一截青滲滲的頸脖子來，有的少女少婦剪了短髮看起來固然要顯得俏麗、活潑，而更有精神些。可是頭髮本身原具有一種溫柔嫵媚的美，一種遮掩和烘托的功用。當滿街活躍著一半好萊塢派頭，一半太妹型的女郎時，使人遺憾的感到東方女人特具的那種溫柔文靜，嫻雅大方，雍容高貴的氣質，也隨著千萬根柔絲一起一刀剪掉了。在那一張張短髮覆蓋下的臉上有活潑的朝氣，嬌憨的稚氣，但也有與年齡不相稱的傻氣，與臉型不相稱的蠢氣！

可是誰又料得到呢？也許今年流行短髮齊額，明年再上演一部什麼叫座的片子又風行長髮披肩？反正不管短髮長髮，頭髮若是生在女人身上，生來就該受苦受難，而女人又是生來為頭髮受罪的。當初也許是惑於「鬈髮民族為優秀民族」的一說，大家才競相燙起頭髮來，而如今若不在髮梢上彎兩彎，捲兩捲，反顯得與眾不同了，自然，誰也不能免俗，誰也得去領罪。女人除了生產，最受苦的恐怕便要數燙髮了，每次不得不去燙時，總要鼓莫大的勇氣，許上三四次願心，想想那三四個鐘頭的絞、蒸、烤、烘、吹，都不禁不寒而慄，可是，如果不等到東方強盛得可以宣稱「直髮民族才是優秀民族」，女人的頭髮恐將世世代代受罪下去了，這是頭髮的悲哀，還是女人的悲哀呢？

昨天才流行雲勾垂肩，今天又流行覆髮齊額，明天不知又流行蜂窩攢頂，抑是捲渦掩耳，太太小姐們臨鏡斟酌，煞費躊躇，不禁擲梳感歎。

「哎呀！這三千煩惱絲，真正煩煞人！」

一個女人能不能有所作為，首先得看她能不能從髮式的困惑和煩惱中解脫出來，自然，這不是說一個有抱負有作為的女人全不理會頭髮的美觀與否，而是說一個本心想搞一番事業的人，是不會耗費太多的時間、精力和心思在頭髮上的。

「哎呀！」走筆至此，我也不禁擲筆感歎，「這三千煩惱絲」。

編註：本文原刊於《中央日報・婦女與家庭週刊》，一九五四年十月十三日，第六版。

謹防氾濫

早晨買菜，趁便上一家百貨店選購了兩條毛巾，剛付了錢要走，迎面卻碰見俞太太和另外幾位太太鶯鶯燕燕地進來，俞太太一眼望見我手裡那包東西便笑著說：

「嚇！還是妳捷足先登，第一個來搶購。」

「搶購！」我對這刺耳的名詞感到十分驚奇而迷惘，「搶購什麼東西？為什麼要搶購？」

「怎麼妳每天看報連這個也不曉得！」俞太太睨視了我一眼，還在唇角隱藏著一絲輕蔑的微笑，「昨天報上不載著馬上又要禁售奢侈品了，妳想一個女人如果缺少了化妝品和裝飾品，還成什麼女人？趁現在存貨還沒有斷絕，還不搶購一點囤積起來才傻哩！」她這一解釋，我這個在她眼中落伍的傻人才領悟過來，望著她們熱中於「搶購」的神情，我除了由衷佩服她們那種未雨綢繆的精神，高瞻遠矚的眼光，只有悄然引退。走在路上，腦海裡還印著俞太太的那句話：一個女人如果缺少了化妝品和裝飾品，還成什麼女人？那麼女人難道便一定要靠脂粉的塗抹，尼龍什麼的裝潢，才成為女人嗎？難道除了那些，女人便都成了嫫母無鹽？這也未免太自卑了，忽然我又記起前天方太太打從台北回來，向我發洩她的感慨說是幾年不去台北，真有點像下江南——成了土包子，這戰鬥中國的司令台，一眼看去樣子可比抗戰以前的上海有過之而無不及，街上嶄新的小包車風馳電掣，百貨店裡琳瑯滿目，充斥了想像不到的奢侈品。餐館酒樓座不虛席，請一桌客動輒一千多元，女人們更是打扮的花枝招展，時時刻刻去赴宴會似的，尼龍質的衣服，吉普賽式的垂肩大耳環，三寸以上的高跟鞋，一晚上滿街釵光寶氣，爭妍鬥豔，儘管報上天天刊載金門炮轟的消息，卻嗅不到半點火藥氣味——可是說到最後，方太太卻深長地歎了口氣，說是自己連尼龍衣服都沒有一件，顯著多寒傖！

物質的誘惑有時比魔鬼還厲害，看見大家都有自己沒有，更不免「自慚形穢」，在這種情形下，有的追之求之，全力以赴，有的甚至不惜打腫了臉充胖子。愛美固然是女人的天性，但若是變質而成了愛虛榮，卻是女人可恥的弱點。我永遠忘不了抗戰時期婦女們崇尚儉樸的良好風氣，天然的頭髮，未經脂粉沾污的臉頰，一襲陰丹士林旗袍，一雙平闊頭的車胎底皮鞋，渾身自然透露著一種樸素大方的美，一種蓬勃的朝氣和活力。可是如今，同是國難當頭，這種良好的風氣卻只存在於追念中。相反的，一種奢侈的風氣卻正在增長——一面是嚴肅的工作，一面是窮奢極欲，這不能不說是一種痛心的現象。

因為虛榮心作祟，不知不覺便養成奢侈的風氣，而由於風氣所趨，卻又增長了虛榮心。這看來彷彿是循環不息的。我個人十分擁護禁售奢侈品的政策，但這只是治標的方法，有辦法的人照樣能走私，買黑市。主要的應該是心理的整肅、風氣的轉移，人類的虛榮心猶如一道湍急的河流，疏導有方，控制得法，可能成為一種向上的動力，若任其沖激，卻往往會合成洪流而氾濫成災。氾濫所波及，不僅僅是自身的沉溺，更將影響家庭、社會、人民的信心、戰士的士氣……

謹防氾濫！我們在心理上都應該有這種警惕和戒備，而身為婦運先進、婦女領導者，似乎更應該自許為中流砥石，首先以身力行，提倡崇尚儉樸的風氣，而防止洪流氾濫！

編註：本文原刊於《中央日報・婦女與家庭週刊》，一九五四年九月二十二日，第六版。

「流行」病

在四季如春的台灣，尤其是南部，對服裝的添置確是省卻不少麻煩，記得在家裡時，一到秋天，若是孩子多的人家，做母親的便日以繼夜地忙著織毛衣，製棉鞋，簡直忙得不得開交。而那一筆冬裝的添置費，在經濟不寬裕的人家，更是沉重的負擔。但客居寶島數年，居然解除了這重威脅。「十月芙蓉小陽春」，在大陸的江南，這時候縱使有幾日暖如春天，也還得穿上襯絨薄棉，這裡卻只是早晨晚上，在單旗袍上加一件絨線衫，不過宜於夏天的花麻紗印花洋布在時令上似乎也不調和了。適合於秋天穿應該是素淨點的色調，厚實點的布料。前天檢箱子時，我在箱底裡找到一件灰色充毛的棉旗袍，那還是懷小瑾在肚裡時縫的。又肥又長，但質料還很結實，我把它拆了一洗一熨，改成一件中袖的單旗袍。又找一些零碎的黑色充嗶嘰，鑲上四分寬的滾邊，還在襟、叉和袖口上盤上一朵小如意，便又煥然一新了。今早我穿了上菜場去，隔壁余太太一看見便嚷著說老是看見我穿新衣服，還問我這式樣是不是現在最流行的？我聽了心裡覺得好笑，其實除了一二件作客穿的衣服，平常我又何嘗耗費多少在服裝上，多半是從箱底裡翻出些陳貨，把舊的翻個面，長的改短的，只是多花些匠心罷了。這年頭可以對付過去的還不對付著算了。接著對面最懂得迎合潮流的呂太太又把我端詳了一會，忽然像發現了什麼似地指著我的領子說：「看妳這聰明人卻疏忽了這點，現在最流行高領子嘛，妳做得這麼低！」

我又何嘗不知道現在流行高領子，我做低領子只為我的臉很圓，頸子又短，如果用高領子一撐，準像鋼絲頸的木偶。自然，別人的褒貶並無損於自己的喜愛，只是她們妳一句流行我一句流行，卻引起了我的感觸。我覺得我們女人有兩種通病，一種是喜歡標新立異，故意穿些怵目驚心的奇裝異服惹人注意，不過這還是少數，最普通廣泛的一種是善於模仿，譬如一個身材婀娜的穿上一襲長及腳踵的旗袍，顯得娉婷高貴，於是大家覺得好看，大家都群起而仿之，慢慢地就形成流行性的，認為長就是時髦，越長越時髦，以致本來瘦長的人，這一趕時髦就成了路旁矗立著的電線桿子，像去年冬天流行的一口鐘大衣，寬寬肥肥，穿在頎長苗條的人身上，自有一種瀟灑飄逸的風韻，但有些個兒矮的人穿了，卻活似一個矮冬瓜，顯得蹣跚而臃腫。還有很多像有一時流行低領子時，長臉長頸子的人穿上就像動物園裡的長頸鹿，目前作興好萊塢式的短褲叉，好些人露出兩隻細長腿子，又似長腿鷺鷥在水田裡躑躅，瘦子偏學著穿袒領西裝，彷彿是炫耀胸前那峻嶒的排骨，矮胖子偏學著穿裙子，更顯得腿短腰粗，滾呀滾的像個酒罈子，像這樣只曉得學時髦，盲目的跟著潮流跑，不管流行的式樣是不是適合自己，哪裡憑空的就會增添美麗！說不定還遮掩了原來的美，但衣服的形式如果設計得巧妙，倒反能掩飾姿勢上的缺憾，也許，別人正為掩飾自己欠佳的體態而設計的服裝，而具有美好的身材的人也跟著學，那真太滑稽了。

愛美本是人的天性，服飾更代表一個人的儀表、風度、身分，我認為要達到美的目的，不一定是趕時髦，趕流行的，主要的還是要懂得怎樣適合自己。不管是用什麼質料，必須使形色、色彩，和自己的身材、年齡、膚色等配合得調和適當，才可以相得益彰。不然刻鵠類鶩，欲美反醜了。

我奇怪有些聰明的太太小姐們不知是否照鏡子時，被衣服「流行」的表面弄得眼花撩亂。要不，她應該看得見自己的體態和風韻的。

編註：本文原刊於《中央日報・婦女與家庭週刊》，一九五四年一月二十七日，第六版，原題〈衣飾要適合自己〉。

生活的羅盤

綠衣人為我送來一疊書信，其中有一封正是我惦記中的蘊的。蘊過去是我的同學，如今卻是道地的主婦，三個孩子的母親。從來信的字句間透露出一股淡淡的哀怨，不難看出她意志的消沉。她說：

……終日庸庸碌碌，彷彿只是為滿足最原始的欲望而過著吃飯、睡覺和工作的機械式的生活。有時靜下來想一想：過去是這般渾渾噩噩過去了，未曾留下什麼，現在是這般渾渾噩噩打發日子，沒有任何指望。將來，將來也未必能產生什麼奇蹟。難道人生一生便這般混混沌沌生活下去麼？……

讀到這裡，我不禁默然良久。不是嗎？我自己何嘗又不曾有過這般渾渾然的感覺！彷彿感覺有點空虛，卻又不知缺少什麼，永遠這般忙碌，卻又不知為什麼忙碌？就像一艘沒有羅盤的船，飄蕩在渺茫浩瀚的「生活之海」上，順流而駛，隨風而適。只是聽其所之而已——如果人生一生果真似這般長在生活之海中飄蕩，這其間又何止淡淡的哀怨！

生活中沒有計畫，就似航船失去了羅盤。

奇蹟是不會出現的，僥倖心更不可憑恃。生活中一切快樂，幸福和成功，全是從慎重的準備，精細的安排，努力的爭取獲致的。且讓那迷失方向的航船裝上羅盤，且讓我們在生活中好好計畫一番罷。只有裝置了羅盤的船，才可以朝著一個方向，向心目中擇定的目的地駛去。也可以隨自己的心意，在任何一個港灣小歇。而在這航程中，也不再感到渾渾噩噩，單調冗長。想著一步一步只是更接近目的地，又是揉合著怎樣的欣喜和警惕自勵！

高樓大橋的工程是按照計畫完成的，戰爭的勝利是在縝密的策劃中獲致的。而一粒穀的收穫，一張紙的製造，也自經過一番計畫程序，我們可以畫出明天美麗的遠景，為達到這理想而努力。也可以仔細考量目前生活上的需要，譬如在身心方面，計畫一下怎樣保持健康，促進情緒的快樂，充實自己發揚隱藏的才能。在生活方面，計畫一下怎樣安排適當的娛樂，改善生活，培養新的興趣，結交新朋友。在工作方面，計畫一下怎樣增進工作效率，創造工作興趣，不斷學習，有所貢獻等等……這些微小的計畫雖然是小，但只要忠實於它，從小處做起，它也就會成為大的了。

忠實於它，是的，僅有計畫並不足貴，最重要的是在它的力行。不管計畫大小，想好了便得馬上用意志去推進，而且不能中斷。光是想了不動手去做，就似停泊在港裡的船兒雖然有羅盤指示方向，卻只是空鳴著汽笛，終不曾解纜起碇，又怎能駛達目的地！

是的，生活中不能沒有計畫，就像行駛在海裡的船不能沒有羅盤指示方向。

我要這樣寫信告訴蘊：

……別再沮喪，趕緊，趕緊為妳的船兒裝備上羅盤罷！測定方向，把穩意志的舵，揚起希望的白帆，朝著理想的王國邁進。在任何一個美麗的港灣停歇，生活不是缺少重心的飄蕩在海上，而將是一個生趣盎然，充滿信心的旅程！

編註：本文原刊於《中央日報・婦女與家庭週刊》，一九五四年十二月八日，第六版。

無形的書

這幾日門口常有賣小鴨的來兜攬生意，差不多每家都買下了五隻十隻，聽賣鴨人說，鴨是人工孵的，但鄉下人不曉得用電孵器，全仗用火力。孵鴨還有孵鴨師傅，鄉裡人要孵小鴨全得請他孵，因為孵鴨不像烤麵包，可以取出來看看，翻翻身，蛋一放進孵卵器裡就不能動了。而時間稍微少一點，火候不到，不是蛋孵僵了，便是孵出的小鴨不能活。時間要稍微久一點，也許一筐百十隻小鴨全變成烤鴨了。這期間不能相差毫釐。但孵鴨師傅卻向來不看鐘錶，只在一旁默守著，抽著煙桿，時候一到，他一聲吆喝，早守候在旁邊的助手便忙不迭把孵器取出來，蓋子一揭只見黃鬆鬆、絨茸茸，活潑潑一群小生命在籮裡擠攘著——別看孵鴨師傅悠閒從事，這一聲吆喝，便是累積了他幾年的經驗哩。

不是嗎？經驗往往訓練人們一種特別的能耐，就是能夠用眼睛當尺碼，用手當容器和秤，而片刻的默忖，便是確定不移的時間，自然，像孵鴨師傅那種經驗固然是比較特殊的，可是就拿日常生活中的瑣事來說吧，譬如我們煮飯，就很少有主婦能說得出一升米需要配合多少分量的水，發麵做麵食也是這樣，說不上多少麵粉應該調多少水，擱多少鹹，只憑心裡有數，這心裡有數便是經驗，經驗只能意會，不能傳授，經驗是不科學的，但卻是人間最深奧的學識。

在我們一生中總能得到不少的經驗，最普通的像生活經驗、工作經驗、處世經驗、戀愛經驗。有的經驗是觀察實驗得到的，有的經驗是苦心積慮琢磨出來的，也有用很大的犧牲代價換取的，即便是從書本上得來的知識，也要經過實驗印證，才能化合成活的經驗運用。王爾德曾說：「經驗是人們給自己錯失取的名字。」但這錯失對勇於改進的人，卻是一種有益的教訓，俗諺「吃一次虧學一次乖」，這教訓正好供人參考改進，助長成功。而對固執和懦怯的人來說，卻是一種阻力，有的人越錯得長久，越以為自己是對的。有的人卻因噎廢食，裹足不前，像游泳溺過水的人不敢再游，攀高摔過跤的人不敢再攀，事業上受了挫折的人便意志消沉，戀愛上經過失戀的人便再沒有勇氣結婚——這就像一則寓言中描寫的一隻太聰明的笨貓，牠不知怎麼被關進了一間貯藏室裡，當牠錯認明淨的玻璃窗為出口而猛力跳過去時，卻碰在玻璃上撞傷了鼻子。後來雖然窗打開了，牠根據撞傷的經驗失去了再跳的勇氣，結果卻瘦斃在室內。

經驗不是科學的，但也不是二加二加得出來的。經驗不是固定不變的定理或是原則，而隨時應該吸收新的使之擴大光輝。要使人生充實，要使生活豐富，不僅每個人要擁有各式各種的經驗。要時時刻刻不斷地吸收新的經驗，還要懂得鑑別，保留好的，揚棄壞的，不斷地創造、嘗試、觀察、實驗，不斷地產生新的經驗，再給新的經驗提出菁華參考改進。這息息不停的循環，便是人類進化的動力。

經驗，是每個人用畢生精力和經歷，寫給自己的一部活用百科參考大全，為人做事，不可不參考，但也不可完全憑恃。

不管是寶貴的工作經驗，英勇的作戰經驗，抑或是平凡微小的烹飪、縫紉的經驗，育兒經驗，當我們一天一天生活下去時，這部無形的鉅書也在一頁一頁增厚篇幅。最悲哀的是什麼也不曾做過的人，打開來卻是一片空白！

編註：本文原刊於《中央日報・婦女與家庭週刊》，一九五四年十月二十七日，第六版。

一枕綠窗小睡

記得前幾年當我讀孔明先生那首：「大夢誰先覺，平生我自知，草堂春睡足，窗外日遲遲。」的詩時，不但未曾引起情感的共鳴，連一點感觸都沒有，可是如今卻唸了一遍，又忍不住再唸一遍，只覺情趣盎然，樂在其中。從前我一直是個反對午睡，鄙視午睡的人。我總覺得八小時的睡眠已經占去了人生三分之一寶貴的時間，再要午睡，簡直是太浪費光陰了，因此每當日正當中，眼看家裡人有的和衣小睡，有的據榻大睏，雖然在一片酣甜的鼾聲中，不免有點孤寂的感覺，但卻常以「眾睡我獨醒」而超然自負。可是不知從什麼時候起，自己竟也嗜睡起來了，一吃過午飯，便感到眼皮沉重，思想滯澀，四肢癱軟，這時身心方面要求最迫切的事，莫過於馬上放平身軀，閉目小睡。

從鄙視午睡到非睡不可，這期間我還不曾分析是生理上抑是心理上的轉變，我只記得有一篇文章裡說：小孩子因為對一切感到好奇而放任於遊戲的緣故，青年人因為精力充沛而忙於探索人生的緣故，老年人卻因為對過去和人生有太多眷戀的緣故，他們往往免了午睡，只有那面對現實，熱愛人生，肩上正負著建業建家重任每天要做許多事情的人，才識得其中三昧，才能深深體會到午睡的可貴，但到那時候，也漸近中年了。如此說來，我近年的喜歡午睡，怕不是已有中年的心情了麼！

但不管怎麼的心情，且聽聽人們對睡的稱頌吧！一個作家說：「你來時像是一種純潔的幸福，既不必請求，也毋須招待，而是情投意合的光臨。你解散了緊張思想的結節，消滅了悲歡離合的印象，使內心和諧之軌，圓滑暢通。」又一個說：「你是錯雜思想的調解者，是心力疲勞的溫泉，是心靈創痛的香膏。」

可不是嗎？一個人忙碌終日獲得片刻小睡，猶如長途跋涉，中途小憩。當你風塵僕僕，奔走了漫長一段路程後，已是十分疲累了，再勉力前進，一定會弄得筋疲力竭。如果就在路畔小憩一會，讓筋骨舒鬆舒鬆，讓熱能重新充沛，這時再繼續未完的路程，便會感到腳步輕捷了，頭腦清醒了，每當我們從一個甜美的午覺醒來，不也會感到這種精神抖擻，活力充沛，內心充滿了愉快，充滿了自信，相信世界是正確而無限綺麗！

片刻的蘇息不是尋求安逸，而是為積蓄更多的活力。

那些放棄這份享受的人不一定全是精力特別旺盛，而也許正是不會鬆弛緊張的情緒，工作上未了的公案、家務上未畢的瑣事，很多不能覺察的小緊張，無法處理的小憂慮，常使人牽腸掛肚而至精疲力盡。如果能將這些暫時鎖進腦底一角，小睡片刻，一覺醒來，再放手去做時，相信一定能事半而功倍。

在日常生活中，固然需要小睡以養神，在人生途程上，又何嘗不需要小憩以蓄力？但很多人卻為名利所驅，足不停蹄，像脫弦之箭般直向遙遠而渺茫的目標射去，結果往往卻成了強弩之末。欲速反不達。其實又何必定要採取衝鋒方式，而不把它當作旅行呢？倦了，不妨抱持有睡午覺的見解，就在路旁小憩，領略一番旅途風光。採擷幾枝鮮花美果，而當這麼稍事憩息時，生命將更充實與豐盈，活力將更充沛而旺盛。正是：「問君那得清如許，為有源頭活水來。」

是的，那片刻的小憩，正是偉大生命的再造，但若讓靈魂在層層肥厚的自滿底上熟睡、打鼾，卻是錦繡前程的摧毀。

編註：本文原刊於《中央日報・婦女與家庭週刊》，一九五四年十一月十七日，第六版，原題〈一枕小窗濃睡〉。

竹馬

從海邊回來，我渾身發散著海風的腥味，海水的鹽味，還有陽光的氣息——就是這些，又使我活力充沛，滿懷信心，面對現實的生活！

我永遠不會忘記許多年前一個故事曾經給予我的啟示：雖然那只是一個很短很普通的小故事，平凡得就在我們的孩子之間也常會發生的。那是說一個父親帶了兩個孩子去散步，回來時小的那個說累得走不動了，要父親揹他，但父親說他也累了，於是孩子就哭著賴住不走。於是那父親便斫了一根樹枝給哭著的孩子，說是送他一匹大白馬，看誰跑得快！孩子立刻歡躍著跨上樹枝，馳騁起來，結果還是第一個到家。父親便對大的一個孩子說：這是你將來在生活上可以運用的一種方式，有時候你會感到身心十分疲憊，使你無法前進時，就去找一匹竹馬吧——一角山水，一個朋友，一支音樂，一本好書，一朵花，一個嬰孩的微笑都行，等挨過了疲勞點就可以馳騁了。

不是嗎？有時我們往往會感到心志懊喪，精神委靡，做什麼也不順手，看什麼也不順眼，幾乎完全失去了生活的興趣，連再舉一步都不可能了。——這都是由於長期的過著一種枯燥，單調的生活所引起的厭倦情緒，而這種情緒常趁意志鬆懈，信心動搖時趁虛竄入，逢上這樣的情形，大概也就是所謂走到了生活的「疲勞點」的時候。

生活本身就似乎是一場鬥爭，冗長而無窮盡的鬥爭，這戰爭中雖然沒有猛烈的炮火，沒有慘酷的殘殺，但卻必須不斷的戰勝那些貧困、苦難、疾病，以及無數沉重而愚笨的工作，瑣屑而繁冗的事務……

在這鬥爭中，有人終至精疲力竭，心神交瘁，被那種厭倦的情緒壓倒而成為生活的俘虜。變得麻木、淡漠、對生活抱著得過且過的態度，過不下去時也只會詛咒人生，怨恨命運，沒有理想，不求改進，也沒有信心。「死亡只能埋葬軀殼，生活卻能埋葬靈魂。」他們的靈魂已被埋葬了，只不過剩下軀殼渾渾噩噩地打發日子罷了。

在這鬥爭中，也有人不敢正面作戰，躲躲閃閃，逃避現實，把全部生活都寄望於未來，或浸沉於緬懷過去。卻忽略了人原是不能超越生活的。到達未來，一定得先面對現實，接受現實生活的挑戰。因此最後也終於因為要迴避的無法迴避，卻變得越來越難以應付，而頓覺人生空虛渺茫，也不免陷入那種失望、厭倦的情緒中，不能自拔。

但是，更多更多的人卻都默默地，忍耐地面對這戰鬥，有的堅守陣地，有的迂迴作戰，有的勇往直前，——不是嗎，生活若是一場冗長的鬥爭，那麼我們每一個人便是這鬥爭中的一名戰士，好戰士應該是恥於投降，永不妥協的。當一個戰士的槍膛空了時，他一定馬上去補充新的彈藥，而生活中的戰士，如果在長期的鬥爭中感到身心交瘁，精疲力盡時，千萬也不要忘記向四周看看，找一匹竹馬，幫助你重新振作精神，恢復活力，再面對無窮盡的鬥爭，接受生活的挑戰。

「生活，為的是征服它！」

朋友，你是一位好戰士嗎？

編註：本文原刊於《中央日報・婦女與家庭週刊》，一九五四年十一月二十四日，第七版。

思想之舟

如果有人問我在一天操作家事之餘，在片刻的閒暇中，在寂寞無聊時，我怎樣為自己的情感安排出路，我最喜歡的消遣和娛樂又是什麼？我會毫不思索的回答：

「我喜歡獨自乘著輕舟，泛漾在寬廣無際的海洋上！」

請先別笑我陸上行舟，我那可愛的小舟原不是原始的獨木舟，也不是輕捷的橡皮艇，而是載滿了那世界上主要的財富……思想……的船，「書」。而那廣闊無際的海洋便是智識的海洋。

還有什麼比乘著滿載思想的小船，在智識的海洋裡載浮載沉，逐波盪漾更令人心曠神怡，渾然忘俗！看電影嗎？擠票，趕時間，讓肺部在不潔的空氣裡受罪，而逢上不好的片子，只感到浪費了時間的悵憾。逛市街嗎？累一身臭汗不算，物質的誘惑更加重了精神的威脅。而任何消極的娛樂，在頃刻的興奮褪卻後，剩下的除了疲倦，卻是加倍的空虛，但書本這小船不僅載著我們探求宇宙的奧祕，領略世界的涵博，使我們豐富，使我們振奮，也載著我們遨遊於人生的悲歡離合，七情六欲中，顯示著生命的莊嚴，人性的至善，它鼓舞我們，安慰我們，有如一個傾心相許，剖腹相示的知友，坦示出他誠摯的心靈。而每每在獲得一種新的拓展，進入一種新的境界，內心更氾溢著那份充實的喜悅——人類所以高於萬物，也許就在懂得怎樣去追取並領略這份精神上的無上的享受！

我愛那些小船，我更希望自己有個可以停泊這些船的美麗的船塢——一個家庭圖書館。屋子不太大，但窗明几淨，雅靜可喜。窗外的園子不太深，但花木掩映、綠蔭覆蓋。屋子裡除了兩張大書桌，幾把寬深的椅子，貼壁排著的全是書櫥。這裡有需喜歡的政治經濟，有我心愛的文藝哲學，也有孩子們的參考書和童話故事，所有的書都分類編號，整齊地排列在櫥裡，宛如列隊等候檢閱的隊伍。晚上，大家一天的工作和功課都已告一結束，扭開室內幽淡的燈光，揀一冊心愛的書，或是端坐桌前仔細的披閱，或是偎在寬深的椅子裡慢慢領略，或是索性伏在地席上一頁一頁地默誦，在這安謐的小天地裡，盡可以隨著自己的心意把自己安頓舒服。夜涼如水，幽香暗流，一家人便這麼著讓整個心靈乘著思想的小船，輕帆遠揚，浮泛於廣闊無垠的海洋！

大批的藏書在目前雖然只是一個理想，但每個月添置幾本好書似乎也不至於影響了家庭經濟，住屋雖然狹隘，但安置一兩座簡單的書架似乎也不至於迴轉無餘地。孩子們盡可以少買些糖果，少買些脆劣的玩具，但別吝嗇隨時給他買幾本有意義的故事書，更不要忘記用肥皂箱什麼的為他們改製一個小書架讓他們自己編排陳列，一以培養他們閱讀的興趣，一以養成他們愛惜書本的習慣，而唯有當他們全副小心靈乘著船兒浮泛的時候，才是家裡最安靜太平的時候！

是的，讓心靈乘著載滿思想的小船逐波浮泛，乃是精神上無上的享受。可是，很多賢能的主婦們，卻常常整天為張羅著滿足口腹之欲，而忽略了精神上的饑饉、空虛和貧乏，這是莫大的損失，也是無謂的犧牲。我要告訴她們，別忘了隨時讓一艘可愛的小船停泊在身畔，只要有那麼一點閒暇，便乘上去吧！

編註：本文原刊於《中央日報・婦女與家庭週刊》，一九五四年九月十五日，第六版。

黑暗的啟示

每週一次停電，面對黑暗，這是給每個人精神上一種考驗。不是嗎？停電時多半在晚餐過後，一家人也許正聚在起居室裡，電扇帶來清風徐徐，電燈灑下一片柔和的光輝，收音機播送著優美的音樂，看報的看報，說笑的說笑，孩子跟著音樂載歌載舞，其樂也融融。可是，驟然間電燈熄了。一片黑暗悄悄的掩蓋了一切，沒有了光亮，沒有了清風，沒有了音樂，歌聲和笑語也倏然靜止。彷彿一下子從科學發達的二十世紀五十年代，跌回了混沌初開的原始時代。

深沉的黑暗是令人難忍的，記得停電第一天，我悶坐黑暗中，覺得自己就像一隻小船飄浮在蒼茫無垠的大海上，渺渺茫茫，更不知何時到達彼岸，時間彷彿也凝固了，一個鐘頭猶如一個世紀那麼冗長，一切活動在黑暗中停止了，一切感官在黑暗中都閒散著，然而，思想卻特別活躍起來，靜坐片刻，我反感到心緒寧靜，精神上有一種澄清明澈的感覺——我從黑暗得到了啟示！

黑暗中，情緒澄清，最宜於摒除雜念，默念五分鐘，作自我檢討，這一週來的思想行動，所作所為。平時都太忙了，做什麼總是做過便算數，這期間也許有工作上不經意的疏忽，言語上微小的錯失，情感上不恰當的發洩。該自惕的絕不忽略，該糾正的絕不寬假。這是給自己上嚴肅的一課，而當這一課結束後，正好給下週的生活安排一番，策劃一番。

黑暗中，心緒潛沉，最宜於回憶默誦。平時庸庸碌碌，都只為忙著滿足感官的欲望，忙著滿足物質的享受。想的，做的，全是不為衣食住行，便為名利權勢，完全忽視了性靈的枯渴。而在黑暗中，正好讓性靈獲得片刻的解脫，重又覓得了不為人情世故蒙蔽的「自我」，或是追憶幾件美麗的往事，或是默誦一首心愛的詩詞，給自己製造一種幽美高超的意境，靜靜地享受，靜靜地領略。

黑暗中，心情清新，最宜於構思遐想，星光朦朧，萬籟無聲，胸無半點俗念，靈感自然油然而生，或者是想一篇生動感人的小說，或是想一篇清麗雋永的散文，一首可愛可喜的小詩，或者是為未來圖繪一幅美麗的遠景……

是黑暗，把我從人世的紛擾塵囂中提將出來，教我在這萬靜之中，深思默念，而當我倦於遨遊於廣闊的思想的領域時，我便偕霈走到園裡，小園裡樹影扶疏，月色隱約。更打開園門，街上竟是一片銀輝，路樹掩映著幽深的長巷，靜悄悄更無半點人聲。是怎樣的清幽超絕的景致，又是怎樣的止水停雲的心情！然而，在燈炬輝煌的時候，我們卻把這一切關在門外！

仰首天空，只見星星明朗可數，我們辨認著星座，我只認得北斗和牛郎織女星，需認得比我更多，他告訴我每一個星座不僅有一個美麗的名字，還包含了一段動人的神話，明天我們將去找一冊有關星座的書，趁每週一天無燈的靜夜，開始學習新的一課。

浴著月色，踏著樹影，也和在小巷徘徊了多久，只是流連不忍遽返。但晚風沁涼，紗衫嫌薄，夜已有秋意了，回到家裡，燃上蠟燭，在燭影搖曳中，我打開了日記本，記下了這樣一段：

停電並不可厭，黑暗給我啟示，黑暗也讓我學習了不少東西，偶然的黑暗，像一朵浮雲掠過烈日，正好給俗務絆羈中的人們換一口氣，領略一下生活的另一面。

編註：本文原刊於《中央日報・婦女與家庭週刊》，一九五四年九月二十九日，第六版。

福燈長明

夕陽西墜，暮色四合，屋子裡的光線逐漸微弱了，「媽，看不見書哩！」小瑾喚我說。我過去輕輕扭亮了燈，立刻一片柔和的光亮，似一注從天而降的泉流，瀉滿一室，一切黯淡的蒙上了柔和的光彩，一切呆滯的顯得生氣盎然。我轉過身去，只見小瑾讓一本故事書翻開在膝頭上，翹起下頷，正凝視著燈亮，不知是故事中的仙女使她神往，抑是新的光明使她迷眩，明亮的眼睛裡閃爍著渴慕和喜悅的光彩，一剎那我忽然覺得世上的鑽石，天上的星星，都比不上燈光輝映下這雙明眸的美！

如果說愛情使生命光輝，人生充溢情趣，那麼，是燈亮使屋子光彩煥發，給每一個家庭編織了柔美和諧的情調，製造了溫馨安謐的氣氛。

不是嗎！在沒有亮燈的時候，家有點像旅館，晚上歇宿的人都外出了，又有點像飯店，一滿足口腹之欲也就散了，撤下屋子清清冷冷。只有在燃上燈的時候，家才充分呈現著家的溫暖、融洽、安詳和舒適。在柔和的燈光沐浴下，解除了一切束縛，擺脫了一切事務，把白天的煩慮、困倦，連同深沉的黑暗一起關在門外，看小兒女嬉戲膝前，與良人絮語家常，這一份燈下團聚的天倫之樂，這一份忘世的和平和安謐、溫馨和寧靜，又豈是油彩所能渲染，筆墨所能描述！

偶爾在晚上散步時，我就最愛數點那漏自窗間的閃爍燈光，有的隱約露自樹隙，有的朦朧透自薄紗，有的便從洞開的窗戶裡傾注出來，淺緋色的燈光透著神祕，讓人猜想浸浴在燈光下的該是一對新婚燕爾，正偎依著說笑閒談。淡綠或淺藍的燈光顯得幽靜，讓人想像那屋裡的男主人正扱著拖鞋，穿著睡衣，靠在沙發裡讀書閱報，一旁坐著編織毛衣的女主人，也許旁邊還有一只搖籃，紗帳裡酣睡著一個小小的嬰兒。乳白色的燈光明淨而柔和，在那燈光下，該是兩三個伏案溫習功課的孩子，年輕的臉頰在燈光下顯得神采煥發，眼睛裡閃爍著求知的光芒——一盞燈，不僅僅是突破黑暗，帶來光明，而燈光照臨下，也便是幸福安樂與勤勉的所在。

記得有一次避居僻鄉，我深夜從遠處回家，黑暗裡走著顛簸的路，已是十分委頓疲乏不支了，遠遠忽然望見從家裡射出的一點光亮，頓時感到一種被溫暖包圍著的感覺，精神隨之一振，腳下也就輕捷了，這常使我想起海洋上的燈塔，曠野荒山裡好心人給夜行人燃起的紅燈，——僅僅是一點光亮，對深夜未歸人卻是一份無言的安慰，一份無聲的鼓勵。

使我們的家庭顯得溫暖可愛的是各色神祕、幽雅、明淨的燈，使我們對世上一切平凡的事物感到美和有趣的是每個人心裡的一盞燈——心燈藉內在的光輝而明亮時，就會刺穿事物的表面價值，照見我們四周那些隱藏著的美。而照亮著人生道路指引我們行進的，是那智慧之燈。

在我們一生中，有有形的燈，給每一個家庭編織溫暖的氣氛；有無形的燈，照耀我們的前程。而有形無形的燈，終歸是指引幸福所在。我扭亮案頭淺藍的檯燈，一燈如水，夜靜如許，我默然獨坐，對燈凝思，但願福燈長明，光照人間！

編註：本文原刊於《中央日報・婦女與家庭週刊》，一九五四年十一月十日，第五版。

不散的筵席

陣雨過後，門前積水成潴，小瑾她們三五個小朋友便圍蹲在小池畔，將紙摺的小船放進水裡，一個個鼓著腮幫，尖起小嘴，吹動船兒前進。還不住鼓掌歡呼，玩得十分興濃，那些彩色的小船，原來都是用過時作廢的愛國獎券摺成的——人們用希望把它帶回，又揉著失望給扔掉，而它們所能給予人們的，怕也就是孩子們這份喜悅才是最親切實在的了。孩子們也許還不懂得大人眼中的財富有何價值，但是，在他們單純的內心，卻擁有另一筆世上最可貴的財富——那便是快樂的心地。

「快樂的心地」這是一筆用之不盡，汲之不竭，不用向別人挪借，別人也不能偷盜的財富，擁有這財富的人，世界在他們看來是美麗而充滿希望，任何打擊不會使之灰心，縱使在艱難困苦中也一樣保持著向上的心。也唯有懂得運用這無價財富的人，才是世上最幸福的人！然而，我們每個人幾乎都在夢想著，追求著俗世的財富，卻忽略了內蘊的寶藏：斤斤較量的去為一點不如意的事憤鬱，為別人一句不恰當的話耿耿於懷，為失掉的懊恨，為得不到的怨恚，為正在從事的厭煩……終日煩惱。生活只成了一串黯淡無光，難以打發的日子。

記得從前我有一次生病，心志沮喪。友人為我送來一本書。講的是一個紅頭髮的女孩子，她對任何不幸的事都有她獨特的想法：當她摔斷一隻腿時，她卻說她覺得還算運氣，因為她兩隻手仍舊健朗如舊，而手是要比腳來得更重要——她那事事往好處想的思想，立刻影響了她周圍的人，我也不禁被她真誠的感情所渲染，我立刻想病雖然有點痛苦，卻難得有這麼個機會給我休養、反省，當我不再盡往壞處想時，身體卻漸漸復元了。這以後當我遭遇了什麼不如意事時，總不由得會想起書中的紅髮少女……「要向好的方面高歌，不要在壞的方面狂吹」。不是嗎？如果事情不順手，盡往壞的方面想，只有更糟，為什麼不找一找它的好處呢！當懷著愉快的心情去做時，你便會覺得你是操縱這一切的主人，而不是它重壓下的奴隸，一切困難便將迎刃而解。一樣的，如果生活困苦，為什麼不這樣想：安康便是福，雖然苦一點，至少，一家人都健康平安。如果住的屋子簡陋，為什麼不這樣想：在這亂世，總算有一個遮風避雨的所在。如果朋友有對不起你的地方，為什麼不想想他過去別的好處——「往好處想想」這不是自欺欺人，自我陶醉，而是當人類活動的任何部門機器有鏽滯阻塞時，滴下幾滴潤滑油。

這裡，我抄錄了一首我心愛的小詩，詩題是「假如」：

假如我們肯重視任何微小的快樂，如重視那些微小的痛苦；
假如我們能很快的忘懷我們失掉的一切，而對現有的感到滿足；
假如我們常搜求他人的美德，而寬恕他人的過錯；
這世界將是一個多麼舒適，愉快，而值得讚美的地方啊。

在最後我要加上一句：如果我們是如此窮困和貧乏，別忘了每個人內心都蘊藏著世上最可貴的財富。把這個帶回家去，它將如太陽散發它的光和熱，將愉快、健康和幸福，散布在屋內。「快樂的心地，乃千載不散的筵席。」就讓親愛的家人分享這千載不散的筵席吧！

編註：本文原刊於《中央日報・婦女與家庭週刊》，一九五四年十二月一日，第六版，原題〈樂在何處〉。

新年禮物

眼看壁上的日曆一天比一天薄下去，而案頭卻增添了一疊友人們寄來的賀年片，這些那些，都在提醒我，告訴我，一年又快結束了。

一年，不算短的日子，就這麼悄悄地過去了，靜下來想一想，在這些日子裡又做過些什麼，完成些什麼，計畫過什麼，期待過什麼？儘管在時間上不是慣於揮霍浪費的人，一年過去，卻也總免不掉為不曾好好把握住它而感到惋惜、惆悵，感到人生的短暫，不是嗎？世界上最被人忽視又最為人惋惜的便是時間，當人們擁有它時，從來就漠視而不知珍惜，一旦失去了，便又無限惋惜依戀。有時我們往往會覺得時間太短促了，因為它從不能充裕的讓我們完成所需要完成的，有時又感到時間太慢了，因為它是那樣姍姍地不把我們所期待著的帶到我們面前。我們常常一分一秒的爭取時間，完成我們需要完成的，又常常一分一秒的把時間耗費在期待中——便是在這般不斷的爭取，無盡的等待中，年復一年的消磨過去。如今，這一年又只剩下了這最後幾天，我幾乎不忍再撕下那僅存的三兩張日曆……

但是，過去的終歸是過去了，暫且擱開那些抑鬱惆悵的情緒，讓我們趁這新舊交替之際，打開記憶的長卷，檢視一番，整理一番這一年來的紀錄吧！把那些蕪雜的摒除；把那些不愉快的掩埋；把那些錯誤的糾正；把那些值得保留的留下作未來的借鑑。如果你已敞開了心胸，如果你已澄清了靈智。那麼，請伸出雙臂，準備接受新的禮物。是的，時間之神是嚴厲的，正直無私的，但並不吝嗇，不是麼？且展視前面，它不又為我們每一個人備下了禮物——另一個嶄新的三百六十五天！

這新的三百六十五天，完完全全交付在我們手裡，由我們自己調度，自己運用，自己支配。每一天中都寓藏著生長的祝福，動作的光榮，希望的光輝。每一天都可以從愛情中獲得愉快；從工作和新的興趣中獲得力量；從心平氣和中獲得安寧。我們可以隨意用我們的意旨，把日子塗抹得色彩絢麗，或是淡雅樸素；我們可以隨意由我們的興趣，使日子過得熱鬧繁華，或是恬靜安逸。如果過去一年中失敗了，如今正好重新努力，如果過去一年中浪費了，如今正好好好把握。未來這三百六十五天每一天都屬於我們自己的，我們的前途正掌握在自己手中。回顧一下過去一年的紀錄，反省一下過去一年的事情，然後決定怎樣調度未來的日子，怎樣使未來的一年生活得更有意義，更豐富美滿。

良好的開始，必然有完滿的結束。而完滿的結束，又孕育著下一個好的開始。一年將盡，且讓我們滿懷信心和喜悅，準備接受那時間之神賜贈的珍貴禮物，讓我們集中智慧和熱情，計畫調度那每一個嶄新的日子！

是的，一年將盡，但我已不再為失去的惆悵，握筆記下這些，我要為孕育另一個良好的開始，安排一個完滿的結束。

編註：本文原刊於《中央日報·婦女與家庭週刊》，一九五四年十二月二十九日，第六版。

再版小言

縱使時光流轉，信念穩若磐石；儘管世事萬變，真理恆古長新。這本小書絕版了許多年，如今又以嶄新的、現代化的型態，由三信再版。從印刷的日趨完美，可以看到這些年來社會的神速進步，文化事業的發展和起飛。只是，生存的搏鬥，橫亙在人類生活中的苦悶、寂寞、厭倦、沉滯……依舊存在，而且永將存在。如果沒有一點精神上的鼓舞，性靈上的提升，生活中向上向善的意念，難免越陷越深，以致迷失了自我，忽視了人生美好的一面。那就是我當初寫下這些篇作品初衷。一位朋友曾在評介中說：「她期望通過身邊瑣事的闡述，獲得一種淨化和解脫，從習慣的沉滯中喚醒心靈的注意力，藉以從平凡的事物中覓得新穎的美。」

再一遍重述前言：讓我們共同來發掘心底財富、內蘊的寶藏罷！

謝謝讀者給我的鼓勵，以及出版社的支持。

民國六十一年四月

艾雯全集2

散文卷二

艾雯散文選

艾雯散文選：台北市，遠東圖書公司，一九五六年九月初版。三十二開，一五八頁。

◎遠東圖書版原目：

第一輯

海角燈影、迎向黎明、夏夜戀歌、門裡門外、神，信仰、青春篇、散文時代、遲暮、它、藍色的夢、失落的心、牆、橋、路、收穫、鄉居閒情、處處花香、過年、祝福、寂寞的心靈。

第二輯

漁港書簡、白雲故鄉、拐角那一家、鄉村老郵差、母女、孩子和蠶、控訴、無盡的愛、生命的音樂、年輕的日子、無聲的弦琴、希望、春的召喚、大地的祝福、趕在太陽前面、春日短箋、虹一般的憶念、當我回到家鄉的時候、種花記、狸奴。

第三輯

日曆、人生的階梯、生命之筆、生活的陽光、竹馬、嘗試、無形的書、思想之舟、偷得浮生半日閒、一枕綠窗小睡、生活的羅盤、莫等待、缺陷人生、回憶的泥潭、幽蘭與素石、家庭食客、不散的筵席、撲滿教育、春的喜悅、黑暗的啟示、福燈長明、新年禮物。

◎說明：

本集據遠東圖書初版編入。此處僅收錄四篇文章：鄉村老郵差、孩子和蠶、希望、春日短箋。

第一輯選自散文集《青春篇》，第二輯選自散文集《漁港書簡》，第三輯選自散文集《生活小品》。

鄉村老郵差

每當那吱呀吱呀的腳踏車由遠而近從村子裡經過，村裡的人便曉得是老郵差跨著他的破鐵馬來了。二十幾年如一日，從來就沒出過岔錯。

鄉下人家守著幾畝田，自耕自足，很少與外界通什麼信息，但沒有一個人不認識老郵差，老郵差也熟悉村裡的人——誰家的孩子在城裡念書，誰家的當家人在外面經商，他更是瞭如指掌。逢上個把兩個月來那麼一封信，老郵差總像報什麼喜訊似的，去那家門口用沙啞的聲音大聲嚷著「信哪！」，哪怕僅僅是一張明信片，他也耐心地等著收信人放下手裡的工作，匆匆跑出來，再親手交給他，還親切地補上一句：「你家少先生給你請安來了。」或是「你們當家的匯了錢來，拿圖章來蓋。」看見收信人那份歡喜的神情，他也彷彿分沾了他們的喜悅，臉上深深的皺紋裡涵滿了笑意，腳踏車似乎蹬得更有勁了。

村裡原設著一只信櫃，雖然老郵差每天來時照例要打開來檢視一番，但十次倒有九次是空的。村裡人要寫信，情願早早地在門口等著，一次又一次探望著，等老郵差經過時便迎上去喚住了，把信和兩枚鎳幣交給他。

老郵差去得最勤，也最受歡迎的地方，是村裡唯一的一座國民學校。住在偏僻的鄉下，人總免不了寂寞，一種被遺忘的寂寞。接受過都市文化的知識分子之所以不同於樸實的鄉下人的，也許就是不甘於寂寞，他們對外面的世界有一種模糊的渴慕，像縮在小屋子的蝸牛，忍不住有所企待地探伸出自己的觸角——唯一能為大家縮短這其間的距離的便是老郵差。

每天，在上午第三、四堂之間這段休息時間裡，那些年輕的老師似乎都懷著一份等待什麼的迫切心情：有的手裡改著卷子卻一面在凝神傾聽；有的準備著下一堂的教材，卻頻頻向窗外探望——就在這時，傳來一陣吱呀吱呀的噪音，蓋過孩子們的喧譁，漸來漸近。驀地又是一聲使人牙齒發瘮的剎車聲，接著門口一個瘦長的身影一晃，只等著那一聲「信哪！」立刻好幾個聲音同時問他：「有我的信沒有？」還有人迫不及待地迎了上去，向他展開包圍攻勢。

「有啦！有啦！別忙，等我慢慢來嘛。」老郵差的口吻活似一個老祖父在給兒孫輩分發糖果，一面便從容地一封封抽出信來分送：「張老師一封，王老師一封，該又是女朋友來的吧！嘿嘿；金老師有人請吃喜酒哩，丁老師一封掛號信，準是匯票，黃老師，方老師，報紙……」鄭重而又親切地一一交待清楚。對那幾個盼望落了空的老師，他總覺得是自己沒有盡到力，趕緊把幾捲報紙遞過去。老郵差第二件額外工作是收信，老師們寄信照例也懶得自已貼郵票，逢上匯款、提款、寄包裹、訂書報、郵政儲金……諸凡郵局所承辦的業務，總是委托老郵差給全權辦理。老郵差不但辦得妥貼迅速，而且樂此不疲，大家便恭贈他一個封號：「郵政總辦」，暱稱「老總」。

老郵差很高興這個封號，一聽見叫「老總」，就笑得咧著癟嘴，眼睛瞇成一條縫，那長長的，凹臉瞠裡滿溢著歡喜，像盆地裡盛滿了雨水，直往外溢，而那滿臉的皺紋便是氾濫了的小溪——看那深刻的皺紋，老郵差若沒有六十四、五，少說也有五十八、九歲了。帽子蓋得再低些也遮不住兩綹灰白的鬢角，但精神卻挺健旺，他也從來不服老。就他蹬著破車，在漫長而崎嶇不平的鄉下小路上奔跑的那股勁兒，確不遜於年輕力壯的小伙子。

大熱天，南部的太陽像火焰，毫無遮攔的田野裡更烤得人發黑。老郵差頂著毒辣的太陽奔走，臉黑得似乎更凹陷了，連信袋裡掏出來的信都是熱烘烘的像剛出爐的燒餅。雨季，颱風天，冒著風雨來去，儘管披著雨披，一身也淋得像隻落湯雞。但從小心遮藏著的信袋裡掏出信來，卻都乾乾燥燥，雨絲都未曾沾上一滴。有時風雨實在太大，彷彿整個世界都將顛覆傾圮似的，老郵差送信到學校去，老師勸他歇一會走，他只是搖搖頭：

「風雨我經歷得多啦，反正再大也颳不掉、沖不走人。信裡說不定有要緊事，可不能給耽誤了。」說完，抖一抖沉重的雨披，又一低頭闖進驟密的風雨中。

老郵差處處只惦著他的職責，惦著別人的盼望，似乎從來沒想到自己。但是，歲月卻從來不曾忘記過任何人，一直便跟在他破車後面追趕。年復一年，帽簷下的兩鬢顯然更白了，嘴也更癟了，背也有點佝僂了。

誰都知道老郵差有三個已成家立業的兒子，兩個已出嫁的女兒，像他一把年紀，很可以退休納福，用不著自己每天冒著風雨烈日，為衣食奔走。但只要有人把這個意思問他，他卻臉一拉，幾乎連那凹下去的地方都拉平了，不高興地頂人家一句：

「把我供起當菩薩麼？沒跛沒瘸，沒瞎沒殘的，還袖著手等人來餵？」

「為兒孫勞碌了幾十年，如今上了年紀，享享兒孫的福也是該當的嘛。」

「只要自己覺得活得有意思，那就是享福嘛，又何必一定要依靠兒孫？」老郵差不以為意地說出自己的觀念。「我這輩子就是愛這麼一天蹬上兩趟，鬆散鬆散筋骨——這兩位都是我最親密的老夥伴，在我活著的日子絕不會離開。」他親切地拍拍身上的信袋，又按按那輛腳踏車，好像那都是有生命的東西。

別人感動地望望他的白髮、癟嘴，滿臉被辛勞的歲月琢磨出來的深刻的皺紋，想說什麼，又咽住了。

老郵差似乎故意要顯示自己並不老，倏地一個鷂子展翅跨上了車，眼睛望著前面，挺著腰桿，蹬得比平時更用勁，那輛破鐵車便一路吱呀吱呀地響過去。

編註：本文原刊於《中央日報・副刊》，一九五六年四月十五日，第六版。

孩子和蠶

小園一角栽著一株野桑，自生自滅，向來就不為人注意，這幾天卻常常有孩子們來敲門討幾片桑葉，也有悄悄攀在矮籬上採摘的，惹得娜娜和安安不住狂吠亂跳。聽說摘了桑葉是去餵蠶，恬恬纏著我陪她去找賣蠶的小販。上街買了幾條回來，她小心翼翼地捧著裝蠶的火柴盒子，就同捧了寶貝似的。一路上興高采烈地向我述說她的計畫：

「我把牠餵大了，讓牠們一個個吐絲做繭，楊媽媽告訴我：如果把蠶絲繞在書本上，再剪下來就是一根美麗的銀絲帶，可以繫在辮子上哩。」說著，她得意地一搖頭，兩支烏黑的長辮子就像靈蛇般從背後滑到胸前。

回到家裡，她忙著找了一只硬紙盒，鋪上潔淨的白紙，又去園裡採下新鮮的桑葉，抹拭乾淨，撒在紙盒裡，這才把蠶遷移過去。那些小東西大概已餓了半天了，彎彎曲曲地爬上桑葉就大啃特啃，那種飢不擇食的饕餮樣子，顯得滑稽而又可憐，多麼微小，又多麼柔弱！但牠也有著鮮活的生活，也有著生存的要求。

望看那些蠕動著的，長不盈寸的小生靈，不知怎麼恍惚又喚回了被世故掩蔽了的童年，想起了久違的故鄉。在故鄉，這不正是養蠶的季節麼？

養蠶，在蘇州的鄉下人家一直被當作一年一度的一樁大事，也是農家的一種副業。每當桑葉綠肥，桑葚透紅時，全家便總動員起來。先虔誠地敬過神祇，旋即把去年留在桑皮紙上的蠶蛋請出來，解開老棉襖的前襟，貼在溫暖的胸脯上孵著。靠著人的體溫，給那些斑駁的小黑點帶來了生命，小蠶一孵出來，養蠶人便一天比一天忙碌，緊張。飼蠶人家有許多忌諱，蠶房裡又必須保持清潔和安靜，眼看那些蠕動著的小生命齧著桑葉迅速地長大，成筐抹淨的嫩桑葉倒進蠶篩裡，只聽見像下雨似的沙沙聲，不要多久，那一片綠潮便翻作白浪，又得馬上再撒下新葉。到蠶寶寶三眠時，養蠶人更是不眠不休，硬撐著倦澀的眼睛，靜靜地侍候在一旁，半點都疏忽不得。一直要等蠶上了山，在草簇間懸上一個個白色的小燈籠，才能透一口氣。接著是揀繭，繅絲。當一絞絞潔白，柔軟的蠶絲裝在籮筐裡閃熠發光時，養蠶人倦澀的眼睛裡也閃熠著喜悅的光彩。這一份豐盈的收穫中，又揉合了多少辛勤和熱忱，多少希望和期待。

還記得我家從前的老傭人家裡便是養蠶的，每年逢上「蠶忙」時節，她總要告幾天假回去幫忙。回來時也總給我捎來一籃「花生米」，所謂「花生米」是褐色的顆粒，吃起來又鬆又酥，還帶一點鮮味，說是小孩子吃了可以清火，眼睛明亮。懵懂的我當時也吃得津津有味，後來知道自己愛吃的「花生米」竟是炒熱了的蠶蛾屍體時，心裡著實難過了一陣子，便再也不忍嘗試了。還有小時睡枕頭，裡面裝的全是蠶屎。也說是睡了清火的。如今離開故鄉已二十多年，在烽煙中遷徙跋涉，便再也不曾見過似江南那般大規模的養蠶。

孩子上學去，不能攜帶她的蠶寶寶，便要求我幫她照顧，每天一回家就忙不迭地問蠶怎樣怎樣，蠶頭眠了，二眠了……眠一次，身子就更白胖一點。桑葉也啃得更快更多，差不多在同一天晚上，幾條蠶都先先後後開始吐絲了。那真是一樁艱鉅的工作呢！牽著那樣纖細的絲，來來回回繞著身子轉了一圈又一圈，漸漸織成一層透明的卵形繭殼，又漸漸地變白變厚，只隱約顯現一點灰白的影子，猶自在裡面不停的蠕動。

「哈，我馬上可以有一副漂亮的絲帶了！」在一旁看了半天的恬恬高興地說，卻又露出懷疑的神色：「可是，牠們這樣把自己封閉在裡面，不會悶死嗎？」

「不會，等翅膀長成，牠們就會咬破繭殼飛出來的。」

「殼這樣厚，咬起來一定很費勁哩。」

第二天繭完全完成了，裡面的蠶也靜止不動，恬恬拿了一隻潔白勻圓的繭子，要我替她抽出一個頭來，然後夾在書裡仔細地一匝一匝繞上去，完全熱中於編一副絲帶的計畫。

「噢，我把絲繞完了，不是省得蠶自己再費勁去咬！」她好像很得意自己的發現。我望了她一眼，說：

「妳還記得得上次孵小雞麼，有一隻蛋遲遲不出，我們幫牠剝開了，結果小雞卻死在裡面——蠶跟雞蛋是一樣的。」

她停止了抽絲工作，莊嚴地望著我：

「妳是說繭剝出來也會跟小雞一樣——死掉？」

「嗯。」

她看著手裡的繭和絲，躊躇了一會，忽然又把抽下的銀絲繞回去，輕輕放在盒子裡。

「怎麼，妳不要繫辮子的絲帶了？」她只笑著搖搖頭，拿起一本故事書，自去坐在窗台上看著。

眼看到了蠶蛾破繭而出的日子，我叫恬恬準備好兩張白紙鋪在桌上，不一會，蛾子便一隻隻從齧破的小洞鑽出來，在空中盤旋了一番，雌蛾便開始產卵了。白紙上立刻灑滿了芝麻似的黑點點。最後，雌蛾完成了牠傳種接代的使命，筋疲力竭。簌簌地抖兩下粉翅，便悄然伏在紙上不動了。

孩子用手指輕輕地撥了撥，驚訝而困惑地喊起來。

「死了？——怎麼生了蛋、蛾子就死了？」

「生命的意義是創造未來繼起的生命！」這句顛撲不破的名言已湧到唇畔，但想起這對於孩子未免太深奧了。

「因為牠們已經完成了牠神聖的使命，所以就靜靜地安息了。」

但孩子沒理會我的解釋，只惶然望著那些毫不掙扎便停止了生命的蠶蛾發呆。我又提醒她說：

「好好把那些蛋收起來罷，明年可以孵更多的小蠶呢。」

「真的？」

「我什麼時候騙過妳！」

她那黯然的眼睛裡這才又恢復了喜悅的光彩。很快地找來一只火柴盒，先把蠶蛾的屍體收拾了，然後，鄭重地摺起那張產滿蠶卵的紙，放進紙盒子裡，她做這些時的神情顯得莊重而又謹慎，彷彿為保護這許多未來的新生命而感到自己責任重大。

編註：本文原刊於《中央日報．副刊》，一九五六年五月二十四日，第六版。

希望

——生命的柱杖

希望，像一根柱杖，在整個生命的旅程中，支持著人們向前邁進，它一路上撥開憂懼的荊棘，鼓舞頹廢的步履，到達旅程的終點。

就像人都有他自己的欲念，人也都有他自己的柱杖。有的樸實如老松根株，有的堅韌如千年生藤，有的輕便，有的貴重，也有外面油漆得金光燦爛，卻經不住撐持，也有外表簡拙偏百折不斷如鋼鐵——越是高貴靈魂裡，越能擁有偉大至善的希望。

你，年輕人呵，你也擁有一支柱杖麼？那麼緊緊地執著你所選定的柱杖，不要隨便放棄，也不要任意掉換。

你，年輕人呵，你已執著你的柱杖麼？那麼帶著它勇敢地前進吧！別遲疑，別猶豫，更別退縮。不管你的旅程是愉快的，是艱辛的，抑是寂寞荒涼的，有一個伴侶不比沒有強嗎？

旅程中的伴侶，是的，請記住它只是你旅程中的伴侶，你不能沒有它，也不能完全依賴它，當你停留不前時，當你只是坐著想像旅途的終點，等待旅程的結束時，它便漸漸與你疏遠。你只能有準備再前進的休息，而不能有懶怠的停留。一停留，你將從此失去你的柱杖。

為了生存的光榮，你，年輕的戰士，勇敢地走向前去吧。生命的旅程是艱辛的，你也許要流血，要流淚，也許要承受重大的痛苦，經歷無盡的憂懼，但牢記著你的柱杖，它會使你振作，助你克服一切。

為了真理的追求，你，年輕的開拓者，勇敢地向前邁步吧。人生的旅程是漫長的，也許路太崎嶇，太陡險。也許路上荊棘遍地，豺狼四伏。但千萬執著你的柱杖，它會予你力量，助你征服一切。

年輕人，聽聽那些攜著希望的柱杖，光榮地走完了生命旅程的先賢們所說的：

——希望是生命，生命就是希望。

——有希望的地方，就有奮鬥，有奮鬥就有路。

——偉大的希望使我們成為人。

——在光榮和至善的希望中，勇往直前，一無所懼。

在生命的旅程中，希望是一支柱杖，因此，請持著它前進吧！最後，它將引導你愉快的到達旅程終點。

春日短箋

你說，北部冱寒，春風幾番。嶺上的最高枝，卻也透露了春的消息。

你說，南部春早，此刻怕不已花事繁茂，春色無邊，春光氾濫了大地。

但是，我卻把春色關在門外，把春光摒諸窗外。而伴著我的只是枕畔數卷書籍、几上一柱檀香——寂寞消損心靈，有時更甚於病痛本身的戕害肉體。我沉思，我緬想，卻總撩撥不開這些日子來像濡濕的霧一般瀰漫在室內、黏住在心頭的那種感覺。多謝你告訴我春的消息，猛抬頭，我彷彿第一次才發現窗外那一角藍天是藍得那麼深邃，那幾張在微風裡搖擺的芭蕉是綠得那樣蒼翠，而陽光是明亮得那麼耀眼！

於是，我想起了陽光照耀下那迂迴的石子路，那廣闊的田野，那架在兩岸的木橋，那青青的坡岸，和橋下岸畔的小溪——想起了小溪，罩在我心頭那濡濕的霧便淡了，散了。

溪並不寬，卻蜿蜒曲折。水並不深，但湉湲潺流。溪這邊有一大片厚厚的沙灘。只有上帝那大磨子才能磨出那樣又細又勻的沙土。在晴好的日子，我們常在軟軟的沙土上留下深深的腳印，第二天一早再來辨認。溪那邊有一處僻靜的草坡，彎彎地伸出在水裡，像一座小小的三角洲。散步倦了，我們便在那洲上小憩。除了偶爾有農人挑著水桶下溪來汲水灌田，或是揹著笠帽的牧童牽著牛兒涉水過去，那裡，總保持著忘世的清靜。但不知何時起，幽靜的小溪卻遷來了一群囂鬧的居民。

水裡的居民，你一定會說那是魚抑是蝦呢。全不是，牠們是一大群數以千百計的鴨子。你總還記得，據說我們人類的祖先，曾有過一段遊牧時代，逐水草而遷徙。自然，那該是很久很久以前的歷史了，可是，就在那牧鴨者的生活中，我卻發現這古老的生活方式的遺蹟。

那牧者是個精悍結實的中年漢子，起初我總看見他一個人伴著他的鴨群，有時揮著一根細軟的竹子，神態悠閒而又專注的沿著草坡趕鴨子；有時鴨子三五成堆依偎著在坡上小睡，他便也在臉上蓋一頂笠帽，靠近他的鴨子隨便找一處樹蔭躺著。而晚上，鴨子在用木樁圍的一個柵欄裡睡在橋堍下，牧者也只在橋底下比鴨子多掛了一頂蚊帳。

記得有一天晚上颳風又下雨，接連幾天沒有晴意。我惦念著小溪可曾漲水，也擔心橋下那沒遮攔的牧人和鴨群。雨後第一個晴天我去溪畔，溪裡的水沒有漲多少，可是橋堍下卻顯得更熱鬧了，原來除了那牧者和他的鴨群別來無恙，又增加了一個中年婦人和一個茁壯的少年。正忙著用稻草和竹子，在橋堍那迤邐的草坡上架起兩間簡陋的屋子哩。

從此，這一個家庭更與鴨子生活在一起，共鴨子一起作息，共鴨子一起呼吸溪畔那略帶潮濕而新鮮的空氣。

別看那草屋簡陋，那裡也包括了家庭的溫暖，共同的願望，和他們寄予願望的全部財產。

願望之花不是播下種就能開的，最好的灌溉是「勤奮」。這一家人正選擇了那最好的灌溉。他們自己過著最簡單的生活，卻從未疏忽過對鴨子的照拂。他們吞食著粗礪的食物，卻成擔成擔的穀子挑給鴨子大嚼。眼看著倒下去黃澄澄的穀浪一剎那便被無數張扁嘴鏟平，站在一旁的牧者顯露著滿足的神情，彷彿那穀粒馬上便化成無數鴨蛋，又換來——換來什麼，那正是一家人所願望的。噢，我不會忘記那樸實的牧者告訴我他的鴨子已開始生蛋時，那無限的喜悅填滿了他臉上的皺紋，恰如春水氾濫了小溪。

想想看，每天，每天，在晨光曦微中，四、五百枚蛋躺在木柵裡的乾草上，閃著乳白的、淡青的、米黃的光彩，是怎樣奇妙的寶藏，怎樣豐盈的收穫！

當鴨群不被放出去巡遊的時候，總是圈圍在橋下。在一邊水中間欄上一根繩子，一邊就攔著根竹子，風吹著繩子上懸著的禾草，樹皮自會晃動，鴨子不敢過去。而在另一邊只要牧者把竹子輕輕提起來拍著水，嚇得游近去的鴨子忙不迭回頭，但剛離開竹子幾步，立刻又高興的一頭扎進水裡，又從那邊鑽出來，拍拍翅膀，理理羽毛，悠閒地順著水流飄浮划游——

「看看鴨子們在水裡多麼自由自在！」

「可不是自由自在！」

那天像往常一樣，俯伏在橋欄上我讚羨地附和著他，猛然間又懷疑這句話的含義，鴨子果真是自由自在麼？水裡不明明攔阻著界限！牠們是知道這界限而不以為意，抑是渾然不知自己是被界限所囚禁？

我們人不也都生活在一種無形的界限中麼？有人說，幸福是在認識自己的界限而愛這界限。但很多人不幸福，也許是認識了自己的界限卻想超越它，一生只在徒然的努力中掙扎——噢，話扯遠了，原來要告訴你的是小溪、草坡、木橋、田野，和那過遊牧生活的牧者同他的鴨群，這些我已睽別了好些日子了，是你提起春的消息，又喚醒我對這一切的憶念。

但願明天，或後天，我又健朗地披一身春天的陽光，徘徊於橋上，徜徉在溪畔，在沙灘上留下深深的腳印，看春水漲了已未？你不為我祝福麼？

艾雯全集2

散文卷二

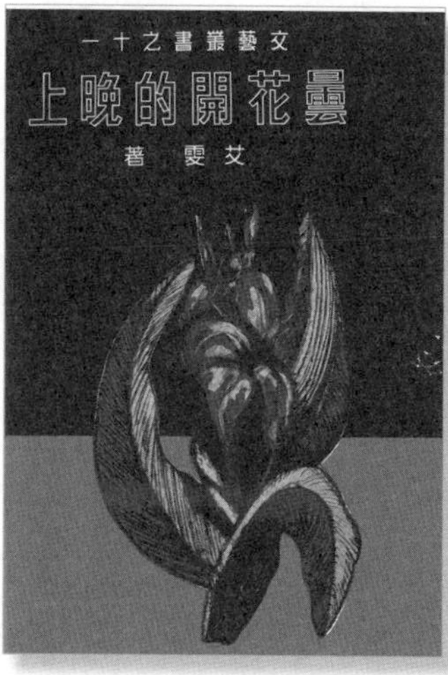

曇花開的晚上

曇花開的晚上：台中市，光啓出版社，一九六二年五月初版。三十二開，一六五頁。後改由台北市，水芙蓉出版社重排印行，一九七四年十一月發行初版，三十二開，一九八頁；北京，群衆出版社重排印行，一九九五年一月發行初版，三十二開，一七二頁。

◎光啟版原目：

春日短箋、旅途上、綠色書簡、童心來復、朵雲、乳燕出谷、餽贈、在泥土裡生根、心香一瓣祝平安、青年・春天・筆、希望、生命、夜語、秋天裡的春天、鐵樹與我、秋的腳步、一束小花、心靈之井、一粒微塵、小花瓶、曇花開的晚上、窗前、乍晴、初航、表演者、風雨課、負重的孩子、鄉村老郵差、孩子和蠶、綠巷・燈光・人家、小鎮上、這只是南台灣的冬天、天竹・蠟梅・憶新年、翳、感情的遺產。

◎水芙蓉版新增篇目：

作者簡介、新版小言、讀「曇花開的晚上」（歸人）、夢的養分（徐存）、評「曇花開的晚上」（羅雲家）、「曇花開的晚上」讀後感（陳朝棟）。

◎群眾版新增篇目：

作者小傳、不具「風格」的風格，並抽去心香一瓣祝平安等一篇，評論僅錄讀「曇花開的晚上」（歸人）、夢的養分（徐存）等二篇。

◎說明：

本集據光啟初版編入。

水芙蓉版、群眾版新增篇目收錄於光啟版末。

作者簡介、作者小傳、評論文章未收入。

鄉村老郵差、孩子和蠶、希望、春日短箋等四篇已收錄於《艾雯散文選》。

旅途上

此刻，我支肘在一張小小的桌子上，面對著一個敞開的窗戶。但是，窗外並不是你熟悉的，那婆娑的芭蕉和牽滿了藤的籬笆；桌上也沒有那些林林總總的書稿、水盂、相架等等。告訴你罷，這不是我那間斗室，而是一輛前進中的列車。從起點到終點，我有七個半小時的旅程。

多漫長的旅程！你一定會說。可不是嗎？要從太陽當空走到黑夜沉沉。周圍是一張張陌生的臉，淡漠的瞥視。進行中的列車永遠重複著那單調的節奏；彷彿一座巨大的石磨，把時間一分一秒的碾碎——我默坐一隅，但是，我並不寂寞。

是的，我並不曾感到寂寞，我也曾攜帶了幾冊供途中消遣的書刊。但上車以來，我盡顧憑窗眺望，它們倒被冷淡了。因為，因為我正在讀——不，應該說我已讓自己迷失在另一部活動的大書中。記得嗎？徐志摩在〈翡冷翠山居閒話〉中的那一段：「自然是最偉大的一部書。並且這文字是人人懂得的。只要你認識了這部書，你在這世上寂寞時便不再寂寞，窮困時不窮困，苦惱時有安慰，挫折時有鼓勵，軟弱時有督責，迷失時有南鍼……」此刻，就是這部大書，使我寂寞時不再寂寞，使我的身心獲得一種從故紙堆中解脫出來的空曠和豁朗。列車風馳電掣的進行著，在亮麗的陽光照耀下，田野景物作著扇形的展伸滑過眼底，我的心靈便馳騁於綠色無垠的平原，徜徉於翠竹掩映的溪畔。我把頭微微探伸窗外，承受那獷厲的野風，心裡低低地喚著：前進吧，前進吧，就這般馳向世界盡頭，馳向永生，馳向無極，永不停留——但列車慢慢減低速度，一聲長嘯，在一個小站停下了。

很小的一個站，仍然有不少人匆匆地下去，匆匆地上來，每天每天，許多列車行駛過許多的站，總有許多的旅人匆匆上下。我不禁懷疑人類是否由於祖先逐水草而居，一貫遺傳下來喜歡勞碌奔波的習性！看車廂中那些陌生的臉：有的神態悠閒，似乎在享受這一個愉快的旅程；有的憂形於色，似乎有重大的問題亟待解決；有的困頓委頹，彷彿他已歷盡坎坷的旅程，疲於奔走；有的持重沉思，彷彿正待去執行什麼任務；有的神情迫切而又流露出不能抑制的喜悅，顯然是在完成什麼願望；有的雙目灼灼，神采煥發，看來正是去追求一個美麗的理想——列車又開動了，載負著旅客的喜悅和憂鬱，困頓和焦慮，願望和理想……噢，多麼，多麼沉重的負載！

單調的節奏忽然變換了一個音調，原來列車正駛過一座橋，一座壯麗而修長的橋。橋下一段激流，湍急奔流。我滿心感到充溢，猶如清泉之流注。是橋聯繫起岸與岸，城與城，使過急流如履平地。一條路的終結，又是一條路的起端，一個城的界限，又是一個城的門戶。河流把大地切成兩截，橋又串起兩地的感情。橋上列車進行的節奏和橋下河水奔流的韻律，混合成了一支雄壯的合奏。懾於聲勢的壯大，一剎那車廂裡高談闊論的人停止了笑話，慵懶散漫的人正襟危坐，橋上橋下，正同時顯示著宇宙間兩股最強大的力量——人的力量和自然的力量。我感到驕傲，但又感到自己的渺小——此刻，我通過水上的橋到達彼岸，我也正通過友誼的橋，到達你身畔。人人都能造橋，如果每個人都願意造，那世上便不再有戰爭，人與人之間也沒有隔閡了。任何有形或無形的橋，都值得我們頌讚。

列車前進著，迅速、穩定而有規律。無數的站，無數的橋，被遺留在後面。而前面，前面還有著不少的站和不少的橋。一隻白鷺從綠茸茸的稻田中飛起，一片夕陽似一朵金色的雲彩，從它潔白閃亮的羽毛上瀉落。已臨近薄暮時分了，我感到雙眼倦澀，剛閉上眼養神，恬卻在我耳畔驚喜地歡呼吟唱，「海！海！啊！中華中華我中華……大海茫茫接天涯……」可不是我那朝夕思慕的大海，無限廣闊地展延在田野盡頭！煙雲迷茫中，碧色蒼鬱，顯得平靜而莊穆。只在沿著沙灘上有一道白色的浪花輕輕翻騰，像朵朵曇花，忽明忽滅，忽開忽落。列車不停的進行，海也不停地變動位置，一忽兒隱入樹隙，一忽兒閃進山後，一忽兒還遠遠地只可眺望，一忽兒卻又在眼底，近得可以聽見它拍擊沙岸的聲音，看見它微波盪漾。你知道我一直愛海，想海，此刻我多麼渴望著能在海畔停留片刻，讓海浪濕潤我赤裸的腳踝，洗濯我一身塵土——但火車是不會為海而停止前進的。就像熱中於功業名利的芸芸眾生，為達到一個目的，只一往直前，從不為路畔美好的事物憩下來欣賞一會，領略一會。

海終於被一座高山遮蔽了。列車飛快地前進，山只是屹立不動。山腰白雲迴繞，峰巔矗入雲深處，隱約不可分。我仰望雲山，緬想著在那白雲深處……但白雲黯淡了，模糊了。轉瞬便幻作暮靄，沉沉籠罩。田野涵滿陰影，車廂裡早便亮了燈——黑夜為我掩上了自然這部大書，使我重回現實。旅程的終點該不遠了。

有人說生命本身原來便是一個旅程，不只是一個家，也不只是一座棲留的城市。所有的享受和幸福，都是路旁的逆旅，供我們可以稍事憩息，增添精力，使我們到達終點。那麼就像在生活中我極少旅行的機會一樣；在生命中我怕有太多是浪費在逆旅中了。這一次旅行，如果說一開始就有收穫，那便是它給我啟示：我今後將更多從事於生命力的發揮和創造，以期在終點有心的慰安、寧靜和更大的收成。別忘了，給我友情的鞭策。

晚風更寒，單衫嫌薄。但我不想關上窗子，不關窗子，此刻已不為的是翻閱自然這部大書，而是殷切地探望，探望有沒有站上的燈光。在那裡，在旅程的終點，有我渴望著會見的人，有我熟悉的聲音笑貌，和親情的溫暖在等待著我。噯，我必須稍事梳洗被野風吹亂的頭髮和黏滿煤灰的臉。那麼，應該打住了。一路上，我一直把你當作我的旅伴，坐在我身畔聽我喋喋不休。也許，在這滿紙凌亂的章句，和彎彎扭扭的筆跡中，你不難體會到我——一個旅人那時起伏潛沉的情緒，以及列車進行時的節奏和韻律。隨風寄上我的愛念；祝你今夜有一個美麗的夢！

編註：本文原刊於《聯合報・副刊》，一九五五年九月二十七日，第六版，原題〈旅途小簡〉。

綠色書簡

多謝，多謝妳寄來誠摯的情意和祝福，恰似一陣和煦的春風，吹進我生命的小窗，拂除了我心靈上寒凍的冬天。噢，先別責備我太甚，妳說我變得太疏懶，也太悒鬱，是這樣嗎？但是我一直都服膺並遵守著那位大音樂家所訂的信條——勤勞、孤寂、默思。只是近來這些時也許在極端的孤寂中，被默思幻想占去了我太多的時間。世上原有看得見的勞形，也有看不見的勞心。水面平靜不波的河流，不能就斷定它不是在流動，不過——噯，我怎麼告訴妳呢？也許我不該過於放縱了想像，以致不知不覺間便乘著幻想那龐大而輕盈的雙翼升上雲端，偶一回眸，才知道自己已遠離地面。但人是不能生存在空間的，我又不得不迫降以俯就現實。而在這升降中間，卻是一段無法縮短的距離。

不是嗎？幻想與現實，這兩者似乎永遠不能獨立並存。我們聰明的先哲曾說能夠徹底犧牲現實的結果是藝術，把幻想和現實融和得恰到好處的也是藝術，或者是幻想把現實昇華了變作新的現實，不然如若現實把幻想抑滅了，始終只是平凡庸俗的人生。而徹底犧牲幻想的結果，又將是一片空虛——但我既無勇氣犧牲其中之一，卻又無能把兩者融和得恰到好處，或是使幻想把現實昇華作新的現實，而要讓現實把幻想抑滅嗎？更不甘心。這便是矛盾所在，一個平凡而又不甘平凡者的悒鬱。何況，妳知道，我原是個不慣於尋歡作樂的人！

妳問我門前是不是草長沒膝，階上是不是青苔滑凝？門前和台階並不因為我一個人行走才光潔，就像世上的道路並不因為我一個人不走便會湮沒，但是，今天早晨，是對面人家那嘹亮的鴿哨，叩醒了我春天裡薄如竹膜的夢。依稀是夢中所聽到那縹緲的音樂，而惺忪的眼睛接觸到的是黎明第一道曙光，枕畔還散置著妳的信，是我昨夜入睡前看的，驟然間，我那疲於想像的心彷彿受到了一股無形的力的注射，而充滿渴慕，我是那麼渴慕著要去探訪久違了的田野和小溪，以及春的蹤跡——是那驟來的渴念驅使我立刻離開了溫暖的牀，走下台階，走出了大門。

朝霧濛濛，曉寒微沁，我踏著草上的露水，深深地呼吸著清新無比的空氣，噢，我該怎樣向妳形容大地萬物在朝曦中甦醒時的姿態：那樣地寧謐，明淨，而又生氣盎然，像我這般終宵伴著孤燈，用筆尖叩穿長夜的人，又曾領略過幾次這種心靈上的喚醒、愉悅、忭奮？

由於連日春風，溪水已漲了。雲霧籠罩對岸，我便默對著那一片朦朧佇立溪畔，忽然有一角弧形，噢，是一只水桶突破了霧雲，接著是一角粉紅色的衣裙，一個赤著腳的少女安閒地從霧裡走出來，在溪中舀滿了兩桶水，又沒入霧中，隱約只見人影在霧裡移動，該是在田中開始了灌溉吧——忽然間我感到難忍的乾渴，我們的心田不也一直渴望著不停的灌溉麼？智慧、希望、愛情、幸福、一切美的事物……，但我們往往卻在世俗的霧裡迷失方向，枉費多時尋覓，尚不知從何汲取——

我的遐想連同清晨的那份寧謐同時被衝碎了，三五成群趕早課的小學生正彼此呼應著，追逐著從那高低迂迴的田隴上奔跑下來，便踮起腳尖在溪流中間的大石子上跳躍過去，馬上又輕捷地攀上對面的坡岸，接著嬉笑地闖進霧雰中——那濃霧彷佛被天真的叫囂歡笑所震撼，突然間淡了，散了，對面一片青翠躍入眼底，田野顯得更開朗廣闊，孩子們披一身陽光從田徑上走過去，矯捷的身影遠了，愉快的聲音輕微了，但空氣中似乎還留下點什麼，也在我心裡掀起了點什麼，這是可愛的生命之晨！生命之晨猶如日之黎明，充滿純潔、幻想、活力、和諧。我忽然記起胡佛在八十歲生辰時說的一段話：兒童們是人類中最健全最可愛的一部分。因為他們剛從上帝那兒來到人間，好幻想，富創作力，愛惡作劇，世界上有了他們，才瀰漫著快樂與幽默感……他們那股冒險與發現生活的蓬勃朝氣，真使我們又羨慕又妒嫉，憑著這些，孩子們增加生存的奇妙，也憑著這些，孩子幫助我們成年人保持青春……

是的，孩子是上帝派來宣揚愛、希望和歡樂的使徒，增加我們生存的勇氣，幫助我們保持青春——但是，我們不亦曾是人類中最健全最可愛的一部分，我們不亦曾有過那股好冒險與發現生活的蓬勃朝氣？可還記得童年時我們的淘氣，鬧彆扭，惡作劇，兩人扭作一團在草地上打滾，挽著手在路上唱歌，赤著足下溪摸田螺……我們不懂得什麼是人生，人生該像天邊的晚霞般絢麗多彩，我們不知道什麼叫生活，生活即似春天裡映著陽光奔流的溪水般活潑歡暢。

當我們稍微長大，兩人便常常傾心剖腹地訴說著自己那些可笑的幻想，荒謬的愛，一知半解地共同唸一首詩，讀一冊故事。讀過《葛萊齊拉》時，兩人緊握著手，莫名其妙的都哭紅了眼睛。讀《牧羊神》時，妳笑著要我一起唸那一段……一個人的心懷可以扭曲得那樣離奇，他可以被頭髮絲牽過山谷；你要問他怎麼一回事，他會顛倒地回答：「我在被頭髮絲牽著。」但是假使有人問：「要不要我助你解脫？」他答：「不要。」設或又問：「但是你怎能支持忍受？」他說：「我能忍受，因為我愛牽我的那隻手。」……

——頭髮絲怎能牽一個人走？這不很可笑嗎？妳說。

——真可笑，無論如何那牽不動我們。我說。

我倆對望了一眼，妳忽然又說：

——不曉得將來是不是會有別的什麼牽我們走？

——是雲彩，是流水，是清風……我順口胡謅。

——什麼都不是，我們只是走自己想走的。妳說得那麼肯定。說完，我們相對大笑——

誰知道以後我們卻終於也避不掉，都被頭髮絲牽進了山谷深壑，我們不再是無憂無慮的孩子。

如今，噢，如今我問妳：妳還有沒有勇氣在草地上打滾？在大路上縱情高歌？在人面前赤腳下水嬉戲？我知道妳沒有勇氣，那最健全可愛的一部分已完全被庸俗的塵垢所蒙蔽，蓬勃的朝氣變成虛矯的世故，當那些純真的歡樂已不能重臨，我們便只得可憐地從憶念及想像中去尋求慰藉——

我忍不住在心底悄悄地呼喚：「回來，啊，時間，在你的飛行中回來，今夜，讓我再成為一個小女孩！」

但時間並不曾為我悄悄停留，樹影的移動正顯示了它飛行的蹤跡，如果說時間是生命的原料，那麼，就在這默念之間，我豈不又白白地浪費一些可貴的生命原料麼！

讓我們抓住這原料塑成華美的物品，或是每秒每分都使之燃燒，使之發光發熱吧！

我循著溪岸，踏著陷足的軟沙向前走去，我想探求小溪的源流，但沒有尋到，卻發現了路，一條坦直的路橫截了溪流，遠遠地展伸開去，一輛載客的汽車風馳電掣的打從路上經過，一輛負重的牛車也穩重沉緩地打從路上經過，輪後揚起的灰塵消散，路依舊靜靜地伸展著，閃耀著春天的陽光，掩映著鳳凰木的綠蔭——忽然，一個由弱而強的欲念湧起在我心坎，一如紀德所說：「在伸展著道路的地方，引起我步行的欲望。」也許，我已經浪費了太多時間，只為逗留在路旁摘取那些幻夢、愛情，什麼的回憶的花朵，以致耽誤了自己走路，不是嗎？路是不能走了一半便停止的，「路上的障礙並不是目標，只該超越它」。我們的目標還在更遠的路的盡頭哩！而一路上更有永恆的花朵——信仰、光榮、愛和美，自會不斷地開放，太陽慢慢爬上樹頂，早晨過去了，我們的生命之晨業已消逝，此刻，一如日當中天的正午。應當毫無憂懼，毫無猶疑，跨著堅定的步子繼續上路，我們的欲念和思想，都該向著確實的動作方面走去。

我迎風抖落那些疑懼悒鬱，如同抖落身上的灰土。趕著回家，便把這些寫給妳，更附上摘自路畔樹木上一片嫩綠的新葉，以證實我披著正午的陽光，剛從春日田野歸來，此刻，生命的驕傲又自我心頭升起，工作的情熱又在我心坎熾熠，彷彿光輝熱烈的太陽從高峻的山嶺上升，讓我再抄錄一句我所崇敬的作家——紀德的話：「讓一切事物在我面前放出虹彩，讓一切美閃爍著我的愛。」

編註：本文原刊於《中國一周》第三一八期，一九五六年五月二十八日，頁三十～三十一。

童心來復

——寄恬恬

我來台北已經好幾天了，想不想媽？現在是晚上，在妳王阿姨家裡，我們剛從一處宴會回來，這時候，晚飯已吃過。妳在做些什麼呢？是跟外婆在淘氣，聽爸爸在講故事，抑是捧著我書架裡的厚書，埋在那張大藤椅裡一聲不響的呆看？涼爽的風摻著百合和珠蘭的芬芳，一陣陣透過紗窗，此起彼落的蛙鳴，組合一支悅耳的交響樂曲，一燈如水，鄉間的夜是那樣地寧靜、安詳。但這裡卻完全不同，這寶島的心臟，繁華的都市，此刻正華燈初上，人如潮浪，閃耀炫目，五色繽紛的燈光和色彩，還有囂鬧的市聲，交織成一張無形的巨網。人們便在這網底載浮載沉，游來泳去。我剛從網裡出來，有點暈眩，也有點困乏。不由得惦念起鄉間的寧靜，人在福中往往不知福，來時是靜極思動，如今又渴望著回家了。

來了幾天，只是忙著開會和應酬，今天上午才算有半天屬於自己的時間。記得在家跟妳說過，要是考試成績好，暑假就帶妳來台北兒童樂園玩。為了那時可以為妳做嚮導，早上我先去參觀了一番，不，應該說是遊覽了一番，因為我也童心來復，在王阿姨的慫恿下，玩了幾樣遊戲。妳一定在急著要知道是些什麼玩意，先別慌，讓我慢慢地一樣一樣告訴妳。

兒童樂園地址在圓山附近，動物園旁邊，傍著青翠的山麓，種植了不少花草，環境很幽美。沿著進去的斜坡下，是兩口水池，水面排列著一些木製的水鴨、鴛鴦和烏龜，開動機器，可以在水上行駛，這是專供比較幼小的孩子乘坐的。一個場地是小汽車，可以由孩子自己駕駛著轉圓圈，電動火車一樣地裝置著鐵軌，也有司機駕駛。噴氣機可以載著妳在高空飛行，太空列車卻是環繞著一個巨大的地球轉過不停。一座小型的萬里長城從山頂上蜿蜒著伸展到地上，原來是自動滑梯。想想看從山頂上滑下來的味道，多寫意！但我最欣賞的還是空中吊車，一個懸滿了吊椅的巨輪矗立在地上，有點像古代的風車，一揿電鈕，它就開始轉動，慢慢地把人提升到半空，眼界也隨著廣闊豁朗：只見四周的景物完全收集眼底，一覽無餘。遠處是圓山，一角樓榭掩映在萬綠叢中。近處淡水河蜿蜒於腳下，三五隻小艇正優游水上，鐵橋像長虹，巍巍然橫跨兩岸，更遠處是一片蔥翠的田疇，與藍天相接。陽光給這一切塗抹上一層金色的光輝，更顯得撲朔迷離，十分美妙。人在高空，胸中不生半點雜念，就只想那樣懸著不再落下塵土。還有迷陣，洞門便是一隻老虎大張著的嘴，想像裡面一定很驚險有趣，我保留著，待伴妳一起去歷險。

園裡有一處科學館，陳列著最新式的科學武器，那些小模型塑製得維妙維肖，精緻極了。還有一處活動小電影，這使我想起小時候看的西洋鏡，記得放西洋鏡的人好像都有一個大嗓門，一面敲著鐘，一面就用他特別的腔調吆喝著。花一個銅板，孩子們就可以湊著眼鏡看盒子裡面的畫片，那些畫片都很簡陋，沒有什麼教育意義，而且一張張要用手抽換，不像現在，不僅是電動的，還配著音樂和美麗的彩色。雖然是生在這個動亂的時代，妳們能享受到的，還是比我們那時進步多了。自然不只是娛樂，一切都在進步，時代這巨輪永遠是前進的。我們做學問，求知識，又何嘗不要迎頭趕上哩。

最後一處遊戲場所是一些智力、體力、眼力測驗的玩意。有一個毛澤東的像只要用汽槍射中了紅心，他就不停的打躬作揖，樣子可笑極了。有一個幸運測驗，就同磅體重機相仿，我投下五毛錢銅幣撳了一撳，跳出來一張紙卡，上面印了兩句成語，我覺得對妳也許有用，把它抄在下面：

有疑不決非智也。
遇難不慮非勇也。

兒童樂園與動物園只一山之隔。走出這邊園門不幾步馬上又踅進了那邊園門。我總覺得天生萬物都一律平等的，動物也有動物的智慧，以及各種不同的性格和生活方式。我知道妳跟我一樣的喜歡小動物，願意多曉得一些動物的情形。動物園裡豢養的動物的確不少，包括非洲、澳洲、印度、美國、泰國……等等各處罕見的飛禽野獸，要我都一一加以介紹，這支筆卻嫌拙劣了些。只能寫到哪裡是哪裡了。園裡最多的是猴子，因此最先看到的也是猴子。牠們的性格比較好動，行動也極靈活，爬上爬下，跳來跳去。一會兒上樑，一會兒從鐵柵裡伸出手來向觀眾討東西吃，沒有一分鐘停的。其中卻有一隻安安穩穩地坐在中間的岩石上，對四周的紛擾似乎不聞不見，原來正有一隻小猴子睡在牠懷裡哩。牠低著頭，輕輕地替牠的孩子捉跳蚤、搔癢，那動作、模樣，流露出不盡的慈愛。妳說牠是不喜歡跳躍頑皮嗎？不喜歡吃那香甜的花生和香蕉嗎？呵，不，全不是，只因為牠是母親，牠的全副精神都貫注在牠的愛子身上，不管是人是獸，所有的母愛都是一般的。在一個獅檻裡，我看到了一對幼獅，平常獅子給我們的印象總是兇猛威武，但小獅子看來卻嬌憨可愛，尤其是一隻更小的，就跟我家的哈巴狗「安安」差不多大。一身茸茸的長毛，又厚又軟的腳掌，我真想把牠抱在懷裡玩玩。動物間也很有友誼，懂得彼此親善，就同妳們小朋友一樣。有兩隻鹿正在捉迷藏，一隻追，一隻跑，快追上時，一隻就跑到屋子背後去，一直奔跑個不停。最好笑的是猩猩，不知誰投了一根樹枝進去，一隻就搶在手裡，一面吆喝著，一面亂揮著樹枝去撲打另外一隻，另外一隻就攀著鐵柵躲避。可是等被追的那隻回頭一扮醜臉，攻的那隻又馬上返身就逃，兩個玩得挺起勁的。別看黑熊長得個兒頂大，有如一座鐵塔，卻憨態十足，把個黑嘴伸在鐵柵外面，有人遞過花生去，就斯文的張開嘴露出牠鮮紅的舌頭。有一隻小熊最有意思，仰面躺在地上，胸前捧了一棵青菜，愛吃不吃的，兩面打著滾，真像一個嬰兒捧著瓶牛奶，悠然睡在搖籃裡。風度最雍容高貴的長頸鹿，跨著莊重的步子，在漂亮的新舍中踱來踱去，有時從容而帶點憂鬱地俯視一眼圍在牠腳下的觀眾，那神態很像一位貴夫人。我介紹的這些，也許都是比較樂觀，而暫時忘記了所處環境的動物，自然，更有不少是抑鬱不歡，或是委靡乖戾的傢伙。像獅、虎、豹之類，一直都不停地在柵內躑躅徘徊，低低地發出怒吼。想像牠們從前奔馳於山林，飛翔於天空，多麼自由逍遙！如今關鎖在這小小一方天地中，又多麼可憐。自由原是最可貴的，世界上最悲哀的事莫過於失去了自由。不知為什麼，從動物園出來，我的心情失去了在兒童樂園中的輕鬆愉快。

信筆寫來，不覺得夜已經那麼深了，這時妳大概已入睡，正逐漸進入一個美麗的夢境，是夢見媽媽，夢見童話中的仙女，抑是夢遊兒童樂園呢？別因為醒來找不到我而流淚，頂多還有兩三天，媽就回到妳身邊來了。

千萬遍為妳祝福！

編註：本文原刊於《自由青年》第二十一卷第十期，一九五九年五月十六日，頁二十六～二十七，原題〈旅途的信——給恬恬〉。

朵雲

你的信，像一朵雲，從天而降，飄落在我身畔，噢，不，應該說駐留在我心頭。

說起雲，我不知道你是不是欣賞，我可一向就喜歡，當然，我說的並不是下雨天像墨魚汁那樣黑慘慘的烏雲，和颳風的日子像街頭賣的涼粉凍一般的陰雲。除了這兩種，凡是晴好的天氣，在澄藍的天空飄浮著的，堆疊著的白雲，朝陽夕暉映照下多采多姿的彩雲，以及悠然自在的閒雲，飄泊無羈的野雲，我都一樣的喜愛。

你知道我小時候，是個寂寞而孱弱的孩子，帶著些早熟的悒鬱，在家鄉古老幽深的屋子裡，沉默地跨過一座又一座的高門檻，常常覺得自己是一條圍在網裡氽來氽去的魚，是一隻關在籠中軟弱地撲著翅膀的鳥，只有在眺望著雲的時候，那小小的心靈才出網破籠，神遊於無垠的幻境。因此，在寂寞堆砌的漫漫長日，我撇下書本，不是伏在窗檻上，便是支頤坐在台階上，獨自悄然仰望雲天。最寫意和安逸的看雲方式是：仰臥在平坦的山頂，或是軟綿綿的草地上，手臂交錯地枕著頭、腿架著腿，放眼看去，視野所接觸的是一望無際的蒼穹，和浮盪奔馳的白雲，心隨雲遊，神隨雲馳，周圍的世界逐漸退去，遠去，恍惚問你會忘記身在何處……只是，這樣的機會在我並不多，嬌養著的金絲鳥是不會隨便放到野外去的，而躺在草地上，被大人認為會沾上濕氣，一向在禁止之列。

雲最是詭譎多變，捉摸不定，世上所有的，它幾乎無一不會模擬。你心裡想像什麼，它也就像什麼。有時明明看著是一個長髮披肩、翹首祈禱的少女胸像，一眨眼變成埃及的人頭獅身怪物。你才覺得那是一群綿羊放牧的草原，轉瞬間又變成高山峻嶺，危崖絕壁。有時像個純潔的天使振翼欲飛，有時又像個猙獰的惡魔向人撲來……但是，更多的時候，它總是那樣軟綿綿，厚得得地捲疊著，鋪展著，讓人想起剛彈好的新棉花，只想在上面打幾個滾，蹦跳一陣。但不知它是像沙發那樣有彈性，還是一跳一個大窟窿！

雲的形狀時刻在變，雲的色彩也時刻在換，朝晨璀璨，白晝純潔，最嬌美的還是黃昏的雲，被夕陽渲染得五光十色，絢爛無比，世上沒有這樣的一支神筆，能畫得出這般明媚的畫，沒有一雙這樣的纖手，能織出這般鮮豔的布。小時的我就常常呆想著：怎生得剪下一塊，讓姆媽給縫件美麗的衣裙？想著，彷彿自己已當真穿上一件這樣光彩耀目的舞衫，表演霓裳仙子舞蹈，那樣輕盈地旋轉，裙子飛起一片彩霞，彩霞裡閃現著父母激賞的笑臉，觀眾讚美的眼神，我舞得更起勁——但彩霞卻淡了，暗下去，只聽見姆媽的聲音彷彿從遠處傳來：「這戇小囡，天都黑了，還坐在窗口發什麼呆！」

我的老保母常常告訴我雲是神仙腳下的護法，每當有一朵祥雲冉冉飄過，她便說是神仙經過，有時三五朵雲或前或後，隨風移動，她又說大概是神仙們連袂去赴哪一位的宴會了。我不怎麼相信她的話，但我喜歡聽她說，覺得那樣很美，很使人神往，還有什麼能比在廣闊的天空，不受拘束的自由來去更有趣呢？我不想做神仙，因為從來沒聽說神仙是跟父母住在一起的，卻打從心坎裡羨慕著，怎生也得乘著雲船，環遊一次天空，看看太陽從哪裡上升，星星的家在何處，還有，誰編織了彩虹的環帶，誰又製造了美麗的雪花——噢，那扯著白帆的雲船永遠不曾載上我這笨重的身軀，卻不知載走了我多少童年的癡夢和遐想。

從幼年至成人，瑣事占去了太多時間，已再沒有那麼許多閒暇看雲了。而有時偶見朵雲從窗外飄過，我仍會癡癡妄想。妄想白雲能不能載走我那萬斛鄉思，千斛離愁！

但願生活能似那出岫白雲，悠閒自在，無牽無羈。

此刻，窗外一朵白雲正冉冉經過鳳凰木頂上，我停筆凝眸，且請浮雲帶上我寫不盡的惦念和情意。

編註：本文原刊於《亞洲文學》第二期，一九五九年十一月，頁四十七～四十八。

乳燕出谷

每天，太陽悄悄地爬上東邊鳳凰木的枝梢，又從西邊的紫藤架上落下，不知重複了多少次。而小院的玫瑰，也數度開謝，時光流去，永遠趕在記憶前面。妳，可也曾算一算，離家的時日？

時光逝去，不留痕跡。但卻堆積起心頭絲絲縷縷的想念，如同點點滴滴細水匯聚成溪流。水流涓涓不息，思念亦無時或釋。待把無限懷念伴同祝福一起寄妳，卻又不知從何說起。

可還記得窗前那株蒼鬱的榕樹，在那茂密的枝葉間，總有鳥兒們在上面築下牠們小小的窠。縱使構造簡單，卻也能遮風避雨；縱使不夠寬敞，卻也溫暖安適。每天，牠們以喜悅的歌聲迎來了黎明，在陽光下振翼飛翔。待黃昏來臨，背負著滿天雲霞返回枝頭。一天辛勤覓食，小窠中自有溫馨和寧靜。尤其是其中有著黃綠色彩羽的一對，比翼雙飛或偎依枝頭，須臾不離，最是親暱。每當傍晚，牠倆憩息枝頭，一面閒暇地啄理羽毛，一面喁喁細語，那似珠滾玉盤般輕柔圓潤的聲音，常使我停筆諦聽。這期間，也有許多天牠們暫停唱和，原來的雙棲成了單飛，直到另外一隻又出現時，翠叢中便隱約添了微弱的新聲，而牠倆卻失去了往日的閒暇，只是穿梭往返於天空枝頭，不稍停留。在一個風和日麗的早晨，樹上陡然熱鬧起來，枝葉披拂間，閃閃晃晃，原來是老倆口率領了一群小兒女在嬉戲學步。那些嬌弱的小東西站著還搖搖欲墜哩，卻在大鳥的鼓勵下，怯生生地試著撲翅振翼。最辛苦的還是大鳥，只在周圍不停地躍上跳下，低飛迴旋，耐心的教導，示範，一遍又一遍；慢慢的，小鳥的腳步穩定了，翅膀硬朗了，能從低枝竄上高枝，又從這株樹飛到那株樹，濃蔭裡，陽光下，靈巧的身影，忽隱忽現，閃耀如流星，清脆細碎的啾啾聲此起彼落，忭然呼應；大鳥在一旁衛護伴隨，似十分欣慰。然而，曾幾何時，熱鬧復歸靜寂，枝上又只剩那兩隻老鳥，漫不經心地，啄啄羽毛，又側著頭，望一會天空，彷彿有所期待掛牽；再看身上的彩羽，似乎已失去了原來的光澤。輕輕一抖，便一根二根，無聲地散落下來……

原來小鳥們已能高飛獨立，便都撇下心力交瘁的雙親，遠遠地飛去了。是別處的天更空曠麼？是別處的樹更高更茂盛麼？誰知道呢？

每天，每天，有多少做兒女的，也似這般離開了親人！

當那稚弱的生命被辛勤的撫養長大，當那無知的心靈被愛心滋潤著發出智慧的瑩光，於是，便帶著青春的自負，昂起年輕的頭，視線超越身邊的一切，瞻望著遠方。窗前的玫瑰怎比得遠方的鮮豔，腳下的泥土又怎比得天邊的雲霞絢麗？當憧憬成為熱切的渴慕，當心兒插上願望的雙翼，便轉嫌慈愛是束縛，關切讓人起膩，只口口聲聲抱怨：

「總不能盡守在這狹隘的天地中，連人帶思想都將上霉了。外面的世界那麼廣闊，讓我去吧，我要開拓人生，要創造理想，要去得遠遠的……」

那把全心靈寄託在兒女身上的親人，只指望兒女承歡膝下，在生命的冬天獲得一些溫暖，慰解枯寂的心靈；但是，那份真摯的感情在輝煌的目標、正大的理由下，又顯得多麼軟弱無用！於是，忍著心底的愁苦，嚥下辛酸的眼淚，還帶笑鼓勵：

「是的，青年人應該有抱負。去吧，儘管去開拓你的前程，去追求你的理想和幸福，這世界原是屬於年輕人的。」

於是，青年人毫不猶豫地走了，離開狹隘的家，走向多采多姿的遠方。這其間，又有誰了解親人——尤其是做母親的心底神聖的眼淚，和無盡的犧牲！

妳不亦是其中的一個麼？

噢，我並無責備妳的意思，青年人是應該自求獨立，去開拓新的境界，創造美的人生；只是當我看見母親難展的眉鎖，徹夜的思念，每逢綠衣人經過，那渴切盼待的神情，不禁為普天下做母親的感到悲哀。也更認識了母親的偉大、堅忍和不自私。只是去「愛」，必須付出那麼多代價，忍受那麼些折磨。天涯遊子，不知何以寬慰慈親？

我們都很高興聽到妳在新環境裡所做的努力。要一個剛離開慈母庇蔭的少女獨自應付陌生的環境，和繁瑣的生活，的確不是件輕鬆的事。外面的世界究竟是不是像妳所想像的那樣多采多姿，妳慢慢就可以體會領略了。只是願妳能記取羅曼羅蘭說過的一句話：「所謂幸福，是在於認識一個人的界限而愛這個界限。」不要好高騖遠，一心想過超越自己，超越一切；人生的目的不在獲得什麼，只是把妳的生命力貢獻出來；而各種生命活動方式，只不過是貢獻生命力的場所。這樣，妳在失望時便不會太失望，在平凡繁瑣中，也能感到美好和自慰了。

生存原是一場戰鬥，而單獨作戰又比較更費心力。倘若妳感到疲倦時，不要忘記家裡的大門隨時為妳敞開著，母親縝密深厚的愛，更可以使妳困乏的身心獲得蘇息。

此刻，又是晚霞滿天，倦鳥返棲時，黃昏到處都一般，但不知妳可在欣賞？臨風寄上無限祝福！母親要我附致她深遠的愛念，我的筆太小卻載負不起如許。但縱使一字不寫，諒妳也能心領神會罷……

編註：本文原刊於《中央日報‧副刊》，一九六〇年十二月二十七日，第七版。

餽贈

無意中，在報紙一角那紅色的，一對浴在愛河中的青年人向世界宣布他倆締結良緣的啟事裡，我發現了一個似曾相識的名字，我一面從記憶中去搜尋，一面輕輕地唸，當思索和聲音融貫那一刻，我終於記起了妳。我不能斷定那究竟是另外一個同名同姓的人，還是妳自己本人，但是，我卻多麼希望是妳。

提起妳，我的眼睛恍惚便浮現了一個純潔、甜美、晶瑩的眸子中閃耀著智慧的光輝，喜歡幻想，帶點任性，而又有明朗可愛性格的大孩子，雖然，我從來不曾看見過妳，但從妳那坦率，俏皮，而熱情充溢的來信中，很自然的給我這麼一個印象。還記得妳第一封從報社轉來的信，不像別的青年讀者一樣，尊稱我先生或者老師，而一開頭就叫我姨，妳解釋說這個稱呼揉合著親切和尊敬，有比母親更細緻的愛。所以不問我要不要妳這個甥女，先讓妳在心裡低低地喚上幾遍。接著妳告訴我妳從小就夢想著大起來能成為一個作家。讓自己的歡樂與讀者共享，憂患與讀者分擔。一切美好的與讀者一起欣賞。而把名字印在書封面上，隨著書的暢銷，在每一個城市和每一個讀者心頭旅行。又多麼有意思！妳說妳在小學和中學居然一直都幸運地做著國文老師的寵兒。儘管妳現在進修的是需要高度理智和冷靜頭腦的學科，但妳私底下從未放棄這一份理想。妳又說妳最喜歡讀我的作品，妳覺得我的看法，常常說出了妳心裡無法表達的意思，甚至妳對事物的觀念，有不少是從我處學了的——妳寫得真不少，生動、流利，而且有條不紊，如果妳說話也同妳的筆一樣，妳一定有一張很甜的小嘴巴，我想。

當時我為妳的一片誠意深受感動，也為妳對我信任使我有所警惕。想想那些像妳一般年輕的心靈，多麼單純、聖潔、磊落和明朗。倘若有人隨便地把一些不正確的、歪曲的，甚至邪惡的思想觀念，不負責任的去灌輸給他們，去影響他們，犯了那樣的罪，簡直是不可饒恕的。由於妳的提醒，想到自己的觀念有時會被年輕的讀者們接受得去，以後落筆就更加要謹慎和鄭重了。

這以後，妳過些時候便給我來信報導妳學校中的事情，妳的生活，以及課餘寫作情形，妳總是從美好的一面向我述說這些，妳也毫不掩飾地訴說妳被退稿的失望。妳認為自己努力不夠，把事情都看得太簡單了，以致一次又一次的失敗，而以後，大概還要接受更多的失敗。什麼時候才能成功呢？但願不是只在夢裡……妳常在信中附著一些具有女孩子纖巧心思的小玩意，有時是一朵壓乾了的花，妳說這妳們校園裡第一朵開放的杜鵑花，妳偷摘了來，為的告訴我春的蹤跡；有時是一對彩色玻璃紙編的小鹿，妳說把牠們送給最愛小動物的人保護，聖誕節時，妳送給我和孩子一束卡片，妳說妳不是教徒，但妳喜歡教堂中那種和平莊嚴的氣氛，和象徵著聖靈仁愛意味的美麗畫片。我很高興妳說的正和我的心意默默相符。我尤其喜歡妳為我挑選的那張畫片：一個裸足的小女孩跪在地上合掌祈禱，稚氣的臉，專注的神情，顯得那麼純潔而又虔誠，左上角一抹光暉，正柔和的籠罩著那嬌小的身軀，畫面簡單樸素，卻洋溢著怎樣的一種聖潔、安詳、寧靜的氣氛！我曾把它壓在玻璃板下，當我被寫作弄得煩躁不安，被俗務擾亂了心的寧靜時，我便默默地坐下來凝望著它，受那氣氛的感染，常使頭腦澄清而心平氣和。如今，我還好好的保留著。

在給妳的信中，我總是鼓勵妳千萬不要灰心，妳的稿子不被刊登，不能就認為是失敗，同樣地，若被編輯接受了，也不能就算成功。妳擁有從事寫作的基本條件之一——豐富的感情和不衰的熱忱，再加上信心，一直寫下去的話，成功絕不止只在夢裡——但是，由於自己那份愛好和俗務分占了我的時間，加上疏忽，平常我實在是一個最不勤於寫信的人。妳來信說：「我那樣熱切地期待著，盼望妳的來信，但等來的多半總是失望……我猜或許妳已討厭我常來打擾妳，占去妳寶貴的時間——雖然很少很少。我幾次賭氣叫自己不要再作討厭事，可是不知一種什麼力量又促使我提起筆來給妳寫信……」有一次，我想一定隔了很久，我從一陣忙碌中鬆下氣來，想著給妳寫了幾個字，但不知妳是離開了學校還是真的賭氣了，卻不曾像平常那樣馬上接到妳充滿喜悅的來信，以後也沒有。如果由於我的疏忽，曾使一顆那樣殷切期待，那樣熱誠依附的純潔善良的心受到冷落，那實在是太不應該了，我將永遠為這事感到歉憾。

許多年過去了，不想這次再看到妳的名字，是在這樣一個啟事中，妳已經長大得可以肩負起建立家庭，相夫教子的責任了。但在我印象中，妳恍惚仍是那個熱情、坦率有點任性而童心未泯的大孩子。許多年來，不知妳的夢想可曾如願以償？而從此，在妳人生的途程上，在妳夢想的追求中，有一個攜手同行，互相扶助的伴侶。妳已不再寂寞孤獨，以妳的智慧和對人生的熱愛，相信妳的「心」和「手」一定能安排一個溫馨的家，如同妳建立一個美麗的理想一樣。妳，可愛的大孩子，年輕的新娘。請接受一個曾被妳敬愛而又信任過的人一份遙遠的魄贈罷，那是出自衷心的，無限虔誠的祝福，但願妳永遠不會失去妳的夢想，但願妳的夢想將在現實中生根，開花！

編註：本文原刊於《詩・散文・木刻》創刊號，一九六一年七月，頁三十二～三十三。

在泥土裡生根

芸芸：

時間真是奇妙而可怕。只一夜之隔，我已離妳很遠很遠，生活在兩個完全不同的天地中了。這是我倆結合以來第一次分別，這分別在我有如骨肉被割裂的痛楚，自然，妳一定也有著同我一般的感覺。當火車移動，妳抱著小蓁的身影終於消失在一片黑暗中，我衝動地抓住窗框，幾乎忍不住想跳出來跑到妳身畔。但為來自田野的涼風吹醒了神智，我惘然跌坐在車座上，痛苦使我麻木。也許，現實是太殘酷了一點，一旦面對著它，便必須接受它的考驗，不然，為什麼偏把兩顆緊緊連結在一起的赤心，血淋淋的撕開、揉碎？

此時此刻，夜是深靜的。我獨坐在一間斗室裡，陌生的環境更使我像一塊荒涼乾裂的土地渴望著霖雨般，想念著妳。此時此刻，妳在做什麼呢？是哼著催眠曲哄小蓁入睡，抑是像我這般靠在桌前或倚在窗口，懷念著遠離了妳的我？月明星稀，夜涼如水，此情此心，待憑誰寄？我閉上眼，依稀還聽到妳輕微的呼吸，感到妳溫馨的體溫。但我伸出手卻一無所得，周圍只是無邊的空虛與寂寞，一切縹緲如夢幻。嗳，芸芸，回想我們過去的日子，不正是生活在夢幻中！

那一段用春陽的金線編織的光陰，那一串琥珀色的日子，那用花蜜和醇酒浸透的每一個時辰……嗳，芸芸，從我倆開始相愛時刻起，我們便彷彿乘著愛情的雙翼飛上雲端，遠離那污穢沉濁的大地。我們的生活是一首旖旎的詩，用熱情寫在夢中，是一支綺麗的樂曲，用幻想譜在心弦。愛豐富了生命，生命充滿歡樂。相悅的一剎那便是永生。昨天回憶的芳醇使今天更甜美。今天，是盡情的享受。而明天，每一個明天都會帶來新的歡樂與幸福。不是嗎？芸芸，那些時日，我們變得天真而稚氣，狂放而縱情。我們曾整日反覆誦讀一首小詩，彼此都感動得流淚；我們曾陶醉於一支音樂，讓全副心靈浸沉於旋律中百聽不厭。我們也曾因為在沙灘上找到一枚美麗的貝殼而狂喜歡呼，有時我們整天蹲在我們那堆滿鮮花的小屋裡，訴說著空靈玄妙的幻想，美麗的夢，咕咕唧唧，就像一對偎依在巢裡的鴿子，訴說著永遠訴不完的衷情，有時我們成日相依在綠茵上，濃蔭下，彼此脈息相通，心靈諧和，無限情意，盡在默默無言相對中。芸芸，我們不像一雙游魚，優游水底？不像一對飛鳥，並翼天空？自由自在，無憂無慮。我們忘記了時代，愛原是超世紀時代的。我們從不理會現實生活，只怕它抵觸夢幻，我們更不曾考慮到金錢這俗世的財物，唯恐沾上那銅臭氣。我們也鄙視權利、功名、榮譽那些身外虛名，我們擁有世上最豐富的精神生活，誰也不屑為俗世的煩慮煩慮。

芸芸，想想那樣的日子，怎不令人魂牽夢縈！

不久，我們有了愛情的結晶——可愛的小蓁。這小小的生命從我倆的生命中分裂出來，揉合了妳和我。原是我倆生命的一部分。我倆唯一的財富是愛，我們便將這生命的源泉小心灌溉他，他的一舉一動，一笑一哭，無處不傾注了我倆的關切與愛心。我一直深信：只要有無私的、真摯的愛滋潤著生命，幼小的將長得活潑結壯，年輕的將青春永駐。可是，芸芸，不想事實完全摧毀了我的信心。妳和蓁兒，一個像初萌的新苗，一個像盛開的花枝，都似缺乏光陽的照耀而憔悴下去，醫生診斷蓁兒患營養不良症，而妳卻有著嚴重的貧血病。芸芸，我沒想到愛情只是愛情，並不是麵包，也不能代替麵包。是我的疏忽，我只做愛人，卻忘了丈夫的責任。

是的，責任和義務，像兩塊石頭，繫在我腳上，把輕飄飄的我從雲端拉回地面。藥方與帳單紛紛飛來，使我拙於應付，人世紛紜，時代急驟轉變，更不知何去何從，還有親友的歧視，社會的譴責——我這才恍然大悟，人原是不能超越生活，與現實脫節的，我倆所認為美麗超然的一切，恰似池中的浮萍，沒有根。還記得在我們家鄉北方，冬天裡天寒地凍，植物差不多都萎謝了，唯有山上的青松風吹不斷，雪壓不枯，而春天來到，枝葉卻更青翠。就因為它的根扎得堅深。我們既不能離開土地活在幻想的雲端，愛情就必須與生活結合，生根在泥土裡，萌芽、開花、結實，而經得住任何風雪的考驗。

芸芸，我倆一直自豪在愛情上是神仙，但在現實生活中，卻是一對天字第一號的大傻子，不是嗎？我們生存在世上，除了愛情，必須還有更高的生活意義。

芸芸，讓我們嘗試著去愛活生生的生活吧？我這次忍痛別離，也就為尋求更合理的生活，我記得我們曾經一同讀過的《愛默生集》中有這樣一段話：「年輕人收集材料，預備造一座橋通到月亮上，或是也許在地球上造一座宮殿或廟宇；而最後那中年人決定用這材料造一間木屋。」不是嗎？我們也曾妄想著造一座通到月亮上的橋。如今我雖然還算年輕，但做了丈夫和爸爸，一間木屋將遠比月亮更具吸力和意義。我不稀罕地上的宮殿，而渴慕小小的木屋所能給予的溫暖、寧靜和幸福。芸芸，就像當初妄想去月亮時妳甘願與我共歷驚險一般，我知道在木屋的創造中，妳一定會給我最大的鼓舞與協助。

芸芸，別失望，愛情唯有與生活結合，在土裡生了根，才更堅韌永久。芸芸，別傷悲，有人說離別之於愛情，猶如風之於火。撲滅小的，煽起更大的。那這次小別，將使我倆的愛情更熾烈。我的軀體雖然離妳很遠，而我的愛心依舊迴繞在妳左右，如同在妳身畔。

晚安！芸芸，吻在妳閃爍著淚珠的眼睛上。願星辰賜妳平安，清風引妳入夢，明晨的陽光帶給妳愉快的心情，煥發的容顏。並替我吻蓁兒蘋果似的臉頰。

心香一瓣祝平安

可敬的朋友：

夜那麼深，那麼靜，在這安謐的大後方，在這自由的土地上，人人都在一天辛勤的工作後，獲得一份安逸的休息。有一個屬於他自己的夢，老年人在夢裡享受著溫暖，年輕人夢見自己的光輝的成就，辛勞的母親在夢裡得到安慰，還有酣睡著的孩子們，可愛的臉上浮樣著甜蜜無邪的微笑，也許正夢著與天使在一起飛翔。一切都已沉睡，一切都趨歸於寧靜，夜的氣氛充滿莊嚴肅穆，安詳和諧，像往常一樣，趁著這萬籟俱寂之際，我執著筆，對著面前鋪開的稿紙，但是，我的文思不能集中，我的心滿懷激情和感奮，像盛滿欲溢的杯子，凝望窗外一輪明月，滿天繁星。我不由得深深地懷念你們——維護這份安寧和自由的英雄們，是你們捨生拚死，予那妄想伸入台灣海峽的魔爪以迎頭痛擊，是你們剛毅的精神，不渝的信心，築成比鋼鐵還堅固的堡壘，拱衛著自由中國的門戶，使這反攻基地穩若金湯，使每個人能安心站在自己的工作崗位上，使一切復國建國的計畫能進行無阻。而當這次匪敵運用他們的一貫的殘酷陰謀，瘋狂的炮轟金馬，你們奮勇應戰的光輝戰績，更似一條長虹，橫貫海峽上空，讓友人和敵人都認識我們不可輕侮的戰鬥力量，和壯烈英勇的殲敵精神。也更堅定了每一個人必勝的信念，你們可知道：當你們熱血沸騰，戰志昂揚，在激烈的炮火下沉著應戰時，這裡也掀起了一股沸騰的熱潮，那就是熱切支援金馬，支援你們的運動，這熱潮從城市湧向鄉村，從機關學校湧向每一角落。每一個同胞都搶著想向你們表示一點自己愛戴擁護的心意，雖然他們獻出的只是一點微少的物品，但它卻包含著無限真誠和熱忱，雖然只是薄薄的一封信，但卻有著筆寫不出的崇尚的尊敬，和衷誠的感激。

可敬的勇士，請讓我追隨你們後面喚一聲戰友，因為我們始終是站在一條戰線上的。你們的武器是槍炮，而我的武器是一支小小的筆；你們用槍炮粉碎敵人的妄想，毀滅他們的暴力，我的筆揭發他們的陰謀鬼計，戳破他們的謊言謬論，雖然，比起你們偉大的功績，艱鉅的使命，我的筆是那麼渺小無力，但我們的方向一致，我們的信念一致，當你們所向無敵的隊伍首先踏上祖國的土地，直搗匪巢，光復大陸，我將用我的拙筆，蘸著我的心血，謳歌你們，頌揚你們，寫下你們永垂不朽的光榮的戰績。

我們試翻開歷史看看：發動戰亂的人，最後必定自食其果，強權終歸覆滅，正義必將抬頭。可敬的戰友，你們不僅是英勇的鬥士，也是代表正義的使者。海那邊，慘遭蹂躪壓迫的土地上，有多少祈求的眼睛，正渴切地盼望著你們，多少求援的手臂，正無聲地伸向你們？

海這邊，自由的反攻基地上，又有多少鼓舞的眼睛投向你們，多少崇拜的心，關懷著你們，為你們祝福！任何一個愛民主自由的人都深深相信：有你們就有勝利！

夜那麼深，那麼靜，這時候，也許你們剛從一番激烈的炮戰中獲得片刻休息，滿天的星星照著你們，請不要忘記：那數不盡的星星，正代表著我們無盡的祝福，也許你們正持槍警戒，嚴陣以待，一陣陣涼風拂過你們，請你們記取：無數的關念便交給它傳致，更以心香一瓣，每夜，每夜，遙祝你們

身體健康，打一個好好的勝仗。

艾雯　敬上

編註：本文原刊於文壇函授學校編《我們戰鬥在一起》，台北：文壇社，一九五六年初版，頁五十四～五十六。

青年、春天、筆

十二月，寒冷的日子。但當我握筆寫下這五個字時，卻從心底泛著溫暖，有如沐浴著四月和煦的陽光。季節中最美麗的是春天，而人類的春天，便是青年，在這一個文藝青年思想與思想匯合、心靈與心靈交融的紀念日，恍惚春天又在冬天裡復甦了。

春天，那是歡唱的、活躍的、生氣蓬勃和欣欣向榮的日子。

青年，擁有向上的精神，豐富的感情，創造的力量，和高度的熱忱。是發展的動力，也是進步的象徵。

有春天，世界才能繁榮不絕，萬物才能生存不滅。有青年，文化才能不斷進展，我們的文藝園地也才能生生不息，一片蔥蘢。而未來拓展更新的境界，仍待每一支筆的繼續努力。像農人愛惜他的鋤頭，戰士珍惜他的槍，文藝工作者更該珍重那支操縱在手上的筆。

為維護真理和正義，維護人權和自由，筆是不流血的武器。

為追求更完美的人生，發掘更豐富的生命，建立更合理的生活，筆，是最好的工具。

為增加人與人之間的了解，聯繫人與人之間的感情，筆，是最佳的橋樑。隨時抓住那思想上迸射的火花，智慧所閃熠的光彩，生命力的躍動，以及感情上的激奮和不平。筆，使那易逝的不朽，短暫的永存，無形的有形了。

緊握住筆寫下去吧，當我們以嚴肅虔誠的心情接受了文藝，便當視作生命的一部分，永不停止或放棄。

寫作的路也許是荊棘的，但如今已不寂寞。這條路上從沒有時間的限制和年齡的區別，在創作的生命中，青年果然年輕，已經不年輕了的，也仍能保持年輕的心。創作便是進步，進步中是不會有衰老的。在有生命的日子創作，而創作，使生命光輝，使生命延續，永遠循環不息。

在這冬天裡的春天，且讓所有從事寫作的筆緊緊團結一致，指向一個目標——文藝的最高峰。

生命
——永恆的流

寧靜的鄉間，恬淡的氣氛，心靈有著太多的閒暇，我端一把藤椅躺在小院裡，隆冬的陽光溫暖如春，不時有溫馴的微風撩拂著頰畔的散髮，我半闔上眼，恍惚聽見有解凍的聲音，不是大地，而是我的心靈。我的心靈，這一度似乎曾進入沉寂的冬眠，是對生命的困惑，是對人生的懷疑，抑是對生活的厭倦？我不知道，也不清楚。我只是感到困倦而慵懶。

紀德說：「腦筋的一切困倦由於你財富的複雜，你連特別喜歡哪一種也不知道，因為你懂得唯一的財富即是生命——而由於崇敬，我忠實地掌握著我自己的財富。」也許是我對唯一的財富缺乏那份崇敬，也許是我確實不知喜歡哪一種：生命、愛情、榮譽、自由、理想……人常常擁有許多財富，卻憂慮著活在貧窮裡，又多麼愚昧可笑！

我隨手翻開了帶著的一本書，愚昧若是可悲的，那麼且看先哲聖賢們對他們唯一的財富作如何看法吧，有的說生命是一個童話，有的說它是一把火焰，有的說它是一個謎，有的說它是一齣悲劇，有的說它是一個樓梯，有的說它是一條大路，有的說它是一種期待，還有說它是一場夢，一縷輕煙……噢！我的意識倒逐漸模糊縹緲，變作一縷輕煙，又被溫暖的陽光蒸發，升化。

我恍惚來到一處似曾相識的地方，面前一帶圍牆，重重疊疊，綿亙無盡，每一層圍牆上有一道門，一扇比一扇高，第一扇是純白的，白得像未著塵灰的雪；第二扇是綠色的，綠得似三月裡初萌的嫩芽；第三扇是火黃色的，像是燃燒著的火焰；第四扇是赭色的，在那幾種鮮明的色彩烘襯下，顯得黯淡而深沉；第五扇是藍灰色的，看來安詳恬靜，第六扇——也就是最後一扇，巍峨、莊嚴、影綽綽光燦燦，卻說不上是哪種色彩，給人一種撲朔迷離仰不可攀的感覺。

當我站在第一道門口時，那扇潔白的門便自動地悄然開啟，那是一個多麼神奇、美妙、而又一塵不染的世界！無數可愛的小天使，搖動著薄得看不見的紗翼，響著輕柔悅耳的鈴聲，在一片晨曦般的光輝中遊玩、嬉戲。有的乘著白雲的帆船，行駛在月光的河裡，有的爬上彩虹的橋，在藍天鵝絨的墊上，滾著星兒耍，有的在牛奶路上追逐，有的圍繞著看音樂的清泉跳躍，有的在白百合花下酣睡著，紅潤的頰上，深深的笑渦有似小小海棠。

這世界是純真而神妙的，但我在那裡卻顯得太老太笨拙，——我放輕了腳步，輕輕地走過。

第二扇打開在我面前的是綠色的門：

門裡，躍入眼中的是一片青蔥蓬勃的綠，一片生意盎然的綠，一切綠色的生物，包含著無窮的生長、展揚、向上。

那些小松樹、小柏樹、小杉樹、小橡樹……都展伸著幼枝嫩葉，等待著、渴慕著，有陽光的鼓舞，和風的照拂，甘露和清泉的潤澤，它們更欣欣向榮，迅速成長。

「我們便是生命中的春天。」當微風吹動著枝葉時彷彿這般愉悅的絮語。

但人在生命中只有一個春天。也許，縱使把所有春天的綠葉編成冠冕，戴在我頭上，也不能遮掩額上憂慮的紋痕。

我黯然離開。

第三扇打開的是火黃色的門：

強烈的，燃燒著的火焰從門裡竄出來。

這裡彷彿是個大洪爐，幾種不同的燃燒，幾注不同的火焰：愛情，光榮，成仁或取義。有毀滅了自己照亮了別人，有毀滅了自己也並不照亮別人，有經過燃燒鍛鍊了自己。而燃燒永不熄滅。

青年人的血液是酒精，是汽油，一觸即燃。

但從洪爐中鍛鍊過來的人不會再燃燒，如同燒剩的灰燼一樣也不能復燃。

我默默地走過去。

第四扇打開的是赭色的門：

一眼望去但見裡面矗著幾座巨大無比的階梯，有的抹著油漆，有的用白木製成，有的已腐朽不堪，但不管在哪一座梯上、梯下，都麕集著黑壓壓一大堆蟲似的東西蠕動著，看了使人皮膚起悚，那些蟲上下有四肢，身上還有更小一點黑色的頭，它們一刻不停地在梯上爬上爬下，許多都是身上背著比身子還大的重負，帶著一串更小的蟲，費力地掙扎著想往上爬，有的在中途便顯得筋疲力盡了，有的好容易上了一半失足摔了下來，也有只在梯下枉自打轉徘徊，卻一步不得上去——

我懷著厭惡和憐憫的心情審視著，忽然忍受不住，快步跑開去，跑進了第五扇門。

第五扇藍灰色的門裡竟是一片沙漠似的曠地，零零落落幾株葉子快脫光的老樹，一抹微淡將逝的夕陽，冷風吹過，僅有幾片黃葉發出淒淒切切的聲音，無限寂寞、荒涼——我一口氣不停地跑過去，一直跑到最後一扇門前停下來。

但最後一扇門卻不像前五扇那樣自動打開來，我抬頭看，看不到門緣，我伸手推，觸摸不到實物，而我要走進去，身子卻分明被東西阻擋著。

就當我沉思時，門的輪廓卻越來越模糊，彷彿閃著一層金光，又似縹緲著一層煙霧。

「不管是死亡抑是永生，我要進去！」我退後兩步，猛然向門上衝去——

鳳凰木的陰影灑落我一身，太陽已西斜了。我握著兩手黏汗，不禁憮然而又莞爾。俯身拾起跌落在地上的書，那翻開的一頁接下去寫著：

生命是真理，是昔在，今在，永在。

生命是一條永恆的流。

……

我撣去了書上沾著的泥上，也拂去了腦中蕪雜的思念，一切隨風散去。生命若是永恆的流，這清流應該會滌除我心靈上所有的晦暗困瘁。

春天到來，原該是解凍的時期。

編註：本文原刊於《文壇》特大號，一九五七年二月，頁六十二～六十三。

夜語

如果白日教人以勤勞，那麼黑夜便告訴人靜思，白天裡被那些瑣碎、繁冗的俗務攪亂了思想，就像一池激動混濁的池水，在晚上平靜下來慢慢地澄清了。

人也只有在那一刻清澄時，映出了真正的自己。沒有披世故的外衣，沒有帶虛偽的面具，有人認為白天的自己是做人成功的一面，而晚上的自己是比較可愛的一面。我不知道你喜歡哪一面？而我自己，卻是寧取後者，因此，我不否認，做人，我是屬於失敗者。

也許，由於我是失敗者，也就更偏愛人性那一份真，我珍視每一刻思想上的澄清時，就如我喜歡每一個靜夜的來臨。

如今，現在，又是個深靜的夜晚，窗外的月色遮奪了室內朦朧的燈光，連稿紙上的字粒都顯得黯淡呆滯了。我無心再做填格子的工作，擱下筆，熄了燈，悄悄地走出屋子。銀色的月光像一片沉寂無波的水，小園是艘綠舟，繫在沉寂的窗前，這一刻，窗裡的人都已睡著，老人家帶著操勞了一天的疲倦，年輕的擁著一個屬於明天的綺夢，孩子的枕畔還擱著那本厚重的升學指導，她們都睡得那麼香甜，那麼安寧，就像園裡那株浴著月光養神的大榕樹，和那兩株花莖低垂、花瓣微合的玫瑰和百合，在這樣的深夜，夢之神用她透明的雙翼遮庇著一切生物的深夜，只有我尚未入睡，獨坐台階上抱膝望月。還有你，你還沒有回來，也不知又是被那永遠開不完的會羈留了，抑是為那些應酬不完的應酬所耽住。宛似那蜘蛛有一輩子吐不盡的絲，織不完的網，彷彿你就有那許多忙不盡的工作和應酬。我忽然想起了一篇叫「綴網勞蛛」的文章。內容已記不清了，但那個題目「綴網勞蛛」卻給我留下了很深的印象，你說：蜘蛛無休無止的只在網上穿綴織補，究竟是聰明的舉止還是有點傻呢？

聰明或傻，人類心裡似乎還缺少那麼一座公平的天秤，沒有一個聰明人會認為自己在做傻事，也沒有一個傻子會覺得自己做的不是聰明事。

其實在皎潔的月光下想這些，說這些，不也不夠聰明麼！白晝，人與現實糾纏在一起，已耗盡了精力，晚上，尤其是在月光下，為什麼不想些屬於心靈的、想像的、美好而縹緲不可捉摸的事物！能夠忘掉一會現實，世界會變得美麗一些，也寬廣一些。也許你會說：人活著是不能脫離現實的，就像草木不能離開泥土一樣。是的，我不否認這一點，但是，草木除了在土裡扎根，它們也吸收陽光來豐富生命，吸取雨露來潤澤青春。還有朝嵐晚霞，月色星光，渲染得一片絢麗，人又為什麼不能在現實生活之外，有一點美，有一點詩和夢！除非是心靈沉濁了，由於塵垢的淤積，靈魂酣睡了，在那自滿的厚褥上。

月亮升得更高，晶瑩玲瓏，卻不是渾圓，不曉得今夕是農曆十二、十三，抑是十七、十八日，而我總是比較喜歡屬於前者的月亮。十五的月亮是圓的，圓代表著完整、圓滿，也象徵著完成和滿足，已經是完成了、滿足了，便沒有什麼需要增添，需要期待，需要追求：這宛如人生攀上了成功的高峰，一陣高興，一陣自豪，時間逝去，卻也就日趨平淡。那成功的絢爛日漸失去光彩，就像十七、十八的下弦月，一天一天削減、消失，而十二、十三那待圓未圓的月亮，寓有希望、寓有期待，人生不全由於「希望」和「期待」，才奮鬥下去，活下去。

我凝視著月亮，月亮也投射它柔和的光輝在我身上。默默伴著我的是自己的影子，不知為什麼月光下顯得瘦弱伶仃，怯怯地依著我，彷彿夜涼不勝寒。在這樣幽靜的月夜，說話常常是多餘的。高談闊論顯得蠢，談生活上的瑣事顯得寒傖，談事業沉重了些，談學問有點嫌酸，談風花雪月又顯得輕浮，客套應酬更是俗不可耐。若沒有那樣一個有著深深的默契，彼此心靈偎依、氣息相投的摯友共賞明月，共享月夜那一份清幽超塵的氣氛，那麼默默相隨的影子，該是最好、最忠實的友伴了——我悄然回顧，影子默然，我也無語，只涼風吹落三五片樹葉，吹散一地花影，夜更深了。

有一輛單車經過門外的小巷，靜寂中越顯出車輪輾著石子茲茲的聲響。伏在我腳下的狗警覺地豎起了耳朵，但茲茲聲過去了、遠了，牠又鬆懈地垂下耳朵，把頭伏在石階上安然睡去。不一會喉嚨頭發出低低的嗚嗚聲，四肢微微抽搐，牠也在做夢呢，不知是夢著了奔馳在牠祖先發源的荒山深谷，抑是為一塊骨頭在打架？我輕輕拍著牠的頭，牠便不響了，一隻螢火蟲打從牠身前飛過，歇在一叢草上，不住打著牠的小燈籠一閃一閃照亮牠選擇的眠牀，突然在一黑之後便不再亮了，想來已熄燈安息。很輕微、很幽細的，一隻蟋蟀開始奏起了安息曲。

小園幽僻的一角，月光照不透簇擁著的三五株樹叢涵滿了陰影，在滿園明澈如水的情調中，獨顯得森嚴、肅穆。我望著望著，但覺自己澄清如水的思念上，也不知不覺輕輕籠上一陣陰影，是寂寞嗎？抑是別的，我不喜歡它，我更不能讓它擴展，遮掩了一切，我需要思想上的另一陣清風，把它吹散，把它拂除，於是，我從冰涼的台階上站了起來，才發覺衣襟已被夜露沾濕了。

小巷依然沒有車聲或腳步聲。但我不想再為等待而等待。

我又悄悄地回到屋子裡，悄悄地開亮檯燈，重又執起筆來，趁著這一刻澄清，我還得把我心靈的聲音，譜入字句，填入格子。我將一分一秒，用筆尖刻劃掉漫漫長夜。

秋天裡的春天

——晶婚小記

昨宵，以期待的心情，守候黑夜過去。

今朝，以無限歡欣，迎來黎明第一道曙光。

曉霧漸開，晨曦初露，是一個晴朗的好天氣！

晴朗的天氣，一個多麼光輝的日子！陽光把世界鍍成璀璨的金色。滿載著希望和愛的雲舟，悠然行駛在永無風浪的碧海中，柔和的風拂在臉上，癢酥酥的，拂過心頭，醉醺醺的。小園裡，我們手植的玫瑰正盛開，含羞帶暈，嬌豔欲滴。爬滿了珊瑚藤的花架上，一串串粉紅色的小花懸垂在翠綠叢中，像綴滿了玲瓏的瓔珞，隨風搖曳……似這般醇醪似的氣氛，這秋天裡的春天，不正像十五年前，在我們生命史上寫下了美妙的一頁的那天？雖然，大陸不像寶島四季常春，但那時也正值「十月芙蓉小陽春」。風和日麗，穿上薄薄的綢夾衫，不冷也不熱。只是感到灼熱的是我們的血液，跳得急遽的是我們的心。不是嗎？那一個年輕人在莊嚴地舉起手來，推開生命中這一扇象徵著幸福的神祕之門時；在鄭重地提起腳來，跨上人生旅程中另一個新的階段時，能抑制得住那份由衷的興奮、歡喜和激動！我依稀還記得那別出心裁布置的禮堂裡翠竹生春，獨影搖紅的情景，還記得當我們在優美旋律中，並肩踏上松氈時，那極莊重又極美妙的一刻……一般的秋天裡的春天，卻已是十五年過去了。時間之流無情地帶走一切，唯一沖不掉的是那生命中最深永不滅的印象。當我們凝神回顧，它便閃熠著光彩，浮現在心海中，像那永恆的星光，閃爍在蒼穹。

山嶺的白雲依然悠忽來去，海上的潮浪仍舊晨夕漲落。從燦爛復歸於平淡，十五年的時光似乎很短促。而在生活中我們共同經歷了如許憂患、遷徙、分離、病苦。也共同奮鬥，期待未來，十五年的歲月，彷彿又很悠長。但不管短促或悠長，我們從不悔惜那已經逝去的年華。不管辛酸或甜蜜，我們珍視那些曾共同負擔分享的苦樂。那些互相扶持，依賴的時日。

人不是聖人，也不是完人。也許，你我都或多或少地存在著品性上、思想上，以及生活習慣上的不同的優點和缺點。十五年來，互相滲透融貫，同化的同化了，不被融和的也慢慢地為彼此接受諒解，有如兩塊稜角尖銳的生鐵，終於被錘鑄成一座適合共同生活的模式。

人都有自己貢獻生命力量的方式，雖然，你忠於你的工作崗位，永遠有忙不完的事務。我偏愛我那份寫讀生活，終日蜷縮在故紙堆中。十五年來，彼此卻未曾忘記互勉共勵、求人格上的進展，精神上的開拓。家像是一艘小船，我把著槳，你便是那舵手。在人生的海洋中，我們行駛的方向，努力的目標永遠一致。

是哪一位聰明的過來人，把十五周年訂為「晶婚」？水晶，明澈晶瑩、堅固樸實。不沾一點污跡，沒有半點雜質。正象徵著婚姻生活中的諒解、坦誠、堅貞和穩固。水晶是礦石中最完美的菁英，晶婚便該是兩人內在的靈魂人格之更透徹的了解、更深的結合。

季節中有那燦爛的春天，生命中有那不朽的春天，然而，我們畢竟已屆生命的盛夏，即將漸漸步入秋天了。秋天是果實成熟的季節，是稻穗收穫的季節。生命的秋天也有如日正當中，一片莊嚴宏偉的氣象。壯麗中滲融著肅穆，和諧中涵蘊著凝重。年輕時那些荒謬而虛妄的幻想似朝露般蒸發，青春期那些多采而綺麗的美夢如晨霧消散。生命中收集來的材料，不再是預備築一座通向月亮的橋。而是用來大地上建一幢堅實的木屋，在荊棘中鋪一條康莊的道路。我們當邁開穩健的腳步，切切實實，勤勤懇懇地跨上這新的階段，使彼此的生命日趨光大，使相愛的靈魂更見充實，使共同的生活益加完美！

今朝，在完全屬於我倆的日子裡，我們不用歡宴盛筵來慶祝，不要虛俗的儀式來紀念。且讓我們摒除一切俗務瑣事，找一角幽靜安謐，遠離塵囂的處所。攜手漫遊在山林間，駕舟盪漾於碧水中，讓我們在自然的懷抱中返真回璞，重哲起少年的心情。讓我們靜靜的回憶過去，展望未來。十五年，在我們生命的旅途中，只是一個驛站，一座里程碑。未來還有第二個，第三個十五年。且讓我們小憩以舒鬆心神，養蓄活力，然後再出發，再邁進！

編註：本文原刊於《聯合報・副刊》，一九六一年十月二十日，第六版。

鐵樹與我

在片刻的閒靜中，我又搬了那冊新購的貼相簿，把歷年所攝的照片重加整理，然後一張一張地貼上冊頁。這一刻，恍惚時光倒流，逝去的韶華，褪色的春夢，舊時的遊蹤，一一都復活重臨。回憶的果子總是充滿了蜜汁，同時也滲溢著辛酸。我繼續一張又一張往後貼下去，逐漸地時間上距離縮短，又拉近了現實。如今，這拈在我指間的一張，是屬於最近不久的，它不曾引起我的緬懷，卻使我有所感觸，有所領悟。也許，它並不是照得最好的一張，但卻為我所偏愛、珍視。

還記得那天，一個晴朗的春日，偕同惕非去高雄，在風光綺麗的愛河岸畔留下了不少的遊蹤，縱使是春天的陽光，也曬得汗濕了紗衫。我繞過灌木叢，欲待尋一處綠蔭歇息，當我找到了一角陰蔭，卻又忘記了歇息，便忭然招喚正到處覓鏡頭的他：

「替我在這裡照一張吧！」

「就在這樹旁麼？」他猶疑著，左右環視似嫌取景不美。

「嗯，就在這樹旁。」我點頭並更貼近些：「這是鐵樹，你看長得多麼挺拔、茁壯！它的長葉在陽光下不軟垂，在風雨中不招搖。正象徵著一種堅毅不屈、獨立向上的精神。與它共攝一影，能使人得到一種感召……」

「妳要做文章，留著我攝下這個鏡頭，寫到相片後面去罷。」他笑著攔住我：「現在眼睛望著前邊，稍微向上……」卡察！

——這便是那張相片，我佇立在那株蒼鬱挺拔、欣欣向榮的鐵樹下，凝眸向前瞻望，一縷柔和的陽光正從前方斜斜地照射在樹葉上，以及我的臉上。和諧中透著一份莊穆，閒逸中有所期待。

我欣賞鐵樹，因為它不屬於那種遍地生長而又脆弱容易摧折的樹木，它栽植不易，生長也遲緩，但只要一旦生了根開始茁長，便具有那種可貴的堅韌性，不怕風雨摧殘，不懼冰雪欺壓，謹慎地萌發嫩芽，從容地舒展綠葉，徐緩地伸長枝幹。它不像別的樹那樣婀娜多姿，婆娑舞影，但它硬朗的葉子從不在烈日下萎縮軟垂，它不及別的樹那般枝椏縱橫，參差有致，但它挺直的枝幹絕不會在風飆中彎曲搖擺；堅韌、穩定，是它天賦的特性。這樣的樹就同有著這樣性格的人一樣樸質可愛。

撫著樹幹，我的心從浮躁復歸於寧靜，樹畔的我，看來似乎也比平時顯得更健康而精神煥發。健康和理想，原是我畢生所渴慕和追求的。自幼便孱弱多病，使我深深體會到一如水分、陽光對樹的重要；有健康，人生才有幸福，有理想，生命才有存在的意義，我永遠不會忘記，那些不斷與病魔抗爭的日子，宿疾如密友，經常闖入我平靜的生活，訪我於病榻。日久熬煉，我竟修養到「因病得閒殊不惡，安心是藥更無方」的胸襟，悍然來襲，只淡然置之。更有幾次危症，已數度瀕臨死淵的邊緣，昏迷中那一線活下去的意念，猶如游絲般飄浮在虛空，渺茫而又執著。終於，碰上了一點什麼使它黏住的——那是母親悲切的呼喚，飄忽的靈魂重又悠悠地回到軀殼，我重又看見了親人們慈祥善良的臉，看見了照耀的陽光，當你感到已將失去這一切而重又獲得，更覺得親切可貴，美麗無比，忍不住像貝多芬那樣在心裡歡呼……噢！擺脫這疾病，我要擁抱世界！能把人活上千百次真是多美！……

我也依稀記得：在那段黯淡的歲月中，苦難未曾把我壓倒，年輕的心仍然熱誠的懷著一個願望，朝著自己選擇的目標出發，那又是多麼孤寂而艱辛的行程！獨自一個探索著、尋覓著，踽踽地越過荒漠，小心地披開荊棘，唯恐錯一步陷入迷津，走上岔路。肩上還負著生活的重擔，拖著個病弱的身軀，行進的腳步顯得遲緩而又沉重。但沒有什麼可以使我受阻或停頓。唯一遙遠地引領著我的一點星光，是先進們遺下的智慧的結晶；唯一支持我克服種種困難前進的，是執著不變的興趣和信念——終於一步一步走上了路，這才知道走這條路的人並不多。我一步一步迫近了目標，雖然，那目標總在提升，還不能加以肯定。——

樹木固然有它頑強勇敢、與自然抗爭的韌性，人何嘗又沒有他堅強不屈地求生的精神，以及環境所不能抑止的向上的意志！

今天，自己固然說不上有什麼成就，但足以自慰的是，在生存的奮鬥中，在理想的追求中，以及與病魔的抗爭中，我永不沮喪、退卻，或是被征服。

生存原是一場無休止的戰鬥，而要走的路是冗長的，還得不停不息地走下去。我鄭重地把與鐵樹共攝的照片，黏上貼相簿中的一頁，我將不時檢視，接受它的感召，做為我精神上的策勵！

編註：本文原刊於《作品》創刊號，一九六〇年一月一日，頁三十六。

秋的腳步

走在傍晚荒草披蔓的小徑上，風從田野，從河面吹來，透著沁心的寒意，我緊了緊薄紗的披肩，感到這已經是秋天了。剎那間更深深地感到：自己的生命也進入了秋的季節。

春的腳步是輕盈的，過去時像一陣輕風，夏的腳步是飄忽的，過去時似一片浮雲；而秋的腳步，由於人生的負擔，感情的累贅，已不太輕捷——

走在秋的路上，我瞻望一眼前面。那掩映在叢樹中的路似乎還很長，很曲折。我頻頻回顧後面：那已經走過的途程，恍惚已迷失在煙雲縹緲之中，若隱若現，履痕且已被小草所湮沒……我猶豫著，腳步沉重而又滯澀。我感到有一點疲倦，有一點悵惘，也有一點寂寞。環顧四周，涵滿陰影的黃昏，三兩叢白蘆花在晚風裡搖曳著，給人一種瘦弱伶仃的感覺。我趑趄不前，有所期待，也有所依戀，正像一枝蘆草，獨自肅立在秋風裡。

靜寂中，有悉索之聲來自身後的草叢，我欣然諦聽，但掠過我身畔的卻又是那低拂著小草的秋風。

沉重的腳步，馱負著一份沉重的心情。暮靄四合，荒草中的小徑似更難追尋，我依然漫步走去。初秋暮夜的晴空沒有月亮照耀，但有繁星閃爍，秋夜的田野沒有百合花的芬芳，空氣中只滲著些稻草的清香。一路上默然傾聽著悄悄滑過草上的自己的腳音，和拂過樹梢的微微風聲，似這般萬籟俱寂，深沉幽靜，恍惚是走在夢的邊緣，走在世界的盡端……「便這般無止無休的走下去麼？走完了春天、夏天，又將從秋天走向冬天？」我悵然在心裡問著自己，忽然間，有一個親切而冷雋，熟悉而又陌生的聲音，像風從空中飄來，又似語聲自心底泛起，輕輕地叩著我的耳膜：

「你常常這麼一個人散步麼？」

「是的，當別人都忙著在趕路的時候。」我很自然的回答，奇怪的是自己並不吃驚，倒像一直在等待著這個聲音。

「不感到寂寞？」

「嗯，有一點。」

「那何不待在家裡，與你的家人守在一起？」

「有的時候，在自己所愛的人身邊感到的寂寞，會比獨自一個人時的寂寞更寂寞。」我黯然地說，說了馬上又後悔，怎麼隨便就洩露自己的隱祕，但願風把它吹散——幸好那個聲音裡並沒有嘲笑，還是那麼平靜：

「這樣說來你散步為的是排遣寂寞？」

「噢，不完全是。」我連忙抓住這個可以解釋的機會：「主要的是澄清自己。」

「澄清自己？」

「唔。當水缸裡的水攪得混濁時，人們不總是投下一些明礬，使滲在水裡的泥沙沉澱一下！我要把糾纏在思想中的那些生活上，感情上的瑣事，澄清一番。」

「這清新的空氣，這涼爽的微風，一定在幫助你，已使你的思想玲瓏剔透，一清如洗了。」

「但是，」我掩飾不住聲音裡透露出來的沮喪，「我的心情卻依然跟腳步一樣沉重，也許，因為現在是秋天的緣故。」

「秋天不好麼！那是成熟的季節，收穫的季節。」

「我知道。」

「能不能告訴我你收穫的是什麼？榮譽、愛情、幸福！」

「這些我都曾冀求過——只是，如今我反而覺得迷離、猶豫、沮喪。」

「是嗎？」

「我不僅生自己的氣，也生這世界的氣，我看一切都不順眼，做什麼都不順遂。」我竟不自覺地把積鬱源源地傾瀉出來，有似澗間奔瀉的激流。「有時我覺得自己像一葉在波浪中搏鬥倦了的小舟，渴望著覓一處安靜的港岸停泊；有時我又覺得自己是一隻折翼的海燕，想在海闊天空處翱翔，卻已振翅無力。」

一顆流星曳著白刃一樣的閃光掠過空中，好像把天壁割成兩半，又倏然復合了。

「有人感到沮喪，是因為追求的理想幻滅了。」冷雋的聲音成了試探的觸角。

「尚未得到的也就無從幻滅。」

「有人感到猶豫，是因為思想上的紛紊。」

「尚未定型的思想原像錯綜的溪流，而如今卻已歸納入一座河牀了。」

「有人感到迷離，是因為感情上的糾葛。」

「奔放的感情原像一匹不羈的驚馬，而如今卻已籠上了韁轡。」

片刻的沉默後，有秋蟲唧唧聲。風過處，細微的不是落葉，而仍是那聲音：

「你似乎很能夠分析自己。」

「分析得太清楚了，就如解剖成肢肢節節，結果反缺少那組合這一切的完整，那種和諧一致的完整，人生不過如此。」我喟歎著。

「哦！完整。你是對人生要求太苛了！世界上從來就沒有十全十美的事物。」

「幸福不應該是最完美的嗎？」

「但也是有界限的，幸福不是可以盲目追求的，而是要能夠認清自己的界限，而把握著這個界限。你讀過泰戈爾寫的一個故事嗎？是說一個尋求點金術的人，耗費了一生的精力去尋求，卻不曉得自己繫在腰間的鐵鍊子已不知在什麼時候變成了金的了；他還在苦苦地尋求，以致精疲力竭。」

「你是說……」我微微感到迷惑。

「我是說幸福並不是金光燦燦，輝煌奪目的，也不是龐大無比，完整無缺的。如果你能平心靜氣低頭環視你的周圍，也許你更將發現幸福就蘊藏在你們安詳的生活中，勤懇工作中，親人們的一個凝視，一個微笑間。但是，只顧盲目追求的人往往便會忽略了這些。」

那絮絮的聲音彷彿一隻纖細手指，輕輕地撥動了我最柔弱的一根心弦。我沉默著，聽憑著腳趾印上軟草。覺得有什麼從我腳尖輕捷地躍過，原來是夏天裡留下的一隻小青蛙，在這秋涼如水的夜，找尋牠散失了的友伴。

「由燦爛的春夏而趨於平淡的秋天，常使人追念起當時的繁華。在人生的秋季，青春的夢想也最容易復活。而現實與夢想，卻永遠有著很大的距離，自以為聰明的人便為這無法縮短的距離感到迷離、猶豫、沮喪……」

「噢，我並不是屬於那種自作聰明的人。」我分辯著。

「那麼，你從不曾為那永不能實現的夢想苦惱過？」

「唔。」我含糊地回笑。

「你一直正視現實，而且試著珍重它，眷戀它？」

「我——不大清楚。」我囁嚅地說。那嚴厲的責問使我面紅耳熱，但心旌微撼，恍惚一陣輕風，拂過窒悶的胸腔。

「你一定會清楚的，如果你不再置身雲端裡俯視地下，不再站在地上去妄想摘取天上的星星。現實似乎不太美麗，但執著彩筆的是你的手，蘊著靈感的是你的心，就看你自己願意繪上些什麼色彩，發出些何等音韻。」

「縱使是在人生的秋天？」

「是的，縱使是在人生的秋天。用秋天裡的收穫來代替那不能實現的春夢，正是一個合理的目標，朝向那目標走去的腳步應該是凝重、穩健，而步步著實——夜露已深了，現在回去吧！」

那輕柔如絲的聲音有似震盪在弦線上最後一個音符，嫋嫋地消失了。我環顧四周，但見一片朦朧，我屏息傾聽，只聞風穿枝梢。

夜漸深，風更涼，冷露沾濕了衣襟，我又黯然踅返歸程，腳下踏著的是那條平實的，碎石鋪的小路——回到家裡的路。

秋天的夜晚是沒有夢，也不該做夢的。

編註：本文原刊於《人間世》第一卷第一期，一九五七年十一月，頁二十四～二十五。

一束小花

五月三日。——像一匹疲於奔走的馬找到一個驛站，一隻倦於飛行的鳥獲得一枝棲息，我終於覓得這一角僻靜的處所，如今，離塵囂已是很遠很遠了。除了自己，我是空著手來的，沒有攜帶一支筆，一本書，甚至任何印刷著字跡，與現世有關聯的紙片，我卸下一切世俗的負載，如同生下不久送去上帝面前受洗的嬰兒，把自己投呈在大自然面前。

噢，我不是逃避生活，世上儘管有躲避烈日的篷帳，有躲避風雨的場屋，但沒有躲避生活的所在，而在生活的搏鬥中，我並不卑怯，我也不是脫離現實，生命有如植物，而現實便是土地，沒有植物能不生根於土地而生存。現實儘管不美且令人窒悶，我也還能面對它不屈，更不是為感情上有什麼糾葛，儘管當年輕時也曾如狂瀾激流，如今也只似那止水，蘊伏於靈魂深處，微波不揚，我所以覓一角僻靜的處所，只為我病了，需要養息。

病了，是的，但不是軀體上的病，我畢生與病魔抗爭，從不懼怕。而此刻，病了的卻是我的心靈，它感到無比的疲倦，對一切厭煩——不再憧憬，停止幻想，更缺希望。彷彿被煙煤淤塞的燈盞，不再發出光和熱。

高明的醫生曾從死亡邊緣救回多少病重的人，但可有治這心靈凍結的醫生？

神祕的特效藥曾治癒多少絕症，但可有治這心靈委頓的藥品？

噢，沒有，沒有聽說過。

茫然中，我無意記起了一個詩人的話……只要你認識了自然，在這世界上寂寞時便不寂寞，空困時不空困，苦惱時有安慰，挫折時有鼓勵，軟弱時有督責，迷失時有南針……

於是，我暫時拋棄一切所有，悄悄地來了這裡。

五月五日。——我讓孤獨和沉默全權統轄著，如果說的只是貧乏的言語，為什麼不讓嘴閉上！如果唱的總是千遍一律的歌曲，為什麼不讓它停止！如果思想的弦琴已彈不出新穎動聽的節奏，那就不要再撥弄撫奏罷！孤獨並不一定比寂寞難受，有時，在人群中卻會感覺更難堪的寂寞。而在沉默中，脈搏的躍動使我體會生命的存在，自然的音籟告訴我宇宙一切正在生長，活動，拓展——

噢，我不願多想，不願多說，只是默默地傾聽，默默地體會。

五月七日。——像剛入學的孩子欣然打開了第一冊有精美圖畫的課本，我原無心閱讀，而畫卷卻自動展開在我面前——自然，這部廣博、微妙、玄奧而又美麗的大書，竟是那樣地引人入勝，怡人心胸，我不僅用眼睛，而是運用心靈在看，在讀，噢，也不是我在閱讀，而是它在滲透，一分一寸地，浸潤了我靈魂的沙漠。

五月九日。——屋後有小山，山不高，但引領人接近穹蒼，我仰臥在山頂上，身下綠草如茵，耳邊松濤蕭蕭，展延在上面的是一望無際的藍天，白雲在天上悠然飄浮，陽光以無比的光和熱向大地萬物傾注，承受著那光和熱，我閉上了眼睛，只覺得弦線般繃緊的神經在緩緩鬆弛，四肢百骸被熨過的舒散，心靈的寒冬因陽光的接觸而復甦，恍惚有什麼在溶解，在蒸發……

溶解掉吧！蒸發掉吧！那些鬱積著的困瘁、塊壘、煩惱、苦悶，一切庸俗，蒙塞性靈的垢疵，讓生命如同輕盈的雲，進入空間的澄藍。

五月十日。——屋側有小溪，清澈明瑩，終日潺潺不息。我靜坐溪畔，看溪水流過附滿綠苔的石頭，挾著纖細透明的小魚小蝦，偶然墜下一二片花瓣或葉子，便一路載負著流向遠處。我讓雙足浸入水裡洗濯，水滑過腳背，是那樣地清冽涼沁，我又掬起溪水，洗著臂和臉，清涼直透肺腑，彷彿一注清泉從肌膚滲入心田——

似乎記得在《聖經》上曾看到這麼一句：「主引我在靜水之旁，使我靈魂甦醒。」

於是，我靜坐溪畔，洗濯復洗濯——

五月十二日。——今天散步中，我通過了架在小溪兩岸的木橋，越過竹林中堆滿枯葉的小徑，林外，金色的霧氣籠罩下是一片空曠的田野，空氣中混合著泥土的氣息和植物的芬芳，我發覺農夫都是天生的藝術家，看那一畝畝錯雜的豆架，勻淨的蔬菜和一紮紮收割過了的稻草，不全是最美的立體圖案！

有人在一塊地上耕種，兩對夫婦和一個孩童，看來是祖孫三代，年輕的農夫駛著牛耕地，年老的那個用鋤頭耙著鬆土，兩個農婦便在整理好的田地上插下一棵棵薯秧。只有那幼小的孩子赤著足，在一道道田溝裡蹣跚地跑來跑去，有時一滑腳撲倒了，鬆土上便陷下一角，而他身上也沾滿了泥土，老農夫大聲佯責著，孩子卻一骨碌爬起來跑得更起勁，年輕的母親也幫著吆喝，但抑制不住聲音裡溢露的愛悅，每個人都在笑，那單純的歡樂，那樸質的感情，那力的合作和表現，還有溫煦的陽光，泥土的芬芳，融會交流，形成自然與人生最大的和諧，也是人性最樸素美麗的一幅。

人們尋覓愛和美，愛和美都散布在未被物質文明矯飾的山野；人們謀求幸福，幸福卻自在單純樸質的人心裡。

我握起一撮泥土又讓它從指縫間流去，噢，肥沃的泥土，萬物之母，接觸你的人有福了！

五月十三日。——深夜，我被風雨聲驚醒，在寂靜慣了的鄉野，這確是一番不平凡的熱鬧，黎明打開窗子，迎面便撲來一陣雨絲，竹林、田地全籠在層層雨霧中。世界變朦朧了，我彷彿聽見乾渴的大地正在暢飲著滴滴甘霖，我索性把頭臉和手都伸出窗外，雨珠是冰涼的，風也是冰涼的，涼爽把神智從沉睡未醒中振拔出來，有如黎明第一道曙光通過靈魂的黑夜。記得小時有一次發高燒，打針吃藥久不見退，只昏昏沉睡，媽急得直在觀音像前敬香祈禱，忽然起風下雨，燥熱的天氣驟轉涼爽，她起身關窗，卻聽見我的聲音——雖然輕微，但不是囈語而清晰的在喚她，一摸額角，欣然發覺燒竟全退了——這一刻，我慨然也有那種退熱的感覺，這場雨，把血液中與燃燒作戰後殘留的毒素和渣滓全沖刷了，新的細胞和血球正在滋生繁殖，像枯葉落盡的樹木在雨水滋潤中正在萌發新芽。

感謝罷，感謝這場風雨的洗禮！

五月十四日。——昨日的風雨帶來今朝黃金般的平靜，當陽光再度照臨，萬物閃耀著新的光彩，天更藍，樹更青，草更綠，溪水盈盈欲溢，田裡剛插下的秧苗已舒展新葉，一切都顯得更清新，開朗，而生意盎然，我也滿懷信心，重新調整生命的琴弦。我願以我柔弱的琴音，和著自然的脈搏一起跳動，和自然的音波一起起伏，加入自然那莊嚴和諧的大合奏中……然而，我卻隱隱聽見一個聲音在呼喚我。

那個呼喚我的聲音來自遠處，來自另一個紛擾的世界——是為人未了的責任，生活未完的俗務，儘管深深依戀，但必須忍受捨離，回到我來的地方。

已是無數次的珍重道別，無數次的叮嚀祝福，而我卻仍低徊留戀，噢！這些時日的盤桓，不該留著點什麼供日後緬懷麼！回顧四周，只見溪畔一簇簇淡雅的小花，正在陽光下燦然微笑，這些日子裡，我曾以無限愛心，密切地注意它們結蕾、含苞、吐蕊。就留一束小花罷。

這一束可愛的小花中一朵是寧靜，一朵是純潔，以及更多的謙遜和和平。我將攜回我那小小庭院栽植，待它們繼續開放。

噢！這次我真的走了，走了！

編註：本文原刊於《文壇》第九號，一九六〇年十二月，頁二十六～二十八。

心靈之井

早晨還是晴好的天氣，有薄薄的浮雲，淡淡的陽光，只是有點悶熱。午睡醒來，卻不知什麼時候已開始下雨了。真是暮春三月，陰晴難測。窗外的天色是灰暗的，映過紗窗，房裡也是綠沉沉的透著涼。我順手加上一件單衫，便悄然佇立窗前，靜靜地凝眺，雨並不大，朦朧地，像一層迷霧，替景物添注一份隱約如畫的美；像一片輕愁，無聲地為賞雨人增加一份寂寞。輕愁薄霧，卻已洗清了每一瓣葉子，每一莖小草上的塵土，也潤濕了每一個角落，每一方寸乾燥的土地。我彷彿還聽到了植物吸吮入雨水的茲茲聲，細微而又愉悅，那是生命在茁長的吟唱，受滋潤的是有福的了——驟然間，我恍惚也有一種渴的感覺，噢！那來思想上的豪雨，洗滌日常生活的塵垢，那來源源不斷的源流，常注入小小的心靈之井！

人與植物是一樣的，一生都在渴慕著、等待著，需要滋潤。當一個人生命剛投入這繁複的人間，第一個需求，便是從母親吮吸生命的液汁，當他懂得用眼睛來觀察這世界時，他更開始一點一滴地吸入智慧的聖泉。當他的感情日趨成熟，他又那樣熱誠地吸吮著友誼的甘露，癡狂地吸吮著愛情的醇酒。接著，更從那知識的大海，宇宙的汪洋不停地吸吮著、汲取著，點點滴滴全融匯於心靈之井。然後，像植物把從根鬚吸入的水分輸送到脈絡，使之生意盎然，那涓滴井水潤澤著有生之年。滋潤著每一個理想的嫩芽和希望的柔枝。使生命充沛，使生活豐盈，使人生更多采多姿。

世上沒有一口有形的井，會像心靈之井那樣細緻纖微，也沒有一口井有它那樣深邃而無底，永遠灌注不滿。心靈之井，是人體內的寶藏，靈魂上的礦山，當它平靜地漾著一泓清冽的碧水，在孤獨時便不會感到太寂寞，精神上也永不會感到空虛貧乏。只是，有人終生忙於繁瑣庸俗的生活，井裡漸漸被塵垢油煙淤積，卻懶於疏濬，有人一味只知追逐名利浮華，顧不得再去吸吮，也有人自我陶醉地浸沉其中，忘記了添注新的水源，這是井的悲哀，更是人的悲哀。

我自己也許並不是勤於疏濬的人，但卻屬於那些喜歡悄然在井畔徘徊沉思，用一支筆描繪著水上纖細輕靈的漣漪，用一串音符譜出淙淙水聲的寂寞的工作者，只是，我試著又試，總覺得我那支筆嫌笨拙了些……要洋溢必須要汲取更多的。因此，在知識的大海，宇宙的汪洋面前，我永遠感到渴，感到自己心靈之井的淺薄……

雨依舊不停地在下，密一陣疏一陣，密時似億萬隻纖細的柔指，彈奏著大地這巨琴。屋瓦在和唱，樹葉齊伴奏，尤其是矮籬上爬著的牽牛更不住地顫抖著一簇簇紫色的喇叭——卻見一塊綠色從抖簌簌的紫喇叭間滑馳過去。噢！原來是郵差的頭盔，那綠盔在雨中竟也顯得格外鮮明。他該又給我帶來了友人的音訊罷！哪怕只是文不加飾地三言兩語。問一問近況，說一番思念，雲山阻隔有人記得你，風雨中有人關懷你，那友情的甘露，猶如春天裡溫暖圓潤的小雨滴，將一滴一滴滴進了心靈之井……門鈴真的響了，像一支嘹亮的嗩吶，投入雨的大合奏中。

我推開紗門，沒有遮傘便匆匆地從雨中迎出去。

編註：本文原刊於《文壇》第十四號，一九六一年八月，頁三十七。

一粒微塵

詩人慣把眼睛喚作靈魂之窗。這兩扇晶瑩而又深邃的小窗，只要在人們有呼吸的日子，是那樣孜孜不倦地攝取大自然的美，來滋潤人的性靈。攝取書上的智慧，來豐富人的思想。攝取一切真和善的，來陶冶人的品性。攝取多采多姿的人間萬象，來渲染人的生活。因為靈魂之窗永明，人生才顯得生氣盎然，充滿光明。可是，僅僅由於一點小小的意外，我那靈魂之窗卻掩上了，封閉了，二十多天來，我的靈魂困陷在一片幽暗中，我的思想滯澀空虛，就如一團撥不開的濕霧，我的性情煩躁不安，我的心頭充滿鬱悶苦惱。而黑暗中的日子，一天就像有一年、一世紀那樣悠長。每天我緊閉著隱隱作痛的眼睛靠在躺椅上，臉上感覺到空氣的暖流，我知道這是個晴好的日子，但我看不見淡淡的浮雲，悠然飄過寶石一般澄藍的天空，蔥翠的樹梢，輕輕招展在清風中。鼻際送來陣陣幽香，我知道園裡我手植的花草綻放了，但我猜不透是玫瑰、茉莉、抑是晚香玉？還有那百合不知可曾凋謝，櫻草是否含苞？腳畔有毛茸茸的身體旋繞摩擦，我唯有靠手指的觸覺，才能分辨出那是小貓阿咪，還是狼狗娜娜。我不住縈念著枕畔那卷看了一半的《愛底尋求》，我更為塵封案頭那篇未完成的稿子乾著急，……只是為了那小小的一點意外，卻使我成了籠裡的困獸，無端囚繫了三個星期的黑牢。

造成這無妄之災的起因，是那天上午，我在小園裡鋤草除藤，正拉著纏在樹上的一簇野藤用力一扯，突然有什麼東西躥入我左眼角，痛不可忍。那時我兩手污黑，眼睛又痛得等不及讓淚水把髒物沖出來，只得舉起手臂輕輕一按，異物除去，眼睛一會兒也就不覺得痛了，我依舊繼續工作。直到當晚寫稿至夜深時，又覺得眼睛不大舒服。第二天有點紅腫，且流淚不止。我只得冒著炎日去請教眼科醫師。

就像小鎮上只有一條大街一樣，大街上也只有一家這樣的醫院。做為掛號、配藥、候診、診療以及私用飯廳、起居室的，是一大間屋子分隔成的，泥地、無窗，一張擺著些瓶瓶盒盒的五斗桌，旁邊一座臉盆架上淺淺的小半盆消毒水，這便是靈魂之窗的治療所在。醫生矮矮胖胖，短褲木屐，胖團團的臉，對招徠主顧似乎尚不失和藹。

診治結果，只說是眼角膜稍微受傷，我以為洗洗上點藥就好了。不想晚上一直隱隱作痛，第二天又更腫了些。醫生一看就先說我一定沒有好好愛護，以致角膜發炎，我也未予分辯。接著電療了兩天，按日點上他自配的眼藥水，眼角固然疼痛漸減，但在第四天上腫得更厲害了，眼球上還隆起一條。我惶惑地趕去請教醫生；他卻一口斷定我得了感冒，我猜他一定是由於我那輕微的咳嗽，那原是習慣性的，我立刻告訴他沒有得感冒。

「一定是感冒，」他不理會我的否認，頗有權威地說：「患感冒就最容易得上結膜炎。」

「結膜炎？」我感到十分驚異，「不是說角膜炎嗎？」

「在同一隻眼睛裡，角膜發炎當然亦會影響到結膜嘛。」他不耐煩地瞥了一眼，好像說連這樣簡單的定理都不懂。我原來還想問他幾個問題，繼而一想他是專門研究這一行，靠這一行吃飯的，我只要信任他的醫術就行了，又何必喋喋不休惹人厭煩？於是我平心靜氣地等醫生妙手回春。可是這結膜炎卻比角膜炎來勢兇猛，儘管天天冒著烈日跑醫院洗眼、上藥，卻越治越厲害，眼球從半圈腫成一圈，只剩中間的黑眼珠陷下，像一口井。上下眼皮腫得像杏子，連半邊臉頰，頸子，都渾成一氣了。終日淚水不停，痛苦不堪，而另外一隻眼睛竟也開始有點紅腫、流淚，那天我忍不住用埋怨的口氣跟醫生說：

「為什麼這眼睛不見減輕，倒反越治越壞了？」沒想到這句話衝犯了他，他馬上收斂了胖臉上的笑意，聲音也生硬了。

「你不懂！這是病理上的一種過程，就跟患百日咳一樣，一定要經過一百天，並且一定要咳得最厲害了才能慢慢好起來。」

「難道說用針藥治療都不能減輕嗎？」

「這種過濾性的病正是現在醫學界最傷腦筋的事。」醫生搖搖頭冷然地說，我第一次從他嘴裡聽到了「過濾性」這個名字。「你曉不曉科學越發達，病菌越猖狂。若發明一百種新的特效藥，就增加兩百種新的病。要不然世上那些不應該死的大人物生了病都不會死了。」

我聽他說得這麼嚴重，不禁為之悚然。

「那麼，照你說大概要多少時候才能痊好？這樣一天比一天厲害下去，最嚴重的結果，會不會瞎？」

「這個可不敢說，世上什麼事誰能夠寫保單？任何事情變化都是預料不到的。就拿戰爭來說吧。」醫生索性停下洗眼的工作，旁徵博引，越說越激昂，若不是眼睛一直在痛，閉著眼睛聽他的聲音，準以為是一位政論家之流在發表他的高論。「中國、美國，還有世界各國都有不少軍事專家，專門研究國際情勢。天天唱世界和平，不會有戰爭，可誰也沒有預測到第二次大戰爆發了。……」這時總算又來了另外一位病人，才打斷了他滔滔不絕的高論。他似乎很不甘心的把眼罩往我眼上一繃，站起來，我覺得有點恍恍惚惚，唯恐不能摸索回去，連忙拔步就走。不想剛走了兩步，陡然一聲孩子的哭叫在我腳後響起，一回頭只見那位醫生太太正從我背後抱起那在地上爬行的孩子，不住搓著他的手指，而夫婦倆全用眼狠狠地瞪著我，顯然是我無意中踩了他的手，我感到十分抱歉。實在因為我一隻眼貼了封條，一隻眼也模糊不清，且又是四百度的近視，但這能完全怪我嗎？

這天以後，我沒有再去領教這位醫生，倒不是怕他的詭辯妙論，而是我兩隻眼睛都封閉了，不得不由人伴送到鄰市一家以移植角膜馳名的眼科醫院去醫治。

今天，我那靈魂之窗總算重見天日，我第一次感到陽光特別璀璨，雲天特別明朗，母親的慈容特別慈祥，孩子的微笑特別甜蜜，連屋裡的一張畫、一隻小動物，室外的一株樹、一叢草，都特別的親切可愛，我不禁從心底發出歌頌、讚美和感恩！

總計這次傷目，除身體上熬受了二十多天的痛苦，物質精神上所蒙受的損失計：原來預備上台北開會訪友的計畫撤消，答應寫的幾篇文稿無法繳卷而致失信於友人，由於情緒惡劣，大大小小發了好幾次脾氣，既傷感情，又傷身體，少看一兩本好書，少寫一兩篇文章，少看一兩次好電影。還有，這以後也許有好些日子不能再夜寫夜讀，而這一切起因僅僅由於一粒微塵。

編註：本文原刊於《中央日報・副刊》，一九五八年六月十一日，第六版。

小花瓶

從日月潭回來，在我案頭又添置了一只精巧的小花瓶。

我親手挑選了這只花瓶，我又親自把它從幽邃的潭畔帶回家裡。瓶不過三寸高，是由一整塊木頭雕刻的，完全出自精細的手工，外面畫上一枝疏雅的寒梅，抹上一層淡黃的釉彩，玲瓏中透著一份古樸，雅趣盎然。

有時，我在瓶中供上三五朵摘自田野的小草花，有時，插上兩枝清松或鳳尾，但更多的時候，瓶裡是空空的。我不在乎它供花不供，只是喜歡它有靜靜的立在我案頭一角。從此，每當我從靈感的領域中神馳歸來，它彷彿忭然迎迓，當我文思滯澀，絞盡腦汁時，它似乎向我作無聲的慰勉，而當我筆耕到深更，夜闌人靜，萬籟闃寂，也唯有它，與我默默相對。

如果木石有情，我們之間便該建立了深深的默契。

今天早晨，我在整理書桌時，一不小心把花瓶撞倒地下。當它墜落下去的那一刹那，我的心竟被一份莫名的驚懼所緊緊的攫住，以致停止跳躍，花瓶砰然摔在地板上，我幾乎掩上眼睛不敢去看。但是，花瓶不僅沒有破碎，而且絲毫都不曾損壞。

我忘記了，它是木質的，是摔不碎的。

我拂拭掉花瓶上沾著的塵灰，也拭淨了掌心滲出的汗漬，但是，卻拂拭不掉從心坎底深處，勾引起另一只小花瓶的回憶：那已經是多麼悠久的一件往事！十多年時間的塵封，只無意的那麼輕輕一觸，便又浮現面前。

是的，在我記憶中，我曾有過一只那樣細緻，又那樣脆薄，像那青春的夢幻一樣易碎的小花瓶，那是我二十歲生日時收到的一件珍貴的禮物。

那天——我還清晰地記得那晴朗可愛的一天，他——花瓶的原主人——連同美麗的祝詞，獻給我一個長方的錦盒。我小心地解開緞帶，打開盒蓋，躺在紫紅絲絨墊上的，便是那只藍色的小花瓶。

噢，那真是一只精緻動人的花瓶！高亦不過三寸，淺藍色起碎紋的瓷底，藍得像是從晴朗的天壁上剜下一塊塑成的。瓶上盤繞著一條龍，還不及小指頭粗細，但張牙舞爪，鬚眉翹然，雕塑得真是栩栩如生。那極細極薄的瓷就像脆薄的雞蛋殼，指頭捏上去也只怕會捏碎。我反覆把玩，只覺愛不忍釋——他鄭重告我，那還是他先父在他小時在北平帶回給他的，他已珍藏了十幾年。

「那你豈不是割愛與我！」我笑著說。

「只要妳歡喜，那比我自己歡喜更使我高興。」他的神情證實了他說這話的誠摯，欣忭的美意使他年輕黝黑的臉神采煥發，就似春天的陽光使大地生氣盎然。

從此，美麗的小花瓶安置在我的案頭，比桌上那些屏風、玉兔、雕像之類的小擺設寵愛有加，而他來看我時總不忘記帶來三兩朵鮮豔的玫瑰，為我供奉在瓶裡。

玫瑰不只是花朵，它象徵著年輕人純真的愛情，它不只是供奉在案頭，而是供獻在一個少女初戀的聖壇。

每晚，我總愛靜靜地獨坐桌前，凝視著柔和的燈光籠罩下的花朵，編織那些屬於年輕人的幻想，做著那些屬於少女的綺夢。

二十歲，在那般懵懂而不可思議的年齡，那敏感的性靈最易於感受，也最執拗狷傲：那純真的心地最坦率明朗，也最任性驕矜。

也不知為一點什麼芥末的小事——誰記得清呢？也許是為爭論一件無關緊要的事，為辯駁一句毫不重要的話，年輕人總是不肯輕易服輸的，常常各持己見，悻悻而散。但往往也只等地球自轉上那麼半周，見面時又完全忘掉了，不存一點芥蒂——可是，那一天我卻例外地仍為上一天的爭論不釋於懷，偏他又遲遲未來講和，我坐在沙發裡翻了半天書，忽然不耐地順手將書往桌上一丟，書角只是那麼輕輕的一揮，桌角上那只小花瓶晃了一晃便墜落下去，我陡地跳起來，但一切都來不及了，只聽見清脆的一聲，我悚立著頓覺整個靈魂通過一陣顫慄，望著那堆碎瓷，那條龍的斷肢殘骸，我不禁打從心底深處恐懼地湧升起一種不吉的預兆，我感到我心裡也有點什麼東西碎了。

當我懷著悲哀的心情剛把碎瓷片拾起來裝進一只信袋，便聽見了樓梯上熟悉的腳聲，像平常一樣輕捷、迅速。我連忙把信袋藏在沙發墊下，自己便坐在沙發裡，隨手撈起一本書來看。

「妳把花瓶擱在哪裡？」他攜來一小束玫瑰，一進來便到處尋找花瓶，永遠是那樣平靜，而愉快的聲音。

「摔破了！」我頭也不抬地回答，聲音是淡漠的，雖然一面在用力咬著嘴唇。

他似乎受了一震，我瞥見他握著花的手軟垂下來，眼睛失去了光彩，臉上愉快的神情像陽光被一片雲翳所遮掩。

「那是？……」他困惑地望著我問了半句又噤住了，只是嘴唇微微顫抖著。我知道他在猜疑是否我故意摔了。但我埋首書裡，沒有加以解釋。一時，彼此都落入沉默中。

那種可怕而令人窒息的沉默，現在想起來仍使我難受——在那時只要一句話，一句簡單的話，便可以使一切冰釋。但沉默的壓力卻越來越重，兩人亦越來越失去了啟唇的力量。而胸頭卻窒悶得想爆裂，我曾恐懼地想起才從書裡看到的一段：「在靜默中愛情會分離，人會像星球般各走各的軌道，深入到黑暗中去……」而黑暗卻已橫亙在我們中間，他忍受不住那沉重的壓力，最後終於黯然離去了。

我扔下書本，悄然環顧室內，燈光彷彿不再那麼柔和，綠窗似乎不再那麼幽美；桌上，那束他攜來的，象徵著愛情的花朵，被棄置在一角，正逐漸憔悴萎謝——我不由自主地伸手到墊子底下，正觸到那包破碎的瓷片。

就像世上沒有任何權力，能追回已逝去的光陰一般，也不會有什麼神蹟，能使破碎的事物再完整無缺。

一粒粒細沙可以積成沙漠，一點點誤會足以改變人生。

時間已沖淡了我對那只細緻脆薄的瓷花瓶的悼惜和懷念，如今，我十分喜歡我又擁有這只楠木雕刻的小花瓶——那些愛幻想，做綺夢的時代已隨瓷花瓶逝去，而它是堅實牢固，代表某一種顛撲不破的現實，堅貞不移的感情，朝夕與我相對。

編註：本文原刊於《復興文藝》創刊號，一九五六年十二月，頁十四～十五。

曇花開的晚上

今夜，微風、細雨，涼透紗窗，略有些兒秋意。今夜，天上沒有星光，園中不聞蟲鳴，是個沉靜而岑寂的夜。但寂寞中我有慰藉，因盼待中的第一株曇花，終將在今宵綻放。

造化施惠萬物，連最微小的生命也不忽略。當恬恬第一個發現曇花有蓓蕾時，只有米粒那般大小、嵌在寬厚的葉子邊緣一處齒形的缺罅裡；那片葉子，還是上次被貓狗追逐時踏斷了僅存的一片，一直冷落在花壇一角，孤零零隨風搖曳，不想居然也孕育了花苞。那纖細的綠色米粒，不二天就變成了花生米，由一根彎彎的嫩莖托著；再一天成了橄欖，成了……噢，我想不出什麼恰當的譬喻，它幾乎無時無刻不在長大換形。當我昨天把它端進屋子來時，有一顆小芒果那麼大了，懸宕在彎而長的莖上，無風自盪，搖搖欲墜，彷彿不勝負載。今天黃昏，眼看那一根根護在外面的花萼先已舒展，蓓蕾昂然翹揚，巍顫顫欲放還斂，我小心地安置它在桌子中央，只等待生命展露它神祕與美妙的那一刻來到。

八點鐘——白天的煩囂都已成為過去，一切靜下來了。她們都在內室休息，獨我和恬恬分坐桌畔。她推開了她的功課，我打開我的書卷——在這寧靜的夜，恬淡的氣氛中，對著高雅的名花，我沒有看長篇累牘的論文，那太笨重了；也沒有看談情說愛的小說，那嫌庸俗了；這是一冊富啟發性、且蘊含人生哲理的小書。書中散溢出智慧的光輝，照耀著讀者的心靈。我喜歡默誦其中一段——

人類靈魂最高的幸福，是他的寧靜。

在寧靜中，你的思想情緒，在他的自身安住。

在寧靜中，你的性靈生活，在默默的生息。

在寧靜中，你的精神，在潛移默運，繼續的充實他自己。

在寧靜中，你的人格之各部交互滲融，凝而為一以表現於你自己心靈之鏡中，而你的心靈之鏡光，能自相映射。

……

「姆媽，曇花開了妳都不看！」恬恬一聲驚喜的叫喚，喚回我神遊的心。忙抬眼，只見原先抿合得緊緊的尖端，已微微啟開露出一圈潔白的花瓣，圈成鈕扣那麼大一個圓圈，宛如嬌憨的嬰兒，翹起她嫩多多、香馥馥的小嘴，那樣柔潤，又那麼逗人愛，給人有親一親她的欲望……

「我可不可以吻吻她？」恬恬諦視著曇花，眼睛發亮。

「不可以。」我說：「人的俗氣會玷薰了它。」

但是，我們還是忍不住一個一個俯下頭去，把鼻尖貼近花瓣，深深地吸了它吐出來的幽香。

九點鐘——輕輕地、怯怯地、幾乎是肉眼看不見的，花蕾一直在不停地展開，彷彿一位睡眼惺忪的少女，那一排秀長鬱密的睫毛不住閃動，突然，一陣顫抖，瑩光閃閃，一束潔白纖細的花心，盈盈探首花外，象牙刻的沒有那樣精緻光潤，白玉雕的不及那樣玲瓏透剔，這小小的花心宛如花兒的觸角，先向這世界試探：似乎滿意了這清靜安謐的氣氛，這不冷不熱的溫度，於是，圍在花心四周的花瓣，又嬌怯地展開了些，像那嫣然的笑靨。

「黃昏了，是繁花合攏花瓣的時候了。」而在這清靜的夜，曇花卻正在吐蕊盛放。開在黑夜中的花，是要與月亮一比皎潔麼！

十點一刻——時間之流默默地滾去，受它灌溉的生命悄悄醞釀著美和芬芳，那一片片相疊相扣、密切偎依的花瓣，猶如蝴蝶展翅，看似怯生生嬌柔無力，輕俏俏半啟猶闔，盈盈綻放時，真個是冰肌雪膚，粉裝玉塑，光華四射，一時連燈光也黯淡失色。玉瓣展處，中央赫然湧出一簇黃燦燦的花蕊，每一莖像一個金色的音符，整齊的排成一行一列，奏著欣悅的生之樂章。

恬恬堅持著要守著花開完，但小小身心終抵敵不住一天的疲困，明澈的眸子如蚌殼般慢慢掩闔，短髮因頭部低俯，披拂到微酡的頰旁。我輕輕撼著她的肩敦促她說：「曇花現在剛盛開，妳已看到最美的一刻，不必再等它萎謝。」

起居室內只剩下我一個人，一燈如水，獨對孤芳。窗外，細雨灑落芭蕉，風捲起榕葉，似乎秋意更深。

十一點半——夜闌人靜，自覺心靈瑩潔無垢，思想澄清如洗。室內心中，瀰漫閃耀的唯有幽香花影。玉翅般的曇花瓣現已完全展開，凝視中，恍惚心靈與外境之間，漸漸起了陣朦朧的輕霧，身外的世界逐漸離我淡去遠去，花我共處，渾不知是我投身花中，抑是花融滲入我心內——光影若然一閃，霧漸散去，燈光掩映下，花兒卻更煥發、更璀璨了。

我若有所悟，依稀記起一句不知從何掇拾來的斷句：

一片花影，將引起你眼淚不能表達的深思。

十二點——曇花仍然盛開著，夜更深靜，也更涼沁。倦意爬上我的眼簾，揮拂不去。只得掩卷起立，閉上窗子，熄了燈亮，默默地向花兒道了「晚安」，悄然退出室外。走到門口，不由得又留戀地盼顧了最後一眼，只見幽暗中依然閃耀著一團白皚皚的花影。噢，是了，它不會因為無人欣賞而減損它的美麗芬芳。

當我不識曇花以前，只知曇花總是用來形容生命的短促和事物的容易幻滅。如今我認識了它——從吐蕾、含苞以至盛開，卻並不感到它生命的匆遽。所有的生命不問存在的時間短長，而在它有無顯示；沒有顯示的生命再長也不過是一片空白，而曇花在它短短的開放時間，已顯示了純淨的美，和生命無比的璀璨。這美和璀璨，留給人的印象，豈不是永久的麼！

今夜，夢中將擁有花影幽馥，伴我到天明。

編註：本文原刊於《中央日報・副刊》，一九五九年十一月三日，第七版。

窗前

窗子對於一幢房屋，猶如眼睛對於一個人。當我懂得用那靈魂之窗去觀看事物時，也就喜歡憑倚窗前遠眺近矚，或默坐窗口，沉思遐想。敞開的窗，把磚和瓦所隔絕了的空氣、陽光、天宇的美景，仍給予人們；敞開的窗，對一個終日生活在屋子裡的人，是一種神智上的澄清，一種性靈上的解脫，也是一種生命力的喚醒。

我住過有著明瓦窗的屋子，那是在故鄉的老宅裡，明瓦不透明，光線透過時顯出一種朦朧的美，小時候，我總喜歡睜著眼睛躺在雕花紅木牀上，隔著帳子望著那片朦朧編織童年的幻想，一直等外婆起來推開那一排長窗，陽光和清新的空氣直湧進屋子，湧到牀前，我才捨得起身。我住過只有一扇小窗的屋子，那是在避難的時候，小小農舍，那唯一射入光線來的窗子卻開得很高很高。寬不及二尺見方，倒釘滿了一寸粗細的木條，使人感到如被囚禁，心裡不由得產生一種將奪去自由的窒悶和惶恐，而終日杌隉不安。我也住過有著軒朗長窗的樓房，仰觀雲天星辰，俯瞰大地萬物，只覺得心胸豁達，常常保持一份超然物外的襟懷。而如今，我高興我住的小室三面有著窗子；早晨，我打開東窗，迎入朝陽。傍晚，我從西窗欣賞滿天彩霞，輕柔的和風挾著幽幽的清香，更不斷地從南窗送進房內。一天中，我總有大半天坐在窗前。

我愛靜坐窗前，對著窗子靜靜地運用思想，培養靈感。也喜歡看看窗外小園的景色，和矮籬外往來的形形色色的人物。

當我填那些無窮的格子填得眼睛瘦了，手倦了，我便抬起頭來把視線投向窗外。窗外，小園裡嬌小的剪春蘿一批開過萎謝了，又一批綻開，悄悄地也不知剪去了多少春光夢意；那到處蔓延的牽牛藤，卻越開越生氣蓬勃，一清早便在陽光下豎起數不清的紫喇叭，吹奏著新聲的樂章，只有小小的黃蝴蝶是它的知音，優雅地斂起雙翅歇下來聆聽它奏些什麼；蜜蜂卻似個沒有耐心的批評家，碰碰這朵，拉拉那朵，一面不停地飛，一面不停地唱。忽然，一莖長長的青草，飄過窗前，墜落在地上，噢，老榕樹上怎會落下草來呢？只聞「吱唧」一聲，一隻頭上一撮白羽毛的小鳥正從枝梢振翼飛去，不一會，當牠再回來時，嘴裡又啣了一莖有牠身子三倍長的青草，這次可沒有掉下來，被小心地噙著攢進了枝葉茂密處。原來牠正在築窠哩，一次又一次，往返不停，據我所知這附近就沒有這樣長的青草，不知牠是從多遠的野地拔來的，多麼辛勞的工作！這便是生命，一些微小的，柔弱的，但欣欣向榮的生命。等我再俯向我的格子，我感到我的眼睛舒爽明澈，而筆底下也比較潤滑了。

當我感到缺乏靈感，文思枯澀時，我便舉起眼睛，望向窗外，越過那道綠色的矮籬，我看見小學生們矯捷的身影掠過，一路散揚著他們活潑的笑語爭論，如同溪流映著陽光匆忙而愉快地躍進。賣菜的載負著滿滿一籮蔬菜叫賣，翡翠一般碧綠的青菜，瑪瑙一般紅色的番茄，玉一般潔白的蘿蔔，象牙雕刻般精緻的菜花，還有嫣紫的茄子……竟是一籮鮮明的色的總匯！賣大餅饅頭的瘸了一條腿，但他的叫賣聲卻比誰都嘹亮起勁；收賣破爛的孩子們倒像是結隊去旅行的一群，叫一聲「破銅爛鐵舊報紙」，接上便大唱其收音機裡聽來的流行歌曲。主婦們結伴從市場採辦回來，左手挽一籃，右手提一捆，她們以全副心力所選購配備的，正是一家大小的營養健康。綠衣使者總是那麼匆忙地來去，為每一家分送友誼的溫暖，親人的鼓勵，旅人的行蹤，和新的書報。一個蒙面女郎拿著一支棍子，從容不迫地在路畔的樹上敲敲勾勾，又在地上抓抓拾拾，那些枯枝殘梗，該是她回家生炊最好的燃料。三兩牧童趕著群耕牛，佩鈴一路響叮噹，牛一邊走一邊悠閒地啃著路旁的青草，牧童捉對兒便在草地上摔角打滾。這些都是生活，多麼單純、樸質，而又孜孜不倦的生活。我感到靈感如天邊一注看不見的泉水，直注入我心中，心靈之杯注滿而外溢。

有了窗，住在屋子裡的人是不會太寂寞的。有了窗，生活便不止只局促於低矮的屋簷下，那自然的一角，那人間的萬象，展現在敞開的窗前，只待你去瀏覽、觀察、領略、欣賞。想想那總是關著窗在屋子裡做夢，在屋子裡愁悶，在屋子裡煩惱的人。想想那只把眼睛盯在公文堆裡，盯在書本子裡，盯在瑣碎的家事中，盯在牌桌上的人，不有點傻，不有點可憐麼？

為什麼不盡量地，盡量地敞開窗子，多放陽光和空氣進來，多看看窗外的一切，如同敞開靈魂的窗子，多觀察和領略這如此豐富繁複的世界？

此刻，夜已漸深，夜寒侵入，我猶兀坐窗前，但窗外有風雨。雨絲如冷霧，飄進窗口，沾上我的臉頰，我只得暫且關上窗子，並把沉鬱疲倦都關在窗外，而明天，明天清早我又將敞開所有的窗子，迎來一天燦爛的晨曦！

編註：本文原刊於《亞洲文學》第七期，一九六〇年四月，頁二十九～三十。

乍晴

連綿不斷地下了好幾天雨，人就像三伏天融了的一截蠟燭，軟黏黏地萎縮在抽屜角落。這一會雨後新晴，窗和門都被打開了，迎接著涼爽的風和清新的空氣：小鳥們歡欣地在空中穿梭來去，是在晾曬牠們受潮的羽毛哩，受潮的心靈，乃也有了動的欲念。

「去散散步吧！」幾乎是同時說出了口，誰提議的，反正都一樣。泥土還是潤濕的，路上的石子卻洗得光滑潔淨，樹木更顯得青翠欲滴。陽光淡淡約約，若隱若現。涼沁的清風迎面來，拂除了心頭的積鬱。我深深地呼吸著，彷彿自己便是路畔的一株樹，經過洗滌，舒展在田野中。

順著腳步，我們又來到溪旁、來到橋上。這原是我熟稔的地方，但這一刻卻有陌生的感覺；溪身驟然寬闊了許多，沒有了淺淺的沙灘上的鴨柵，養鴨人的小茅屋卻似隱士的深居般包圍在綠竹叢中；兩岸平添了如許的綠，顯得幽深無比；平日潺湲清澈的小溪，已成為滾滾濁流，奔騰躍進。

佇立橋上，凝望著急湍從腳底下奔流過去，不禁微微感到暈眩，恍惚橋也在浮動，人也在浮動。水聲譁譁不絕，似反覆合奏著一個旋律，使我記起了一支悲壯的老歌，那是歌頌那條載負著歷史的憂鬱的黃河之歌。如今，那古老的河，不知是在怒吼還是在悲鳴。

橋堍圍聚了三五個孩子和閒人，正在看一個年輕人捕魚。那人穿了雙高統膠靴，束住了褲腳站在濕泥上，把一張漁網撒在激流中；不一會便又舉了起來，網裡除了兩叢糾結著的水草，再無一條小魚或一隻小蝦。似這般重複了四五次，那人微感失望地穿過橋洞，又換了一個地點撒網，每一次落空都使他撒網的時間短促頻繁，然而，舉起來的網還是空空。

空空的網，多麼使人失望。

「不看了吧，老是空網多洩氣。」我離開了橋欄。

「要是每一網都有捕獲，又哪來的希望和期待？」

「可是這傻瓜太無耐心了，就不會多等一下。」緩緩地下了橋，那空網的惆悵卻一直縈繞在我腦中。每個人一生不總亦在生命之流中辛勤撒網麼？也常常不知道要網的是什麼，又曾網到了些什麼？誰又載滿了，誰又兩手空空……

「噢，這裡也有人在釣魚。」

那是溪流比較隱僻的一角，雜樹叢生，水草沒脛，一個中年漢子背靠著樹幹，笠帽半遮臉，手裡執著根細長釣魚竿伸向河心。他保持著一個舒適的姿勢一動不動地靠在那裡，靜靜地凝注著水流，神態悠閒自在，不像在等魚上鉤，倒像在那裡欣賞水勢。

我們站在岸上看了半天，他只拉起過一次漁竿。這以後，又癡等了好一會，始終不見他再舉第二次，只由得那根細細的釣魚絲，被水沖得載浮載沉，搖曳不定。

「這個人，怎麼半天都懶得拉竿！」

「嚇，剛才嫌人家收網太快，現在卻又說人家拉得遲緩。」

「有沒有上鉤，總要看看嘛。」

「那才是只為垂釣而垂釣，有人說學習釣魚是一種藝術，一種修養。」

我移動一下站得有點發痠的腳，腳畔有顆小石子，順腳輕輕一踢，石子滾下坡岸，驚起了藏在草裡的一隻青蛙，幾乎同時跳落水裡；石子沉下，青蛙復又竄上，激起兩個漩渦，很快又消滅了。

看釣魚人時，依舊怡然自得地靠在那裡注視流水。而那持重安詳、那默默無言中，彷彿有一種感染力，使旁觀的人也逐漸地感到心平氣和——

「該走了罷！」

「不等他釣上一尾魚麼？」

「他已經釣到了。」

「瞎說！明明釣竿都不曾舉過。」

「他釣到的比魚更可貴。那是心的寧靜、安詳、忍耐……」

離開了岸邊，還不由得又一次回頭，望一眼湍急的水流，幽深的綠蔭，還有那凝重的身影。

橋墩不遠便是一家花圃，平時我常在那裡買一點插瓶的花。但當我隔著綠籬向內探望時，卻見滿園殘紅零瓣，婉轉墜落污泥，情景煞是淒涼。是雨水的潤澤，使花朵開放得鮮妍；也是雨水的摧殘，使它夭殤萎落，自然，只要陽光再度照臨，花朵又將迅速地結蕾綻放；可是，我雙手空空，彷彿缺少了點什麼，只顧低頭尋路……忽然，眼前那麼一亮，在路畔厚密的仙人掌下，奇蹟般出現了一叢可愛的小花。我不禁停下腳步，望望天空，看看小花，懷疑是誰敲下晴天的一角揉著白雲融成的，幾時又曾見過這樣蔚藍色的花朵？

小小的花朵看來那樣纖弱、柔美，卻又生意盎然。欣賞半晌，我脈脈地摘下了頂上的一朵。

「你正怨沒花插瓶，採一束回去供養不好麼？」

「不。我不忍把這樣嬌柔的花摘下來插在瓶裡，那樣，明朝就會謝的。我只要這一朵，做成標本，夾在書裡或壓到玻璃板下，每當我忘情於那灰黑色的字群中時，它會悄悄地提醒我外面的大自然多美，告訴我晴朗的藍天又多麼可愛。」

「唔，」他微笑諦視，「那算是你撒網的收穫還是垂釣所得？」

「你說呢？」

誰也沒說，因為雨又開始下了，涼涼的、輕輕的，像鵝毛拭臉，有趣得很。不一會便像米，像綠豆……沾在睫毛上，落在嘴唇上，田野的景色逐漸朦朧，似罩上一重輕紗。我只小心地捧著那朵藍色的小花，一路穿過越織越密的雨的簾子，待把晴天的象徵帶回家去。

編註：本文原刊於《中央日報・副刊》，一九六〇年七月十四日，第七版。

初航

——致小鳥

當一雙矯捷的翼影倏忽掠過窗前，當妳的雙親在籠裡啾啾唧唧，不住地呼喚，當孩子稚嫩的上嗓音輕唱著：太陽下去明朝依舊爬上來，花兒謝了明年依舊一樣的開，美麗小鳥飛去不回來……我總不由得憮然惦念起妳：我的伶俐可愛的小鳥。這時，妳在何處覓食？何處棲息？無限的蒼穹，廣袤的世界，妳那剛長滿羽毛的雙翅，是否能自由翱翔，縱橫天空？晚風寒冷，夜露深重，妳又從何使妳那如此嬌小的身軀獲得溫暖，獲得庇護？求獨立而生存，在妳實在太早太小了。萬一因此遭遇不幸，我咎無可辭，將永遠不能饒恕自己的疏忽。

記得妳的來臨，原是我早在盼待著的，而妳的能夠健朗的活起來，生存到今天，卻近於奇蹟。妳母親從開始下蛋時起，五個一窩，七個一窩，也不知下了多少窩蛋，極難得有小鳥孵出來。偶然孵出了那麼一隻，在窩裡微弱地叫了兩三天，便又復歸於沉寂了。最後從破碎的蛋殼堆裡掂出來是已經僵冷了的小屍體。後來，妳被孵出來了。就同妳那些殀殤的哥哥姊姊一樣：以微弱的聲音顯示出妳的存在。每當妳半天沒有動靜，我們便忍不住猜疑著：

「恐怕小鳥又死了。」但不一會妳就用妳微弱而執拗的聲音推翻了這個不吉利的猜疑。妳不僅始終不甘沉寂，啼的聲音反一天比一天響亮，有力，充滿了對生的渴念、需求，只見妳那辛勤的小母親為了滿足妳，使妳安靜，忙碌地飛出飛進，從食缸裡拚命吞下大量的粟米，馬上又回到窩裡去餵妳，整天陪著妳，卻把妳父親冷落在一邊，再也無暇理會。

起初，由於迷信一個傳說：說是如果有人偷窺或移動了小鳥，母鳥便會一怒而將小鳥喙死。因此我一直捺住要看看妳的念頭，不敢輕易叩開那緊閉著的閨門。直到聽見妳越來越強的啼聲，不像能被妳母親喙得死了，那天我再也忍不住把妳從妳那黑沉沉的小窩裡輕輕地抱了出來。第一次看見妳的小模樣真是有趣得很！妳的身子已經有妳母親那麼大，比妳母親還要胖。但全身卻只披著一層軟軟的，短短的白色絨毛，摻雜著一根根硬而粗的毛管。身子還站立不直，瞪著黑亮的圓眼睛，傻楞楞地俯伏在我手心裡。也許不習慣太亮的光線，小頭直往指縫裡鑽，卻一點都不怕人。慢慢地，習慣了一些，妳總喜歡用妳那短短的小喙，輕輕地喙著人的手指、鼻子、臉頰，搔得人癢酥酥的，忍不住要笑。

從那時起，妳可長得真快，三天一換眼，兩天一變新，妳的羽毛很快就長出來了，不是像妳母親那種翠綠色，而是像妳父親的嫩黃。比牠還要淺，也更光澤。除了尾巴沒有他們那麼長，喙要短些，妳已經是一隻嬌小、美麗的石鸚鵡了。妳是一隻很乖，很聽話，但也很好奇的小鸚鵡，當妳纖細的腿腳剛剛能夠爬時，妳便沿著窩裡的板壁爬到上一層，這在妳也許是一趟很艱辛的行程，但妳看來十分高興這嘗試，不聲不響地，妳把圓圓的頭從那圓洞裡鑽了出來，外面的世界在妳看來是多麼廣大，多麼明亮，又多麼新奇！妳睜大了那雙比妳父母都美麗的大眼睛，東張張，西望望，喉嚨頭發出短促的歡樂的喚聲。但是，妳那嚴厲的母親卻管得妳很緊，她只要一看見妳探出頭來，便慌忙離開食缸，飛上去一頭把妳推進窩裡，又一轉身趕走靠在窩傍好奇的打量著妳的父親——妳父親從未盡過一點哺育妳的責任，也從未看見過妳，因為妳那過於小心又愛猜疑的母親，似乎一直都對他具有戒心，唯恐他會傷害妳，不僅不准他同妳接近，連靠近了看看妳，向妳說一句話都不被允許。而妳，天真稚氣的妳卻不關心這些，只待妳母親一轉身，妳又悄悄地從洞裡探出頭來，東張張，西望望，愉快地用小嘴喙喙木頭，喙喙釘子。妳人小心大，早就急著想到外面來見識見識這世界，但不知是由於妳太胖了，抑是還不曾學會妳母親那副靈活的身手，看妳盡在洞門口費盡氣力擠軋上半天，身子卻依舊留在裡面。有一次，好不容易居然被妳擠了出來，妳那嬌憨的小樣兒可真高興極了，撲撲翅膀，理理羽毛，大有振翼欲飛的神姿。可是，樂極生悲，妳母親像個煞神般驀地衝到妳面前，一面厲聲叱責，一面狠狠地向妳沒頭沒臉的亂喙，可憐的妳又痛又怕，慌張地朝洞裡竄時，迫切間偏又夾了一支翅膀在外面，越是發急越是收不攏，直痛得妳不住哀號慘啼。妳母親卻並不因此放鬆她的鞭笞，經過這一次懲罰，妳有一整天沒敢露面，只是縮在窩裡，聲聲寂寞而又悲哀地叫著。

妳那小小的心靈，也許這是第一次感到困惑，感到迷茫和模糊的哀愁。

可是，曾幾何時，有一天當我清除妳們的屋子時，發現裡面不是一黃一綠妳的雙親，而是兩隻黃的——妳與妳父親。妳蹣跚地躑躅在地下，聚精會神地從排洩物和粟米殼堆中找尋掉出來的粟米。找到一顆，便放在嘴裡左磨右磨，好半天才能磨掉殼吞下去。妳們那小窩的門開了一條縫，我猜一定是妳推開了門跌落下來的，奇怪的是妳母親怎麼獨自躲在窩裡不來管妳。我把妳送回去，又把門關好，不想隔不了多久，又恢復了原狀，一直到天黑了，妳才不再出來，我還以為是妳頑皮淘氣哩。可是第二天還是這樣。只是妳在外面，卻少見妳母親，妳還是不太會自己用小嘴喙食那粗糙的粟米。但妳卻已經學會了使用爪子，好幾次妳試著慢慢地從鐵絲網上爬上去，爬到近窩邊時那麼小心翼翼的一跳，居然就落在洞口的跳板上。於是，嬌憨的妳帶著那種完成了一樁大事的、勝利的姿態，悠然整理著羽毛。猝不防妳母親從裡面衝出來，又是一頓狠罵，不僅阻擋在洞口，不准妳進窩，連跳板上也不許妳站，硬把妳給喙了下來。幼小無知的妳又只能在角落裡發出不平的哀鳴，妳那小小的心靈一定感到茫然而又激憤，為什麼一樣的責罰卻施在兩樁絕對相反的行為上，以前是不許出來，如今又是不准進去。天慢慢地黑了，妳那弱小的身軀似乎敵不住寒冷的侵襲，需要母親的體溫來烘暖，妳怕那空曠陌生顯得黑暗無邊的新地方，需要母親的雙翼保護，終於，妳鼓起了勇氣，忍住雨點般的喙，奪路進了窩——那個妳認為世上最安全溫暖的處所。而妳也由此開始捱受了妳最大的災難，當妳母親尾隨著妳追進去的一瞬間，便只聽見妳發出絕望的呼痛聲，一聲比一聲慘厲，和掙扎追逐的混亂聲，顯然妳母親正拚命地在啄妳，在那樣小的地方，逃避和躲閃都是不可能的，大概等妳母親自己疲累了，才停止這痛毆。讓妳撫著創痛睡去。第二天早晨一早我就看見了妳，妳又寂寞地在糞殼堆裡尋食充飢，而妳那剛長出羽毛的頭上卻禿了一塊，露出嫩紅的皮肉，隱隱的血痕，是妳那狠心的母親給妳的愛撫。

我為妳感到難過，也為妳感到氣憤，妳那疼愛妳的母親怎能一變而如此狠心！我掀開了小窩的門，妳母親驚惶地飛出來，啊！原來她身體底下又孵了一隻小蛋，她又在為妳添弟弟妹妹了。為了保護這些如此脆弱的蛋，她不得不狠心驅逐妳，要妳自己求獨立生存。

但幼小的妳也許不懂這些，妳只知道一直疼愛妳的母親突然間變得這樣狠心，這樣無情，妳那在溫室中孵育出來的小心靈無法適應這變化，妳的悲憤更無處發洩，於是，妳也變了。在那些黯淡愁慘的日子裡，妳變得乖戾、蠻橫、執拗和自暴自棄。妳不吃不喝，成天就抓住鐵絲網用小嘴拚死勁地啄著，把懸在網上的水缸裡的水潑光，食缸裡的米撒完。妳母親出來叱責妳，妳父親設法阻止妳，妳全不理會，妳是近於瘋狂，執拗地啄著。每當妳啄累了，停下來喘息時，便側著臉貼在鐵絲網上，從網孔裡向外面廣大的世界探視。妳那黑亮的圓眼睛反映著窗外的藍天，白雲和綠樹，閃熠著那樣強烈的渴望，接著，似乎妳從那渴望中產生了新的力量，更用力地啄著鐵絲網，恨不得毀掉那囚禁妳的樊籠，好讓妳衝入廣大自由的天地，而妳在那時，翅膀還長得不夠硬朗哩，可別提飛了。

在那一段慘澹的日子裡，白天，妳徒然地消耗精力於瘋狂的掙扎上，晚上，照例被妳母親痛喙一頓睡覺。妳那小小的頭頂幾乎全禿了，而妳還是那樣執拗地留戀著窩裡的溫暖和安全，寧可捱受著被喙的痛苦，卻不願嘗試像妳父親一般宿在外面。正當我動腦筋預備另外給妳造個窩時，那一天妳意外的顯得特別安靜，不是在喙鐵絲網，而是站在木架上，身軀緊靠著窩的板壁，微側著頭，屏息凝神，似乎有一件新鮮的事情吸引著妳，黏住了妳的注意力。我留心一聽，立刻便聽見了很微弱的「吱吱」聲從窩裡傳出來，原來不知是妳的弟弟，或妹妹誕生了。我不禁又為那比妳荏弱的小生命擔起憂來，如果像平常一樣，妳們母女倆在窩裡亂撲亂打的追逐一頓，那小生命可就完結了。但是，我這份擔心卻成了杞人之憂，妳究竟是懂事的，那一天，一直到晚上，妳似乎都沒有進窩的意思。妳只是歇一會便去窩邊好奇的傾聽著，等倦了、睏了，便自己乖乖的傍著妳父親，棲息在木架上。這是妳第一次聽妳父親的話，也是第一次宿在架子上，忽然間，我覺得妳長大了。

自從妳做了姊姊以後（雖然妳那未見面的弟妹還是殀逝了），確實慢慢地變得溫馴、安靜起來。妳與妳那陌生的父親也逐漸熟悉而肯聽他的話，接受他的關照和愛護，妳學著他從食缸裡取食，從水池裡飲水，從烏骨上吸取鈣質幫助妳骨骼的成長。妳在架上跳上跳下，身翅敏捷，動作優美而又靈活，妳在架上小憩，亭亭玉立，顧盼自得。妳略試歌喉，清脆婉轉，悠揚悅耳，妳一天比一天長得豐滿，美麗，我為妳感到欣慰，但也有點悲哀，因為妳長大就慢慢對我疏遠了。

是的，妳從小就不像妳父母那份癖性，永遠把小心照料他的人類當作仇敵，妳熱愛自由，妳也懂得喜歡那喜歡妳的人，妳坦率、熱情、天真，不知道什麼是猜忌、妨嫌，當我向妳伸出友善的手時，妳毫不考慮的欣然接受了。我每次送食送水到籠子裡去，妳總是跳在我手上，妳也願意乖乖地伏在我掌心裡，讓我輕輕地撫摸妳光滑的羽毛，妳可愛的小腳在我手心裡搔癢著，就像雞搔泥土一樣，當妳母親毀打的那些日子，妳更是一見我伸手進去，便忙不迭跳到我手上沿著手腕想要擠出門旁的空隙。等我手抽出來了半天，妳還在紗門口徘徊等待，彷彿在祈求我援救妳出來。儘管妳父母三番四次嚴重的警告妳，不許妳同人接近，甚至當妳站在我手上時硬把妳喙下來一頓撻責，妳卻全不作理會。妳那時信賴我勝於妳那嚴厲的母親和尚未產生感情的父親。但是，就在妳做了姊姊，變得懂事了的時候，妳一定是聽了妳父親的教唆，跟我疏遠了。接著不僅不自動跳到我手上來，有時也像妳父親那樣到處躲躲閃閃避開。或者喙我兩口，自然，喙得並不痛，卻並不是過去那種友善的親暱。那天，我把妳們的食缸加滿了送進籠裡，正站在架上整理羽毛的妳，馬上又預備躲開，我一把捉住了妳，也許是我的動作太魯莽了些，也許是妳苦心孤詣，乘隙脫逃。當我的手剛離開籠門，只那麼輕輕地一掙扎，妳已像一條魚般滑出手中，振翼凌空，在空中劃了半個弧形，便倏地飛出洞開著的窗戶，杳無影蹤。發生這一切，僅僅是一瞬眼的辰光，妳飛出去似乎並未在窗外的樹上停留，便直上雲霄，當然，妳也不會聽見妳父母悲痛地呼喊妳的聲音，那時妳猛然投入強烈的陽光中，衝入流暢的大氣裡，一定只有那種近於暈眩的、沉醉的感覺，而滿心充溢了驚喜、亢奮，用高興的顫抖的聲音低低歡呼：「噢！這便是自由，我終於獲得了我嚮往著的，可貴的自由！世界多美，生命又多可愛！」妳就預備這麼永遠不停地飛、飛、飛……

但是，勇敢的小鳥，妳也許不清楚妳們這一族的身世和歷史，從妳好幾代祖先起，便一直被人類豢養著。雖然也有翅翼，卻從未接受過訓練，更缺少運用的機會。妳們需要的食糧，一直是人類為妳們預備妥當，自己從未為著一粒米一滴水，到處去奔波尋覓，人類更替妳們安排下棲息之所，雖然不夠寬敞，卻安全、溫暖，不必擔心風雨的凌虐，和敵人的襲擊。而妳，自小便生長在這樣的環境裡，大概妳不會知道在外面的世界生存必須競爭，自由要經過考驗，如今，我唯有祝福妳有足夠的勇氣和機智，來應付這一場艱辛的搏鬥，有更大的忍耐和毅力，通過那一場嚴格的考驗，創造妳光輝美麗的新生命！

可愛的小鳥：這裡的窗門永遠為妳開著，食缸裡始終為妳預備下清水和粟米，無論何時，當妳在搏鬥中感到倦累時，當妳懷念起舊日的溫情、慈愛，歡迎妳隨時歸來！妳可以稍事憩息，也可以重溫親情。

祝福妳：願幸運之神一路庇祐妳，光輝妳生命的旅程！

編註：本文原刊於《中國一周》第四一五期，一九五八年四月七日，頁十九～二十。

表演者

在報紙一角不為人注意的地方消息中，看到這麼一小段通訊：說是有人攜海豹一隻，在該鄉表演，很受觀眾歡迎云云。我的記憶之弦被這寥寥數句輕輕撥動，忽然那些小小的鉛字在我凝視下蠕動起來，像一池平靜的水被一片落葉激起微微的漣漪，晃動不停。待漸漸平復時，卻凝聚成一雙又圓又大，漆黑發亮的眼睛。正憨然向我諦視。憂愁而又迷惘的眼神，為輕霧一般的倦意掩映，似蘊有無限衷曲……。再一晃，眼睛隱沒了，仍是一堆無生命的鉛字，楞楞地在紙上堆砌著。

這是屬於一隻海豹的眼睛。如果我推測不錯的話，正是那隻報載在各地巡迴表演的海豹。我曾經看過不少動物表演——在動物園，在馬戲團，在街頭巷尾，不知為什麼，唯獨這一對憨然的眼睛使我不能忘懷。

記得那天彷彿是一個什麼節日，我同孩子看了一場電影出來，經過鎮上唯一的大街，只見家家國旗招展，匯成一片鮮豔的紅浪。就在旗幟的光影下，有一家門口懸了塊變黃的白布，用擴音機向路人施展著聲音攻勢。我以為是那些走江湖賣野人頭的，一眼也不看，逕自走了過去。但孩子卻在後面停立了拉著我懇求：

「我從來沒有見過海豹，帶我看一看吧！」

我駐足回頭，這才看清了那塊灰不灰黃不黃的布上，原來還拙劣地畫了一隻非狗非魚的動物。對動物我們家的人都很喜歡，因此獲得我的同意。孩子比許她去看電影還更興奮。

沒有規定時間，也沒有出售門票，只要向門口招攬觀眾的人繳一元後，便隨時可以進去參觀。演出的場地是臨時租來一間小小的鋪面房子，四面沒有窗，唯一流通空氣的大門又用一幅布幕擋住，一進去便感到一股熱氣迎面撲來。影影幢幢，一層層的人密密圍住了中間的大鐵絲網，唯一的一盞電燈亮炯炯地懸在網上，照射著網裡那張白漆巨盆。盆裡淺淺地盛著大半盆清水，那隻海豹便——不能說游泳，因為空隙剛夠牠回轉；也不能潛伏，因為水那麼淺，又一眼到底。就說牠在水裡載浮載沉吧。

那隻海豹，乍一眼看去像條渾圓的大魚，而頭部又似狗——把耳朵貼在腦後的狗，一身灰色灑著黑斑的毛皮，光滑而細緻，看上去很馴良，也很可愛。

表演開始時，由一個站在盆旁的年輕人發號施令。首先介紹海豹的種類，說牠是海裡的獸，不是魚。當他叫海豹讓觀眾認識清楚時，牠便把背部露出水面，讓他倒摸著，顯示那是毛不是鱗。他又說海豹與海狗不同。海豹的手更短而爪比較長。於是牠又翻轉身來，把那短得滑稽的前鰭盡量伸展著。接著叫牠向國旗鞠躬，牠便擺直身子，目不斜視的向懸著的小旗迭二連三點頭。叫牠打滾時，起初一個接一個，翻滾得很快，慢慢地慢下來，慢下來，竟半側著身子半天不動。訓練者再發布另一道命令，牠卻又緩緩地翻滾了二下，彷彿一個人在睡意迷濛中下意識的動作……

「怎麼？海豹你睡著了！」這一聲吆喝，顯然使矇矓中的海豹乍然一驚，於是忙掉尾過去。承接著丟下來的球，用鼻子頂著，從水盆右邊游到左邊，又從左邊游到右邊，再翻轉身仰睡著。當球浮近來時便伸出短短的前鰭拍一記，之後，牠雙鰭捧起！說捧實在不太恰當，牠的手是那麼短，使勁鉤攏來，爪子尖尖，才勉強抵住了球往空中一拋，便結束了球戲，最後，訓練者拿出一堆小魚——像我們平常餵貓那一點，來餵這七十多磅重的龐然大物。但這份慰勞依舊附帶著表演。把魚拋得高高的，等海豹躍出水面來接。只見牠嘴一張一合，沒有第二個動作便吞下肚子。牠似乎對這項節目特別感興趣，只是很少幾條魚，不一會就吞光了，這場表演也就算完了。觀眾紛紛離去，我們因為中途進去未曾看全，便等著接看第二場。這中間有三分鐘休息——沒有人知道每天演出多少場，每場又表演多少時間，而這其間僅僅只三分鐘給予恢復疲勞，和蓄備下一場表演的精力，海豹彷彿也了解這短短片刻的可貴，對魚沒有了希望，立刻便閉上眼潛入水中。牠的頭正對著我們站的地方，距離那麼近，若不是鐵絲網隔著，一伸手便可以摸到牠。

「看樣子，海豹好像累得很哩。」孩子憐惜地說，聲音很輕，唯恐驚動了正在打盹的海豹。但海豹卻像聽懂了我們的話，抬起頭來，睜開露出水面的眼睛，憨然望著我們，那雙大而黑的眼睛，就像迷漫在室內的霧雰一樣，罩著一層迷惘而又愁悶的薄霧，恍惚似有無限幽怨，要向人傾訴……凝視片刻，又困倦的闔上眼，緩緩浸入水中。緊接著，又一場表演開始了，我們沒等完場便離開了屋子，街上已是黃昏，陣陣涼爽的晚風吹散了那份悶熱，默默走了一會，孩子忽然低低喟歎著說：「海豹真可憐！」

原是帶她娛樂來的，不想卻給她添了份沉重的心事。也許，她也在想當海豹生活在廣闊的海洋中時，多麼逍遙自在！而如今卻局促在淺水盆裡，為討生活而精疲力竭的獻技。

但海豹原不必為生活煩心，只有人，人才要生活費盡心力。海豹竟是為人的生活而生活，可憐可悲的又何止海豹！

我又瞥了一眼報紙。那悶熱的場地，混濁的空氣和刺眼的燈光，那淺水裡半浮半沉的龐然大物，那重複不停的動作，瞌睡朦朧的神態，和迷惘幽怨的黑眼睛，彷彿又浮現眼前。……這表演將一直繼續下去，因為人要生活……

我憮然掩上了報紙，走向窗口。

風雨課

習慣地驚醒過來，睜開眼睛，屋子裡黑沉沉的，彷彿天還沒有亮。只聽見風猛烈地震撼著窗扇，雨急促地打在屋脊上。颳了一晚的大風雨，還沒有停呢。

「媽，幾點鐘？是不是該起牀了？」恬恬也醒了，悄悄地在耳畔問我。

扭亮電燈，看清是六點半鐘。要上學，這該是起牀的時間了。屋子裡吹不進風，卻也有著凜冽的寒意。恬恬打著呵欠，揉著眼睛，惺忪地走向盥洗間去。也許，昨晚美妙的夢境猶自朦朧地縈迴在她無邪的心靈中，也許，濃甜的睡意猶自迷糊地鎮壓著她柔嫩的眼皮。但那冰涼的水將為她洗濯這些，使她小小的頭腦清醒得像早晨的空氣。

我拆散她長長的柔髮，重編起辮子。窗上透現一抹灰暗的光線，映著黑幢幢搖曳不停的樹影，顯示出外面風雨的勁勢。「唉，這樣的壞天氣！」我不由得在心裡暗暗擔憂，看恬恬時，她正忙著吞食早點，似乎無視於窗外的風雨。

我忽然記起自己像她那般大時，逢上風雨交集的壞天氣，父親或母親總是疼愛地阻止我去上學，說是：「還小哩，怎擋得住狂風暴雨的凌虐！」於是我就樂得多留戀一會熱被窩，乖乖地待在家裡吃零食、看童話故事；如果風雨不算太大，上學時也還是不放心地要派傭人護送，由她替我拿著書包，撐著傘，我便空著兩手在大得遮掉了半邊天的雨傘下，跳跳蹦蹦地走著，從不為風雨所困擾，也許我就因為小時太嬌養了，身體卻這般孱弱。

恬恬已揹上書包，在穿那雙大雨靴，當我為她繫上雨衣時，終於忍不住暗示地說：「今天風雨大得很哩！」

「我不怕。」她不在乎地搖著兩條辮子。

我撥掉門閂，拉開大門，一股猛烈的風挾著箭簇似的急雨迎面撲來，我不禁打個寒噤。恬恬緊緊拉住雨披，說了聲「再見！」便毫不猶豫地跨出門檻，走下階石，走進狂風暴雨中。

在晴朗的日子，鄉野的空氣的確是無比的清新，而在颱風落雨的日子，鄉野的風和雨卻也有著不可抗禦的頑強。那獷厲的風就似一樣無形的巨龍，狂暴地從天際俯衝下來，猛攫住那些伶仃的樹搖撼著、蹂躪著，似將連根摧折，又疾的放鬆了直撲向曠地。驟密的雨借著風勢忽斜忽偏，箭一般銳不可當。低壓的天空渾如一大片凝結的涼粉凍，灰暗而沉重。恬恬那翠綠色的身影在空曠蒼茫的天穹下，忽然顯得那樣小，彷彿狂風一掃就能把她疾捲上天空，要不是腳上穿著膠靴那樣笨重。

她一步一步走進雨的簾幕深處，翠綠色的背影逐漸模糊了，模糊中似乎又閃出了一點粉藍的，一點深紅的身影朝著一個方向緩緩前進，想來都是去上學的孩子，這一路是不會太寂寞的。

我把風雨關在門外，回進屋子，心裡猶自惦掛著風雨這樣大，雨披又輕又薄，如果打濕了衣裙，卻要熬到傍晚才能回家更換——忽然另外一個使人焦憂的問題閃電般掠過腦際，在心裡打了個結。剛才竟忘了問她是走小路還是大路，平時他們總是走小路，因為小路要近些，但必須穿過一片田野，上下兩個陡坡，跨過一條小溪，小溪很淺，忙碌的大人從來沒想到要在那裡架道小橋，孩子們總是踩著石塊青蛙般縱跳過去，但如今經過風雨的摧殘，陡坡一定很泥濘滑溜，小溪說不定漲了水……

心裡忐忑著老像放不下點什麼，做什麼也不安心，風和雨一直也沒有收斂過淫威，沒有陽光的日子就彷彿時間也停止了，地球也停止了，整個宇宙就像被風雨統治著——驀地一聲親暱的「姆媽！」驅除了一天的陰鬱，我連忙走出去，只見恬恬已把濕漉漉的雨披解下來擱在一旁，正坐在玄關上很困難地脫雨靴，這雨靴早晨穿的時候還嫌大哩，難道一天之間腳便長大了？我也蹲下去費力地幫她脫了下來，喲！原來是雨飄進去，浸了一天，把腳浸胖了。

「冷不冷？」我憐惜地為她搓著冰冷的腿。

「身上不冷，只是兩隻腳一天都是冰涼冰涼的。」她仰起臉蛋天真地說，一綹濡濕的短髮黏貼在前額。頰上還沾著兩滴晶瑩的雨珠，與黑亮的明眸相映成輝。

我忍不住又望了一眼她那雙浸得死白色，在腫脹的皮膚上又起著皺紋的腳，忽然覺得眼眶酸脹發熱——但是我笑了。

我應該感到驕傲，我的孩子比我堅強。

在風雨中長大，經得起風雨磨練的孩子，未來才能肩負起時代所賦予艱鉅的使命。這不是每一個大時代中的母親，所共有的願望麼？

負重的孩子

我不知道你姓什麼，是誰家的孩子？但是我認得你，熟悉你的形象。每次見到你時，總是左肩揹一個漲得滿滿的書包，以致肩膀不勝負擔地傾斜著，成了一邊高一邊低，右肩掛一只水壺，手裡提著便當，脅下還挾著厚厚一疊講義什麼的。你的臉色稍嫌缺少紅潤，你的身體似乎也不太強壯，也許由於那份不相稱的重負壓得你不能夠挺胸抬頭。看起來，你的模樣有點滑稽，也有點笨重。因此每當有腳踏車從你身畔如飛的掠過，我總不由得替你擔心。唯恐輕輕一撞，便使你瘦小的身軀失去重心。如果在露水猶在草端閃爍的清晨，你常常帶著一副睡眼惺忪的神態，一面匆匆地趕路，一面還騰出手來拿著冷饅頭或大餅，胡亂往嘴裡塞，永遠像是個去趕搭火車的旅客，如果在暮色蒼溟的黃昏，你的服裝不整，頭髮微亂，手臉也不太乾淨，神情顯得那樣疲乏而無精打采，又似從礦洞挖了一天煤返家的工人。孩子，你究竟是旅客還是礦工？噢，都不對，我忘記了你還小哩！

春天裡，草叢中，田徑上，綻開著各色美麗的野花，你從不為它停留下來採摘。秋天裡，一天絢爛的晚霞，滿樹纍纍的果實，你低著頭匆匆地走過，就像不曾看見。炎熱的長夏，池塘裡清涼的池水對被汗浸透的人是一種難以抗拒的誘惑和享受，但你全不動心，寒冷的冬天，那凜冽的北風吹紅了你的鼻子，凍僵了你的手，你也毫不理會。只是穿多了衣服，卻顯得更臃腫，頂著風來去，腳步也更蹣跚而沉重。你那副對一切視若無睹，漠不關心的神氣，倒像是個苦行者。有人把兒童比作春天的麻雀，嘰嘰喳喳，跳躍不停，有人把兒童比作人生的早晨，新鮮、活潑，充滿蓬勃的朝氣。我也時常看見那些比你小的孩子，在路上嬉戲追逐，揚聲大笑，高聲歌唱，彷彿這廣大神妙的世界全屬於他們的，但你似乎從不嬉鬧，也不聽見你歌唱或暢笑。總是負重默默來去，像一個在沉思的哲學家，孩子，你究竟是一個苦行者抑是一位哲學家？唔，是我猜錯了，你到底還小哩。

有一天，一個傍晚，我從街上回來，無意中發現在我前面的正是你和另外兩個同你一樣的孩子。你們正在討論著什麼，順風送來你們談話的片斷。

「……中華民國憲法的內容分為十四章，計有總綱、人民之權利義務、國民大會、總統、行政、立法、司法、考試、監察、中央與地方之權限、地方制度……憲法之施行及修改……怎麼只有十二章。」

「你漏了兩章，選舉、罷免、創制、複決，和基本國策。」一個補充著說。

「第二次世界大戰是起於西元一九一四年，止於一九一九……」

「不對，一九一八年。由於奧國太子斐迪南被塞爾維亞人刺死所引起的。」兩個聲音合唱似地唸完了後半截。

「世界水上交通的情形是：一、現在以北大西洋的航路為最發達，地中海和太平洋次之。二、自蘇伊士和巴拿馬兩運河開通之後，縮短亞、歐間和大西洋與太平洋之間的航程。三……」

你們的身影逐漸隱消在暮色中，你們的聲音也隨之低微散失。我先是愕然，繼則不勝佩服，不想你們一本正經談論的卻是那樣深奧、艱澀的問題！難為你們小小年紀懂得那麼多，那些難記的條文、年代、地名，更虧你們全背得清。孩子，也不怪你匆忙如旅客，辛勤如礦工，嚴肅如苦行者，深思如哲學家。你要學，要記，要填進小腦子裡的東西竟那麼繁複！孩子，也許那些對你幼小的心靈，嬌嫩的智慧，以及稚弱的肩上，是不太輕的負重。但你要了解這對你的將來是一種鍛鍊，人都要負重的。大人肩上還不是負著生活、責任、感情……只不過一種是看得見的，有形的。一種是看不見的，無形的。做人，可真不是一件簡單的事。

孩子，我不知道你是誰家的孩子，姓什麼叫什麼，但我認得你，熟悉你的形象；有時你是剃小平頂頭、穿短褲的男孩；有時也是短髮拂頰、黑裙齊膝的女孩。你的身影更到處可以見到，有時是在鄉村，有時是在市鎮，在大街，在小巷，就像有陽光的地方便有草木，有人們生活的地方便有你的蹤跡。但不管在任何地方，你永遠是那個負重的孩子！

孩子，可敬的孩子，讓我虔誠地為你祝福，為你的健康，為你的學業，以及為你如錦的前程！

編註：本文原刊於《中央日報・婦女與家庭週刊》，一九五九年十二月二十七日，第三版。

綠巷、燈光、人家

白天裡鄰居間親切地寒暄，閒話家常，和幼童們的嬉笑追逐聲，都已隨著太陽的西墜沉寂了，小巷又落入靜謐中。

就在這天光雲彩將溶未溶，暮靄蒼色欲攏未攏之時，我最喜歡踏著軟軟的青草褥，從小巷散步到盡頭的田疇。小巷，我在心底總是悄悄地喚它作綠巷，石子路畔那未經車輪蹂躪的小草永遠是那樣青翠，矮籬短牆邊那未沾塵灰的樹木始終是那樣蔥蘢。幽邃、清靜，乃是小巷特有的氣氛。每天讓困瘁的身心在這氣氛裡浸沐一次，是一種解脫，也是一種享受。而披一身清風，從蒼茫的田野漫步歸來，那投射自各家窗戶門洞的燈光，更給綠巷增添了一份安謐，一份和諧。我就最愛數點那些象徵著家的溫暖和安詳的燈光，它們有的隱約露自樹隙，給綠巷撒下一片疏朗有致的陰影，有的透自朦朧的紗簾，使綠巷有著詩情和夢意，也有從敞開的門窗像瀑布似地傾瀉出來，照著嫣紅的扶桑花，碧綠的芭蕉葉，還有芊綿的青草。綠巷更顯得生意盎然，幽雅深致。

如同熟悉綠巷裡的每一株樹，每一顆在草叢間發亮的石子一樣，我熟悉那些屋裡亮著燈的人家。這裡，左邊第一幢有一半掩映在茂密的濃蔭中，半邊屋的小客廳敞開著，望進去屋裡陳設簡單樸素，卻收拾得窗明几淨，一塵不染。明亮的燈光下，靜悄悄地。這屋子的主人——一對中年以上的夫婦，正圍坐在方桌面前，男的架著眼睛，大概是在唸著手裡的文件，手畔還另外散置著好些報紙信札。女的凝望著他，聚精會神在傾聽，一面有意無意的撫摸著那隻蹲在桌角上的白貓。兩人被艱辛的歲月琢下深刻的紋印的臉上，一樣的浮泛著欣慰、喜悅，和一種揉合著榮譽感的驕傲的神情。是什麼東西這樣吸住他們？使他們整個心靈浸潤其中？是了，一定是他們在國外深造的大兒子，寫信回來告訴他們生活的情形，和異國的風俗，或者是那個老二，從受訓的軍營裡寄回來的報導，這幾天報上不正由於他特別優異的學業成績，發表了好幾篇特寫；再不就是老三寄自鄰縣那最高學府。看兩老口春風滿面，慈祥可親，微癟的嘴角滿溢著高興的笑意。但在舒展的眉梢眼角，卻隱隱蘊藏著一絲忍受寂寞的痕跡。是的，他們有三個兒子，卻沒有一個隨伴在身畔，聽不到他們的笑語，照顧不到他們的冷暖飲食。做父母的那份寂寞和無時或釋的牽掛，除了做父母的又有誰能體會？但是，看看那被喜悅和欣慰光輝了的臉龐，就知道在默默捱度寂寞歲月中，那深藏在心底的希望和期待，祝福和祈禱，就像一把燃燒不熄的火炬，照亮了他們簡樸的生活，光輝了他們整個生命。

這裡，右邊的一家，潔白鑲藍邊的窗簾繫在兩邊，燈光從釘著橫格子的窗檔裡洩漏出來，有似一幅圖案在這圖案的中心，是四個攢集在一起的小腦袋，四張稚氣的臉，臉上流露著專心一注的神情。那兩個年齡相仿的女孩，只是低著頭，一面看，一面寫，大概是在抄什麼筆記。短髮披拂在健康的兩頰，在燈光下更顯得神采煥發。一個較大的男孩，背窗坐著，還有一個最小的男孩子，正放下鉛筆，在那裡扳數手指頭，也許是在演算算術。漆黑的眼睛閃爍著求知的光芒，稚憨可掬的臉龐與那種思索的神情，配合在一起，有種不調和的，惹人憐愛的滑稽。在旁邊一張書桌上，埋首在厚厚一疊簿本中的是孩子們的母親，微微佝僂著背，俯伏著頭，彷彿無形中有那不輕的負擔壓在她瘦削的肩頭。屋子裡唯一的裝飾是懸掛在正中牆上的一張放大照，一個穿著戎裝，佩著飛鷹胸章的偉丈夫，居高臨下的俯視著室內的一切。他那嚴厲的眼神在督促；他那慈藹的微笑，又像把愛和溫暖，散布在屋子裡。他原來應該是這一家的男主人，但是我從來不曾見過他。在他們尚未搬來時，有一次他在完成一個艱鉅的任務後失蹤了。傳說他已壯烈犧牲，以身殉職。但她卻堅信他還在人間，在游擊區裡，總有那麼一天，會脫險回來。她自己一面教書，一面撫育四個小兒女，如今連他失蹤時剛一歲的小兒子也念三年級了。

就在這時，只見她放下筆桿，一手支頭，一手捶腰，彷彿不勝負累。檯燈下，她的影子遮蔽了半間屋子，她緩緩地抬起頭來，眼光凝注在那張相片上，有那麼半晌，她又收回視線挺一挺腰桿，重新振筆疾書——是那份愛的鼓勵，愛的督促和愛的信心，像照耀一室的燈光，照臨著這勤懇的一家。

在這隔壁，淺絳色的燈光似一片雲霞，透過窗紗，輕攏著花木扶疏的庭園，窗前一株盛開的玫瑰沐浴在燈光裡，更比白天透一種朦朧的美，輕柔的音樂有如溪水，從窗口溢流入夜的空氣中，讓晚風散布在幽邃的小巷。如夢的燈光下，一位年輕的少婦低頭坐在沙發裡，不停手地編織一件鵝黃的小毛衣，那樣地恬靜，又那樣地摯誠，彷彿正把無限的柔情，無限的祝福，一針一針編進去。儘管她穿著寬大的衣服，側影裡依然看得出凸出在布衫下那粗壯的腰肢。她不時抬起頭來望著對面，嫵媚一笑，或是低低地說兩句，坐在她對面的是她俊偉的伴侶，把上身湊向著她，一面緩緩地抽著手裡的絨線團，一面不停地說著什麼，漾溢在她唇畔的笑意，閃耀在他眼中的光輝，顯示出他倆內心的喜悅和興奮，也許正在談論那生命中最奇妙的，即將來臨的變化，一個活潑可愛的小生命要滲入他倆的生活中，多麼新鮮而又美妙；希望她像媽媽——一個溫柔美麗的媽媽的女兒，一定聰明可愛；希望他像爸爸——一個駕駛噴射機爸爸的兒子，一定也英勇俊偉。看他倆談得多親熱，笑得多美；幸福、愛情，就如那雲霞似的燈光，籠罩著這一家，圍繞著這一雙。

在這對面，是那最是燈燭輝煌的一家，門和窗完全敞開著，聲音同著燈光一起向外溢流。站在屋子中間的是那白髮蒼蒼，精神矍鑠的老祖父，正逗著懷裡的小孩子看燈亮。孩子睜大了一雙烏黑發亮的眼睛，揮舞著胖胖的小手，高興地發出咯咯的笑聲，老祖父也跟著在笑。嬌豔柔嫩的雙頰和那布滿皺紋的臉龐，一樣地被一種單純的歡樂所煥發，連那坐在縫紉機面前忙著縫製的孩子的母親，和站在一座籠子邊餵著鶺鴒的父親，都被這單純的歡樂所感染，不時停下手裡的工作，望著愉快的祖孫倆，附和著一起笑。在另外那間房裡，從琳瑯滿目懸掛在牆上的那些網球拍子、小提琴、錦旗、油畫，以及電影明星的照片等等，便足以顯示出住在這屋子裡那幾個大孩子的興趣和愛好；但此刻卻全被強烈的求知欲支配著，專心一意地浸沉在自己的功課中。有一個靠在窗檯上唸著英文，兩個坐在桌前的似乎正討論著某些功課上的問題。同那亮炯炯溢流的燈光一般，有一種勃勃的生氣，一種充沛的生命活力，充溢在這屋子裡。俗諺說：「勤勉和節儉是福之神的左右手。」明亮的燈光下，彷彿確有兩隻無形的巨手，承托著這融融洩洩的一家。

與隔壁的興旺、蓬勃正好成為對照的，是這一家的清靜和沉寂。那一抹幽藍的燈光，藍得像月亮輝映著的夜空，像曙光蒙覆下的海水。淺藍的窗紗掩映下，露出那浸在藍色燈光中的沉思的側影，筆握在手裡，支著頭，面前的桌上是厚疊潔白的信箋。也許，她正在給她那遠航的丈夫寫信，他是個年輕的海軍，常生活在海洋上，與浪濤為伴，無限相思，唯有藉紙筆傳遞。看她凝眸空中，雙眉微蹙，那出神的模樣，彷彿一縷思想已遠遠飛揚，縈繞海上，渾然忘卻身在何處。也許，她正在默禱他下一次從海上回來的歸期；也許，她正在惦念著這一刻海上可有風浪，他是否在風潮中調度指揮；或者海上平靜也如幽巷的靜夜，他是否在甲板上，扶著船欄也像她思想他一般，思想著她——突然，她收回凝視的目光，低下頭，很快地在信箋上寫下去，毫不停留地寫下去，好像唯恐筆尖趕不上澎湃的感情的激流。那無限的懷念，無限的關切，無限的祝福，全讓一張張小小的紙載負著，明天將開始海上的航行，從藍色的燈光航向藍色的海。

而這一家門窗掩閉，簾帷沉垂，靜悄悄闃無聲息，想來是年輕愛玩的屋主人夜遊未歸，還有這一家，小園外一帶竹籬上密密層層牽滿了藤蘿，白天裡那紫色的花朵盛開時，恰似一座花團錦簇的天然屏風，房子只在綠叢中露出一角屋脊，而在這幽靜的夜，只有從綠屏中漏出隱隱約約的燈光，透出悠悠微微的音樂。也許，這一家那喜歡清靜的主人，正披著寬鬆的睡袍，趿著輕軟的拖鞋，偎倚在一張舒適的椅子裡，在幽雅的燈光下，靜靜地讀著一本心愛的書——。

夜深了，一家家掩上了門窗，垂下了窗帷，逐漸地，亮著的燈光一一熄滅了。每一處熄了的燈光，顯示著安舒的休息的開始，甜蜜的夢的降臨，最後，只剩著巷口一盞路燈，幽幽地照著小巷。還有，就是深邃的蒼穹上，閃炯不停的星光，涼沁的晚風拂過樹梢，小草承受著初降的露珠，嬌羞地低下了頭。幽靜、安謐的綠巷，就這般寂然地展伸著，等待黎明第一道曙光的照臨。

編註：本文原刊於《中央日報・副刊》，一九五七年十一月一日，第六版。

小鎮上

朋友來信說：我真佩服妳在那樣狹隘的小鎮上一住那麼些年，不寂寞，也不怕落伍麼，在這個一切都突飛猛進的時代？別人都忙著爭取屬於自己的名位、榮譽、金錢、生活的享受……連一秒鐘，一分鐘的時間都計畫著該怎樣支配。而妳，卻有那麼些閒情來欣賞晨曦晚霞，領略清風明月，照一個作家的說法：妳是在浪費生命的原料……

像有些植物的種籽，被風隨意吹送到哪裡，便在哪裡生根發芽。當初命運分發我來這小鄉鎮上，原無意長住，不想一待便待了七年多，看情形，似乎還得往下去。寂寞是真寂寞，嗅不到藝術的氣息，看不到新鮮的事物，繞鎮一周，還要不了一個鐘頭時間。閉上眼睛，也默數得出這是街頭，那是巷尾，百貨店隔壁是木炭行，電影院對面是媽祖廟。多年來，彷彿就沒有過什麼變化，永遠是狹隘的街道，灰暗不齊的屋瓦，狹窄不平的走廊。有些通村子裡的小路，晴天裡像沙漠，雨天裡是泥沼，晚上更一團漆黑，連盞路燈都沒有。每當在路上經過，就恍如退回去生活在十八世紀最偏僻落後的鄉村。鎮上也有座公園，但外面來的旅客會錯把它當作牧場。當所有的城市以柴油快車，流線型汽車的速度趨向物質文明，迅速的拓展、繁榮，迎頭趕上時代的潮流時，小鎮就像一輛牛車、跨著沉緩地蹣跚的步子，遙遙地跟在後面。——但是，也許就因為趕不上那種尖銳化的文明，小鎮還保留一份在目前罕見的、樸質的風氣，淳厚的人情味，以及生活上的悠閒情致。

在小鎮上，人們不必受服裝的拘束，把自己打扮成紳士貴婦。隨便而舒適的服飾，顯得更輕鬆自在。不管走在鄉路上或是大街上，有閒情，盡可以領略一會路邊的景色，思考一個小小的問題，或是緩緩地權當散步；不必擔心有市虎對生命的威脅。空氣裡沒有囂張震耳的廣播聲搓揉神經，眼睛所接觸的也沒有五光十色的櫥窗廣告的誘惑，那些樸素而簡單的小商店，默默陳列路旁，彷彿只告訴人們一句話：「我所以存在，只為供給你們的需要。」也有三五家冷飲店，沒有醉人的音樂和迷人的情調，白色玻璃櫃裡擱著剛剖開的西瓜、木瓜，好像在招呼路人說：「你若渴了，讓我替你解渴吧。」不管是白天還是晚上，街上的人總不會太多，但卻不會像走在都市擠擠攘攘的人群裡，看到的盡是一張張冷漠、高傲、陌生的面孔，使人感到孤獨。因為走不了幾步，總會遇到一個微笑、一個頷首，或是一聲招呼。

是的，要在小鎮上住上些時日，周圍彷彿都是熟人，有打招呼的，有彼此默默對望一眼，嘴角掛著一絲笑意，好像說我知道妳是誰。也有半生不熟的面孔，只不記得在哪裡見過。平時，我習慣於靜居，原很少出去，而且視力和記憶力又差。但每次走在街上，似曾相識的還是不少，有時一輛腳踏車打從我身邊擦肩而過，車上軍裝筆挺的男士不住向我點頭，我一面答禮，一面在心裡琢磨，這是誰？又在哪裡見過？迎面又是一聲：「上街呀！」這個胖胖的老媼，我倒記得，是開花圃的，每次我去買花，她總是拿了把大剪刀，耐心地跟著我從一條花畦走到一條花畦，把我挑選的花朵剪下來。臨走，她還摘下幾朵盛開的茉莉塞在我手裡。

走不了幾步，對街一個小姑娘又望著我嫣然一笑，這好像是那個織補襪子的女郎。等我走到商店裡時，自然，這裡不會有那種受過訓練的，殷勤的禮貌和奉承。但老闆娘立刻親切地迎上來招呼著，有時還像老朋友似的問候家人。這家藥房說：「好久沒有看見你家老太太出來了，她可好？」那家百貨店說：「妳的孩子上中學啦，好福氣！」走進書店裡，那個有著調皮面孔的小學徒會悄悄地過來告訴我：「替你留了本《今日世界》。」買一束信封，那家小文具店的老闆會立刻擱下他正在計算的帳目，親自挑選最乾淨的給我。那天，街口上新開了家布店，我走過門口望了一望，一個正在踩縫紉機的少婦馬上站起來笑著招呼：「請進來坐坐嘛，好久不見，妳胖了一點。」一看見我略帶錯愕的神情，她忙又補充道：「我娘家就住在麗美理髮店隔壁，以前常看到妳去做頭髮。」說著，嬌羞地望了一眼櫃台裡那個笑得那麼純樸的年輕店主，於是，我恍然領悟這是新婚的小倆口，和他倆創辦的事業。有時，我買完東西付錢時卻發覺少帶了錢，便告訴那家店裡說下次去買，但老闆或老闆娘早把我要買的東西包紮好塞在我提袋裡，笑著說：「莫要緊，下次妳隨便什麼時候上街帶來好了。」

逢到放學的時候，就像水銀瀉地，幾乎每條大街小巷都有學生的蹤跡，揹著大書包的小學生，精神奕奕的中學生，還有騎著腳踏車的，驚鴻游龍般飛駛過去。這時我得不時微笑點頭來答禮，他們和她們有的是朋友的兒女，有的是孩子的同學，但因為一個個都長大得那麼快，我一直弄不清誰是誰。只覺得一樣的全有著純潔可愛的笑容，活潑有禮的舉止，樸實、勤奮，而活力充沛。唯有他們，給這古老保守的小鎮，帶來了朝氣和新生命。經過學校附近，我常在街角上駐留片刻，以讚羨的眼光，望著他們三五成群擁出校門，默然致以祝福的心意。

當學生們散完，小鎮已臨近黃昏，街上行人寥落，我提著滿袋雜物踽踽獨行，忽然背後一聲鈴響：「要不要送您回去？」一回頭，只見一張誠樸的笑臉和一輛空三輪車。也不知是什麼時候坐過的，原想安步當車，這時也不忍回絕，坐上車子不說一個字，自會轉彎抹角的拉到家裡。付過車資，隨著一聲客氣的謝謝，車子便轉身沒入逐漸朦朧的暮色中。這時，屋裡的兩條狗聽見剎車聲，像兩支火箭般衝到街上，熱烈地跳著、撲著、搶著啣我手裡的東西，引得在門口等先生下班的鄰居們都圍過來說笑。語聲中，遠遠一盞盞車燈，一陣陣鈴聲近前來，上班的都也回家了。於是，小鎮上安靜、岑寂，而漫長的夜，便開始降臨了。

每一個漫長的夜，我總是讓上半夜在我筆底輕輕地劃過去，或是浸沉在心愛的書本裡，伴著我的常是窗外遠遠近近的蛙鳴、蟲聲、風穿過鳳凰木的低嘯以及一陣陣幽幽的花香。下半夜擁有一場無夢的睡眠。而第二天清晨，等小院樹上吱吱喳喳的鳥語把我喚醒。

七年多過去了，在這小鎮上，我生活、工作、思想。寂寞！是的，我一直是寂寞的。但縱使生活在最繁華的城市中，這世界上又有多少人能不寂寞！「閒情」！是的，我喜歡這份能使人從俗務中振拔出來的，超然的情致，並不是我不屑去爭取世俗的名利榮華，而是我太專注於性靈上的播種和培養了。

雖然，我不喜歡小鎮的落後守舊，但我喜歡它的安靜和淳樸，朋友如果覺得我在浪費生命的原料，我不予分辯，也許，我要還繼續往下去，寂寞地，在這小鎮上……

編註：本文原刊於《中華日報・副刊》，一九六一年一月五日、六日，第八版。

這只是南台灣的冬天

這四季如春的南台灣，連日竟也收斂起璀璨的陽光，天空陰雲密布，冷風颼颼，細雨霏霏，著實透著寒意。且把風雨關在窗外，我打開了當天的報紙，忽然一則奪目的標題躍入眼中。

「呵！台灣也居然下起雪來了！」彷彿在沙漠中發現了甘泉，我不禁失聲歡呼。

「下雪？」

「雪？」

母親停下針線，從眼鏡框下驚異地瞪著我，孩子從安徒生故事集中抬起頭來，黑鑽石似的眼睛向著我閃眨。

「可不是下雪！報上還有照片。」我示報作證。

「下雪是瑞祥，台灣從來不下雪，許是回家的徵兆吧！」母親的老眼中流露出無限懷念。

「書上講過不少關於雪的故事，我很想堆個雪人，捏個雪球，最少也讓我看一眼，摸一摸。」孩子憧憬地說，烏黑的眸子被渴慕燃得更明亮。「大屯山是不是在台北，請爸爸用盒子裝點雪寄給我。」

「傻孩子！雪是會溶的。」我笑著說，母親也笑了。但一轉念我嘲笑的心情卻像遽滅的火焰般黯淡下去，這能笑孩子傻嗎？她今年八歲，不滿周歲時便來了台灣，幾時又曾看到過雪？

七年了，來台時蹣跚學步的孩子，如今已念完第七冊課本，懂得世界人種的分布，第一次世界大戰的因果，計算著小數點的算術。

七年了，來台時青春華年的大人，如今已在額際刻上淺淺的紋印，頭上添了第一莖白髮。

匆忙地離了家園，七年來，便不曾再接觸到那熟悉的土地。

倉促地告別了親友，七年來，便不曾再會見那些親切的笑容。

還有，呵！還有那隆冬的白雪，每一個雪花飛舞的日子，都曾經縈繫著歡樂、豐收、繁榮、和平、安詳……七年來，我未曾再見過雪花飄舞。我深深地懷念著雪，我的懷念像海一般深邃，我的憶念又似五月的晴空一般清明。

我還清晰地記得，凡是下雪的日子，沒有人再貪戀被底的溫暖，早晨一掀開窗幔，眩目的雪光頓時耀得人睜不開眼睛，幾疑是置身在廣寒宮裡，昨夜猶是滿目荒涼，落葉、殘枝、泥濘、枯草，如今但見白皚皚一片，三五枝枯樹，綴飾成玉樹瓊花，一兩間瓦屋，也都粉妝玉琢，天際還在飛舞著一片片羽毛般的雪，彷彿仙女們正紡織著朵朵白雲，又一縷縷一星星撒落在人間，把人間打扮成一個純潔美麗的銀色世界！

我還清晰地記得，凡是下雪的日子，孩子們個個歡喜，只待雪稍微一停，便似一群從籠子裡放出來的麻雀般，一陣風躥出大門，躥在園地裡，穿著大棉袍的身子像個矮圓甕般滾呀滾地在雪地上追逐，跳躍，用凍得紅蘿蔔似的手搓成雪球，彼此投擲著，一會兒又你一鏟我一捧，堆成了一個憨態可掬地雪菩薩，頭上披著小弟弟的紅兜風，嘴裡含著老祖父的煙嘴，黑棗嵌的眼睛傻楞楞地瞪著前面。孩子們呵著凍僵的手指圍住自己親手雕塑的傑作，拍手歡呼，忘記了寒冷，也忘記了那刺骨的朔風。

我還清晰地記得，凡是下雪的日子，年輕人好動的心便早跟著雪花在空中飛舞，拖著雪撬，爬上山坡去滑雪，北風一緊，小河結著冰，又套上溜冰鞋，在鏡面般光滑的冰上溜一個圓圈，劃一個字，再滑一個飛燕掠水，鮮豔的圍巾和著彩色的衣裙隨風飛揚，有似蝴蝶在花叢中翩翩飛舞，健康的紅暈湧上年輕的雙頰，青春的歡笑漾在清涼的空中——沒有人記得這是肅殺的冬天，還是冬天裡的春天！

我還清晰地記得，凡是下雪的日子，上一輩子的人——像父親他們，便邀三兩個知己，在書房裡烹上一壺雪水，或是熱上半斤花雕，對著窗外幾株傲雪盛開的梅花，慢慢地欣賞，興來時便即席聯吟，縱論古今，好不悠然閒適！而上了些年紀的便煨著銀手爐，絮絮地訴說著歷年來下雪的瑞祥，國泰民安，歲歲豐收……

儘管記憶仍然清晰，但那些事彷彿已經是很久了，久得有隔了一個世紀那麼悠遠，失去的並不能從憶念中獲得補償，而那深深的憶念，卻不知在何時已化作濃厚的鄉愁。如今只一個雪字，又勾引起我那萬斛難解難消的鄉愁！

但這只是台灣的冬天，哪裡有什麼雪花飛舞，哪裡又有什麼白雪皚皚！是誰？在這淒風苦雨中用口哨吹奏著〈踏雪尋梅〉那支古老的曲子，一個抖顫的聲音憧憬地唱著：

雪霽天晴朗

蠟梅處處香

……

我黯然停立窗前，悵望著風雨吹打滿園芭蕉。在家鄉，這時該早就下雪了吧！那潔白的雪花曾覆蓋著祖國廣袤的土地，豐饒而肥沃的土地；如今又覆著那荒蕪了的土地，那苦難中的土地，那土地上正進行著醜惡的戰鬥，流著善良人民的鮮血，我彷彿看見那紅殷殷的血汗滲透了潔白的雪……

呵！是的，在那厚厚的雪覆蓋下，土地流著血，默默地忍受著恥辱，但也默默地孕育著新的種籽，人民的血淚和仇恨凝結的種籽，當來年春天冰雪溶化時，便將萌茁，抽枝發葉，而綻開星星般的火花，疾忽間，便將燎遍祖國的土地，匯成一股自由的火焰！

這只是南台灣的冬天，沒有雪花飛舞，也沒有白雪皚皚。

但台北見到雪了。

讓我們相信雪是回家的徵兆，讓我們祝福那些孕育在雪下的種籽。

我把萬斛鄉愁化為無限祝福！

天竹、蠟梅、憶新年

在家裡過年，大廳上，書房裡，總少不掉插上幾枝蠟梅、天竹，供上兩盆用紅紙裹著的水仙，幼時過新年留下印象最深的就是元旦清早起來，放過開門炮後，便去書房裡幫父親磨好濃濃的一硯台墨汁，看他挽起皮袍子的袖口，呵開一支新毛筆，蘸上墨汁，在隔夜裁好的一張張紅紙條上，端端正正寫下「元旦試紅，鴻運亨通。」「新歲試筆，萬事大吉。」寒冷的空氣中，一陣陣幽甜的清香沁入心脾，聞著那使人神清氣爽的芳香，看著那墨汁淋漓的字跡、心裡有一種和平、安詳、愉悅的感覺，一個充滿希望、歡樂、吉祥的新年，便由此開始了。

我忘不了蠟梅的幽香，如同我忘不了父親把著我的手在紅紙上寫字的情景。

蠟梅也許比不上別的花嬌豔，黃色透明的花瓣真有點像蠟塑的，乾柴般的枝桿上沒有一片綠葉。但是，它有一身任何花木都缺少的，不怕冰雪欺壓的傲骨。還記得姑母家有一座美麗的大花園，我去了總是同表兄妹在園裡玩，那天下了幾日雪剛晴，我們擁到花園裡，只見那些平常開得繁盛的花樹，不是用稻草裹紮起來，便是伶伶仃仃曳著幾片枝葉，被雪壓得抬不起腰肢。園裡除了白皚皚一片積雪，彷彿再沒有半點生氣。忽然凜冽的寒風中飄來一陣甜沁沁的幽香，一路尋去，原來是一枝平常從來不被注意的蠟梅，一朵朵黃色的小花正竄出壓在枝條上的積雪綻放開來。開得那麼明朗，那麼俊勁，多像一樹閃爍著的小星星。

那些星星，在我們冰凍的小心靈裡燃起了一點喜悅的光，一份歡欣的熱。這被風雪封鎖了的世界，還是活躍著生命哩。

從那時起，我對蠟梅有一種特別的感情，我獨愛它不畏風雪的一副傲骨，我獨愛它清雅沁甜的那份幽香。

如今不看見那小星星似的花朵，不聞到那清幽的香味，已經十幾年了。沒有雪的地方，也沒有它的芳蹤，過年，似乎總缺少點什麼，抬頭望望窗外，永遠是一片耀目的陽光。一片四季不變的青翠，縱使想編織一個幻景，也不可能。要麼，只有從記憶中去尋味。還有，還有從期待中去追蹤。

但願明年新歲，能在蠟梅的花氣氤氳中，我磨上濃濃的墨汁，在鋪開的紅紙上虔誠地寫下：「元旦試紅，國運亨通」。

翳

年齡一年一年往上增加，對新年的興趣也越來越淡漠。眼看著案頭厚厚一疊日曆翻剩薄薄數張，心底便不由得浮上一陣淡淡的哀愁，感歎馬齒徒增，一事無成。而身羈異鄉，客中度歲，縱使強作歡顏，也難解鄉愁萬斛。自從遠離家鄉以來，戰亂頻仍，彷彿新年都失去了它的光彩，那些真正難忘的，就只有記憶中幼時的新年。

在那歌舞升平的歲月，在單純幼稚的心目中；每一個新年都顯得瑰麗燦爛，每一個新年都代表著祈福和希望，每一個新年都充滿了歡笑與快樂。但是，也許就因為年年是一般的歡樂，若有一年在歡樂中摻入了不愉快的事，也會在純淨的小心靈上蒙上一些暗影，彷彿是晴空萬里中突然浮來一片雲翳。更多苦難的歲月，黑暗的時日，卻也並未遮去這記憶的長空中最初的一抹陰翳。

記得那一年由於父親的工作調動，我們從恬靜的姑蘇搬到了繁華的上海，那時的我留著短短的童化髮式，到哪裡都被牽著手走，根本辨不出東西南北，也不曉得上海離老家多遠。

離家前跟著母親到一家家親友家去辭行，只聽見別人說：「上海好玩嘛！」在上海住下來後，父母也帶我去逛了一趟大世界，果然比玄妙觀好玩；逛了幾次馬路，果然比觀前大街熱鬧。可是，父親有他經常的工作，母親有她忙不完的家事，往後那些閒散的日子，我只有一個人在房間裡打扮洋囡囡，一會兒充小媽媽，一會兒充大姊姊，玩膩了也只有從樓上跑到樓下，房子裡跑到弄衖裡。在老家裡住慣了三進四進寬深的院宅，退到一幢樓房住上三四家人家，就像裝進簍子裡的蟹，彆得人難受。而在老家裡，小孩子遊戲玩耍，總在寬敞的廳堂裡，斯斯文文的擺姑姑宴、開店、扮新人，再不就造造房子，踢踢毽子。大人們管那些在街頭巷尾嬉戲的孩子叫「野小囡」，從來不許在一起玩。在上海，我也不習慣同那些整天在弄衖裡瘋來瘋去，大聲叫囂追逐的「野小囡」玩在一起。小孩子不懂得什麼叫鄉愁，什麼是悒鬱，只是常常感到胸口堵得發慌，那顆小心好像被什麼擠軋著沒處安放。逢上這樣的時候，我多半是一個人悄悄地溜到弄衖口——馬路是絕對禁止去的——去看馬路上來往的電車。眼看著車子從路一端沿著在陽光下閃閃發光的鐵軌開過來，又迅速地消失在路的另一端，心裡老是疑惑地想它究竟開到哪裡去呢？就這麼永遠轉下去轉個不停嗎？那些人，他們又跑來跑去做什麼？那天，我呆呆地看了半天電車，便帶著那份淡淡的迷惘踅回弄裡。那兩天弄衖裡擺的小攤子增加了不少爆竹、皮泡泡、叫子等過年應景的小玩意，吸引了許多「野小囡」團團圍在那裡。膽小的我只怕他們亂丟甩炮，怯怯地靠著另一邊牆往回走。想起在老家這時候大概又跟著外婆和老阿媽到大街上去辦年貨了，南貨店裡慷慨招待的乾果——什麼栗子、黑棗、桂圓，擺滿了一櫃台，吃不完大把地往口袋裡塞。最後老阿媽身上揹著七包八包，我按著鼓得高高的小口袋，大家滿載而歸。多麼有意思！我悵然摸上樓梯，推開房門，卻見母親正忙著在理箱子：她把我最好的一套新衣服，玫紅縐綢夾襖，黑絲鑲花邊長坎肩，摺疊好了放進去，一面回轉頭來對我說：

「明朝帶妳回去過年，阿好？」

「真的？」我以為她看我沒精打采故意哄我的。

「姆媽幾時騙過妳？」

「噢！真的！真好！」我一高興只在房裡直打轉，身體撞在銅牀欄杆上，又彈到桌上，碰得桌子上茶杯茶壺砰砰響。母親笑著喊我：「發瘋啦！」突然我停止打轉，在我睡的小鐵牀下拉出那只做為洋囡囡牀鋪的鞋盒子，雙手捧出我心愛的洋囡囡舉得高高的，嘴裡嚷著：「囡囡乖，明朝帶妳回去過新年！」

「洋囡囡不要帶了。」母親用力蓋著箱子蓋，氣吁吁的。「回去沒有多少天，家裡又有的是玩具，省得帶來帶去。」

我感到有點失望，但一想起回家的快樂，第二天我也只得替洋囡囡蓋好被子，放平枕頭，小心地安置妥貼，才跟她依依話別。

一回到家裡，我真好比是如魚得水，如鳥返林。外婆同著老傭人已早把過年應景的事情準備得差不多了，但母親一回家還加入進去忙個不了。我最喜歡擠在忙碌的大人堆裡蒸糕搓團的拈上一手，可是外婆忌諱最多，唯恐我隨便亂說話或是摔了東西，總是這不許動那不許碰的，我便乾脆同對面隔壁幾個跟我差不多大的小女孩在沒有人的廳堂上一天玩到晚。有一天吃晚飯時，只聽見父親氣憤地說什麼日本人打起來不打起來（註）。母親的臉色也很憂戚，外婆一聲不響，含了口白飯癟著嘴有一嚼沒一嚼的咀嚼著。我向來不關心大人的事，這頓飯雖然吃得很沉悶，睡了一覺，第二天也就忘了。緊接著守歲囉，拜年囉，到一家家親友家裡跟著玩押牌九，擲狀元紅，反正輸或贏，回家時口袋裡總是裝滿了紅包和一把把的銅板。嘴裡甜的鹹的不停嘴地吃，那幾天儘管好菜連雲，小肚子裡實在再難剩得出一點空隙塞飯菜。慢慢地，廳上供著高翹的紅蠟燭快燃盡，年事也闌珊了。那股狂歡的熱勁漸漸冷卻，日常生活也漸漸按上了軌道，眼看外婆和老傭人又忙著把過年陳設的東西擦的擦，包的包，一一收拾起來，我意識到自己又將離開家園而悵惘，這才注意到父親攢緊的眉頭一直沒有開展過，也不曾帶我去坐過茶館，吃生煎饅頭，聽說書，每天出去了回來便搖著頭歎著氣對母親說：「這怎麼辦？火車還是不通！」我只曉得要傷風感冒了，鼻子就會不通，火車怎麼會不通，我卻不懂。但私心想不通豈不更好，我可以和小朋友多聚些時候，雖然，安靜下來，也會惦記著躺在鞋盒子裡的洋囡囡。過了幾天，我們到底還是啟程了，事先聽說因為火車不通改坐輪船，我立刻高興起來，平常除了每年清明節，坐一隻吱吱呀呀的小篷船搖到鄉下去掃墓，輪船還從沒有坐過，心裡還想大輪船走大河，一定比小船更好玩，哪曉得事實上全不是那麼回事。還記得那天是陰雨天，雨下得不大，卻陰沉沉的特別寒冷。蘇州河裡擠滿了大大小小的船，船上更擠滿了乘客。我們一家被擠在船梢上，就靠著鋪蓋箱籠偎依在艙板一角。四面被污黑的篷布遮得嚴嚴的，看不見外面，但河上的冷風卻仍從縫罅裡直鑽進來，船上的東西都被煤煙薰染得髒兮兮的，看起來又黯淡，又淒慘。乘客一個個垂頭喪氣，又穿戴得臃臃腫腫，就像一堆堆沒有捆緊的鋪蓋捲亂丟在一起，誰都像開一句口就要蝕掉三兩肉似的，抿緊著凍得發紫的嘴唇，偶然那麼一聲汽笛長鳴，聽起來慘厲而淒涼，如同受傷的狗在號叫。我被那種沉悶淒涼的氣氛弄得十分沮喪，再沒有上船前那股好興致，身上又冷又不舒服，便把頭靠在母親膝上，隨著船身波動，一肚子委屈地闔上了眼睛，迷糊中還感到母親把她肩上披的羊毛圍巾裹在我身上。迷迷糊糊也不知究竟走了多久，一陣嘈雜聲把我驚醒，原來已抵達上海了。

到上海那天，我們暫住在一家旅館裡，第二天一早，母親他們便打點好要去住的地方探看，囑咐我一個人在旅館裡守著，但說什麼我也不肯，末了還是跟了去。坐在黃包車上，我

註：一二八事變。

東張西望，覺得比我們離開時好像更雜亂、更熱鬧，但一點看不出有過什麼變動。只是越近我們住的地方，人越稀少。鋪子都關著門，就像有一次我們看戲深夜回家，街上全打了烊。遠遠看到一帶鐵絲網，黃包車就停下來不肯再拉了。走過去才認出是我們住的閘北火車站附近，鐵絲網密密的圈圍著，能夠進出的口子上都有討厭的紅頭阿三站崗。我們遠遠地繞著鐵絲網走了一會，看見一個收買舊貨的挑著滿滿一擔舊貨，從一處隱僻的缺罅裡走出來。我們便也從那裡跨越進去。經過一條一條弄衖，卻沒有碰到一個人。每家的門窗都關得嚴嚴的請鐵將軍把守著，也有樓房屋頂上缺了一角，或是牆上打了個洞的。我從來沒有見過像童話裡的睡城那樣的死城，一種莫名的恐懼，隨著一步一步走去，一刻比一刻更深沉的包圍著我，我用力緊握住母親的手，感到她手心濕濕的全是汗水。終於，我們走到了我們住屋的門口，大門鎖著，繞到後門卻一推就開了。房東住的樓下是空空的，走上樓梯，便看見房門仍舊跟我們離開時一般鎖著。母親鬆了口氣，我也跟著心裡落下一塊石頭，父親正從褲袋裡掏鎖鑰，忽然母親「哎喲！」一聲驚叫起來，轉身看時，原來正靠著陽台那一面的牆上轟了個大窟窿，大得盡可以供一輛黃包車出入。走到洞口，我們首先被洞裡那副慘狀嚇呆了。那個曾經由母親一手布置得整潔雅致、充滿了溫馨的家，卻變得那樣凌亂、狼藉，成了一只大垃圾箱，那只雪亮雪亮、我一直照著它扮鬼臉的大銅牀不見了，一大疊疊成寶塔形的箱子，只剩母親陪嫁的那只最大的紅漆皮箱，空著露出白慘慘的裡子，像死青蛙的肚皮。我睡的小鐵牀卻四腳仰天的翻倒在地上——突然，我像觸了電一般，猛地衝進去，在垃圾堆裡瘋狂的搜尋著，尋到那只裝洋囡囡的鞋盒子壓得稀扁一片。又尋到兩件母親為我替洋囡囡縫的小衣服，又髒又皺像擦地板的破布。最後，我終於在斷了一隻腿的小圓桌底下找到了我那個心愛的洋囡囡，可是，她又變得多麼醜陋難認！那一頭棕色的鬈髮，蘋果似的臉，都已破裂。圓圓的藍眼睛，小鼻子，陷入裂開的破片裡，紅紅的小嘴歪在一邊——我緊緊地把她壓在胸前，像平常要母親分擔我的一切悲哀痛苦一樣，嗚咽著梗梗塞塞喚了聲：「姆媽！」不聽見答應，抬起頭來，透過模糊的淚水，卻見父親握拳豎眉，悲憤地木立在他的空畫篋旁邊。母親是滿臉淚痕，癱坐在空箱蓋上，望著劫後殘餘，嘴裡不住喃喃地說：

「統統都完了，什麼都沒有留下……」

我抱著那個殘破的洋囡囡，走過去偎在母親身邊，陪著她一起默默地傷心流淚。

這是第一次，戰爭殘酷的刃鋒，第一次在我幼小純潔的心靈上劃下了第一道創痕。

這一個新年，是我幼時所有值得回憶的歡樂新年中最黯淡的一個，是輝朗的晴空中一抹雲翳。我初次體味到人間除了愛和友情，還有殘忍的獸性。而世上也還有比歡樂更忘不掉的仇恨。

編註：本文原刊於《自由青年》第二十一卷第三期，一九五九年二月一日，頁二十四～二十五。

感情的遺產

一片綠蔭，投影在他心的沙漠，倦澀的眼睛明亮了，像承受了兩滴露珠。他無意中闖進了這幽邃的山谷，發現了這蒙茸遍地、夙罕人跡的小徑。山風輕輕地吹拂，不知名的白色花瓣，悄悄從樹巔飄墜。呵呵，一片蒼鬱的綠蔭，一片忘世的幽靜。旅人那被歲月和生活著意琢磨的臉上展現了一抹微笑，像透過雲翳的一線陽光。再回顧那來時的途徑，那獨自跋涉了長久的路程，多麼的漫長而崎嶇，一路上，充滿了無邊的寂寞和荒涼；充滿了無盡止的戰鬥和艱辛，他也許願意有一個安謐的角隅養息累累傷痕，他也許渴望著一份崇高的愛情溫暖寂寞的心靈，如今——他向來時的路程瞥了最後告別式的一眼，回過頭來深深地，戀慕地諦視著那一片幽邃的綠蔭，於是，他從心底舒了口氣，抖一抖風塵，挺著寬闊的肩膀，謹慎地、虔誠地，緩步踏上綠草蔓結，樹叢掩映的小徑。

小徑盡頭，藤蘿牽纏中隱藏著一扇粉色的小扉；小扉，像少女緊闔著的眼簾，而披靡的藤蘿，是濃鬱低垂的眉睫，唯恐驚碎了一個脆弱的夢似的，他輕輕走到門前，輕輕推了一推，門關得很緊，門上沒有扭環也沒有把手，他忽然記起一首曾讀過的詩，說是凡是通向心靈之門，只能由內向外開啟，於是他垂下手，像一個石像守護他的神殿——突然，那下垂的藤鬚微微顫抖，小扉悄然半啟，有似惺忪的睡眼，半睜著向外眺望，卻不防門外的人一腳插進門裡，但隨著一聲驚喚，小扉立刻有了抗拒的力量，就在他略一惶惑間，又緊緊地閉上了。

他雙手按撫著小扉，懇切地懇求：

「請讓我進來吧！半生流浪，困倦的身心切望著愛的撫慰！枯寂的心靈渴慕著另一個靈魂的密切偎依，好不容易覓得這一角——」

「呵，對不起！你不能進來。這裡沒有你需要的那些。」門裡一個輕柔而略帶驚懼的聲音回答。

「可是，我看見門在我面前開啟。」他不平而婉轉的抗議。

「門開卻並不是為你。」門裡儼然反駁。

「請別這樣接待我——一個懷著一顆赤忱的心，摯誠向妳奉獻的人。」他只是悲切陳訴。

「我再不能接受任何奉獻，因為我那戀愛的聖壇早已為塵埃封埋。」門裡依然是嚴正地拒絕。

「我將殷勤拂拭，用我摯誠的心意；我將使塵封解凍，用我熾熠的熱情。」

門裡片刻沉默。不知是吟思，是考慮，聲音變軟和了，卻流露出一份掩飾不住的悲哀。

「謝謝你，你也許不知道將發現些什麼：那已經成為一塊撒下種籽發不出芽的瘠地。一堆燃上火再不會發光發熱的灰燼。」

「上帝安排我們相逢不會無緣。」他耐心苦求，「且給我們一個嘗試的機會，我會試著盡我的心力。」

「嘗試便是造因，造因必將收果。人生的果我已經嘗夠了，更不願再造新因。若是緣，權當是雲彩瞬間的相值，浮萍與浮萍片刻的邂逅。風過處，也便各自散了，何必留下痕跡？」風過處，也便各自散了——幽幽的語音，恰似一陣山風吹墜殘花落葉。

「春風秋月，妳便這般甘願捱受那無訴無依的寂寞？」

「……」

「晝永夜長，妳便這般甘願忍耐那無邊無疆的荒涼？」

「……」

「妳有點殘忍，因為妳親手窒煞自己的青春，妳有點冷酷，因為妳親手虐害自己的感情。……」

「別說了！那是我自己的事情。」冷峻的聲音想阻住他的怨懣。

「不，我要說，妳原可以飛翔於愛情的領空，遨遊於幸福的海洋，像自由的鳥，像悠然的魚，如果妳不再把自己囚禁，如果妳肯啟開這門——」

「呵，呵，請你，請你別說下去。」門裡的聲音顫抖地懇求。「你已經擾亂了我心的平靜，請離開我，離開這裡吧。」

他突然噤默了，為那顫抖的聲音裡洩露出來抑制不住的悲哀和沉痛。再凝視緊閉的小扉，小扉精緻而脆薄，也許經不起一次暴力，但他又一次舉起手來又垂下了。

他頹然跌坐在門畔，彷彿一下蒼老了十年。十幾年的戰鬥和生活的磨難，未曾使他挫頓，而感情上輕輕的一擊，卻使他心力委喪。他彷彿感到第一莖白髮在鬢邊滋長——是的，他已不太年輕了，花開四時，崇高的愛戀只一次，青春的情熱也許難再復燃。

風從樹隙穿過，枝葉竊竊私語，彷彿在低述一個人類悲慘的故事，太陽漸漸淡去，濃蔭更蒼鬱，原來是一片龐大無比的寂寞的陰影。

三兩瓣淡白的花瓣飄墜在他身上，腳畔——

「那麼，請答覆我最後一個問題，妳是為了什麼，抑是為了誰。犧牲幸福，虛負此生？」他再度仰首望著小扉，苦惱而又困惑。

「那是為了一份感情的遺產。」激動的聲音又已恢復平靜，輕柔有如溪水潺流。

「感情的遺產？」

「是的，我曾經忠於那份感情，儘管那在我生命中彷彿彗星般一閃便殞落了。但永遠不會忘懷那燃亮了我生命的光和熱。如今，我便守著那珍貴的遺產，如同他依舊活在我心裡。」多麼堅決而莊嚴的答覆！那是屬於殉情者的口吻。

「呵，呵，妳這可敬可愛的傻子！」

他恍然領悟，悲哀的眼睛閃射著一半尊敬，一半憐憫，沉默地向小扉凝視了最後一眼，於是緩緩地站起來，像來時抖落風塵一樣，抖落了花瓣和落葉。一轉身，便顛頓著走出小徑。展現在他前面的又該是漫漫的路程，無盡止的戰爭、艱辛、寂寞、荒涼……

腳聲遠了，幽谷復歸沉寂，陰蔭更濃鬱暗黯。

輕輕地，悄悄地，小扉向著腳音消失的方向啟開，彷彿暗暗送去最後一個瞥視，一份歉意，一聲無言的祝福。半晌，從門裡飄出一聲歎息。於是，門又悄悄地闔上了。

山風獷厲，花瓣黯然下墜，陰蔭覆滿幽谷。荒草蔓延，小徑逐漸湮沒——

編註：本文原刊於《海風》第一卷第二期，一九五六年一月一日，頁十七～十八。

新版小言

散文是一種情思的昇華，一份性靈的流露，不管抒情寫意、或借物起興，每一篇自有每一篇的中心思想、主題和寫作當時的感受。因此，當我把這些小文結集出版時，就省免了序文這類贅言。而事隔多年，如今又要「重新」出版，自然不免改頭換面一番，似乎應該寫幾句作為交代。

一本書如果設計、印刷、裝幀什麼的不夠理想，就像讓自己的孩子穿著得很不得體站在人前一樣，做母親的心裡總覺得不是味道。過去出版的書有好幾本我都有這種感覺。除了那些官方書局置之冷藏庫的不提，有書和出版社同告壽終正寢的，有經營不善不再發行的，幾本散文集我都取了回來。朋友勸我自己出版，只是除了白紙上寫字，對其他既一竅不通，更不耐經營，這一擱置幾乎全成了絕版。這次由於水芙蓉出版社的敦促，先重版了這一本。該出版社主持人熱誠而有氣魄，所出版的作品，非常合乎現代化的水準，因此我也樂得把書交給他們去處理。尤其使我高興的是能得到梁丹丰女士精心繪製的曇花作封面，「新瓶裝舊酒」，酒雖然不見得越陳越香，煥然一新的外型，卻另有一種丰采。

新店倚風樓・民國六十三年雙十節

不具「風格」的風格

「一個散文家，可以運用天地間任何事物，說他自己，或表明自己與外界一切的關係。」多麼豪邁的口氣！但也確實如此。只要心中有愛，只要能關懷周遭一切，只要有悲天憫人的胸襟，只要對任何事物感到好奇；散文的內涵可以包羅萬象，散文的題材更俯拾皆是。面對如許浩繁，我獨選擇其特別使我動心，使我有所領悟，使我銘感難忘，使我感到意義深永的；經過思想融貫，感情鎔鑄，再發為文字。

初學寫作，叩入散文的領域時，正是詩一般的年齡；充滿夢想懵懂地生活在親情縈迴的雲端。而抗戰爆發，家庭又遭遇變故，一腳踏進了現實生活；在外在的壓力和內心的衝擊下，「我找著了寄託心，宣洩感情的路子；把寫作當做一支舵，按上我那在人海風濤中奮鬥向前的小船。」（《青青篇．序》）那時期，我寫出年輕人對理想的狂熱，對自由的嚮往，對真理的崇敬，也把戰鬥氣息帶進艱辛的生活，鼓舞自己；讓思想突破狹隘的圈子，沖向廣闊的天空。寫作的第一階段，大多是探索人生，舒放感情，抒寫性靈的作品。

隨著年齡增長，生存範圍擴大，體察更廣更深；使我領悟做為一個文藝工作者不僅是需要不斷地自我擴充提升，更應該認清時代賦予的使命感，開拓更深更廣的寫作路線。我寫：「一切藝術永遠是聯繫著時代的。寫作不僅是獨抒性靈，表現一己的感情生活，更要從這時代人民大眾豐富的生活中去提煉；不僅是刻劃個人的希望和理想，更要反映這時代人類對明日的希望和思想。」（《漁港書簡．序》）而人的性靈中原來都蘊藏著許多高貴的品德，周遭一切事物中也都含蘊著美。宇宙天地、自然萬物，充滿玄妙化機、生長奧秘，莫不與人息息相關；只是忙著生活，忙著物質享受、科技發展，都被忽略了、蒙蔽了、湮沒了。「把戰鬥奮發的精神，激勵向上的意念，帶給自己和有現實生活的人，以提高人性的尊嚴，加強生者的勇氣。」「發掘性靈中的寶藏、發揚人性中高貴的美德，從沉滯中喚醒心靈的注意力，自平凡事物中發現新穎的美。」願以真情融鑄萬象，共享「與物為春」的喜悅。在這些原則和課題上，我陸續寫了點篇章，收刊在：《漁港書簡》、《生活小品》、《曇花開的晚上》、《浮生散記》、《不沉的小舟》等散文集內。

在散文創作的領域中，我寫多方面的內涵，我也試著寫多樣性的體裁和各具獨立性的形式。

常說作品的風格反映一個作者的人格；而所有優秀的作家，自始至終，傾注全力在自己的觀點、文字、意境上琢磨錘鍊。一貫作業，的確都有他獨特的風格；無論說理抒情，給人極其深刻的印象。但對我來說：風格兩字也可以把它分開來詮釋：「風」是風度，代表一個作者的精神、人格和氣質；是心靈和德性的結晶，是不卑不亢的骨氣，堅貞的意志，高潔的情操，和不倦不息的愛心，屬於人的本質和平時的修養；就像光附著於太陽上，融貫映照於所有不同形式的作品中。而作品的作風或「格調」，卻由於一貫的思想，獨立的內涵、文字、意境、技巧，形成各種不同的形象和體裁。也許我自己缺少點專精的耐力，又怕局限了格局而內容越寫越貧乏；總喜歡做多方面的嘗試，以期從變化中求創新、求突破。近年來，尤其喜歡寫自成一系列的作品。像在觀點上一致，文字上獨創一格，取材卻是多方面的：或者是一個新的構想，或者是一種新的領悟，或者述說一些事物，或者是探索生命的真諦。有的已結集出版，有正在撰寫中，有的卻暫時擱淺。如：

《生活小品》（已出版）——自日常生活中取材，「期望通過身邊瑣事的闡述，獲得一種淨化和解脫，從習慣的沉滯中喚醒心靈的注意力，藉以從平凡的事物中覺得新穎的美，發掘內蘊的寶藏。」日記體裁，文字力求平實親切。

《浮生散記》（已出版）——「從困厄的生活，通向心中丘壑的一段心路歷程。化解內心的衝擊、矛盾，為謙遜寧靜；擷取心靈深處最真的回音，提升為生存的勇氣；肯定自我，站在比現實更高的地方。」溶哲理於抒情中，是一本性靈的札記。

「你我的書」——有表達於外的行為舉止，有涵蘊於內的欲望、品德、智慧、情感、人格、器識……著意的刻劃，反覆的闡揚；展示這些，如同展開一冊人生的巨書，讓你我一同研讀、思考，有所領悟。

「忘憂草」——從天地萬物、社會景象、文化藝術中獲得靈感，借物起興，捕捉住事物的神韻精華，遣詞造句，刻想描繪；而身存萬物之中，用恬淡的胸襟，和萬物回響交流，達到「與物為春」的境界。有如蔣總統經國先生在《風雨中的寧靜》一書中所提示：要用身外景物之美，和心內美淑之氣，來蕩盡胸中一切空虛無盡的焦慮，和一切使人委靡不振的憂鬱。故名忘憂草。

《倚風樓書簡》（已出版）——離開蟄居二十年的小鎮，賃居大台北；「倚風」而棲，當居安思危，給自己是一種警惕。而新環境、新接觸、新交往，帶來新的振奮的感受，隨手拈來，信筆而寫，與摯友閒閒細訴，卻也涵蓋了思想、人情、風土、自然、書信的體裁，自然平易而曉暢。

「最愛是蘇州」（懷鄉草）——人一生最難忘懷的是自幼生長的地方，更何況故鄉是被譽為天堂的蘇州；最懂得享受「中國人悠閒藝術」的們。魂牽夢縈，唯有暫借筆卸我千斛鄉思；以赤子之忱，童稚純真的眼光和口吻，詩意的情調，來寫景致、風格、文物，更能顯示其種種動人之處。寫我鄉土，也算是最真切純淨的鄉土文學。

「我住柳橋頭」——眷村二十年，單純的田園生活，克勤克儉中有著奮發的朝氣，鄰居們和睦相處，彼此息息相關。孩子們一起成長的喜悅，淳厚的人情味：「鳳凰花的歲月，已在生命逝去的歲月烙下難以磨滅的印記。不用華麗的詞藻，不用雕琢的文筆；只以純樸的字句，真摯的感情，蘸上祝福和感謝的蜜汁，勾勒出一幅幅真實的小品圖景。」

《花韻》——一花一世界，花的神形韻姿，與人的心靈境界，排比相感涵融而臻美化神化；以散文詩般的筆致，配上名版畫家幽美的插圖，相互輝映烘托，益顯得生命的律動，躍然紙上。

《綴網集》——生命是漸行漸深的覺醒。經過半世紀來，時代的錘鑄，生活的磨鍊，自我的塑雕，自心靈深處傳來一波一波的回響：是人生的詮釋，是人性的剖析，是價值的評定，是理念的確實，是思想的超越，感情的昇華，生命的領悟，自我的肯定……我選擇最簡潔精練的一字一句，深入淺出，寫成一則短短的小品：在思想上是一種突破；在文章上又一種創新，希望更上一層樓，有更高的境界。

其他還有「日光頻道」，只寫陽光下發生的事情，充滿生之喜悅，成長的奮發。「物情物趣」，小小一樣物品，常常包含許多感情與經歷，牽引到生命更深處——醞釀中有更多類似自成一系列的美麗構圖，只待以時日，慢慢成熟。

也許，「不具風格」就算是我的風格罷，雖然這樣不能寫得精緻深刻，使作品臻善臻美。但我就喜歡那種將構想付諸實踐，每次寫作一系列時都有一種「創新」的感覺：新的姿態、新的聲音、新的語言、新的面孔、新的傾訴，都令人振奮鼓舞；畢竟，寫作的路上，原是不斷的嘗試和創造。

畢卡索也自認是個不具風格的畫家，他說：「風格常常可以把一個畫家扣鎖在困乏的心象中，年年復年年，甚至窮其一生扣鎖在相同的技術公式中，如同一個人老是穿著相同剪裁的衣服一樣……藝術家變化其表現方式，並不意味著改變內心的狀態。」

不管風格如何，最重要的還是作者人格美的融貫涵泳。自己必須從人生道德、生活實踐中，培養高雅的趣味、高潔的情操，和自己在思考、體驗上所下的功夫；投注的心力和熱忱，才能產生高尚的風格。

繁富的內涵，多目標的作風，已確定了寫作的方向。可以是獨抒性靈，寫自己熟悉的；從一花一沙發現生命的愉悅，自心靈深處發掘內蘊的寶藏。可以寫具有社會良知的；對人類命運的關懷，對世界萬物的博愛，走向內心，又走向世界。由自我出發，而終歸於廣大社會。思想上可以孤獨自處；心靈上可以淡泊虛靜；生活上卻必須參與時代的進展。投入現實又超越現實，再以真情融鑄萬象，化為文字，使作品引起讀者的共鳴，更進而能發揮兼善天下的感召能力。

寫作是一種嚴肅的精神事業；出諸內心真誠的愛好、虔敬的奉獻，終身頂禮，鍥而不捨。期許自己在生命的秋季，仍擁有豐沛的創作源泉。

錄自《中央日報》・民國七十一年十一月十日

編註：本文原刊於《中央日報・副刊》，一九八二年十二月十三日，第十一版。

艾雯全集2

散文卷二

浮生散記

浮生散記：台北市，水芙蓉出版社，一九七五年三月初版。三十二開，一三九頁。後改由台北市，漢藝色研文化事業有限公司重排印行，一九九〇年一月發行初版，二十五開，一四七頁，並改書名爲「明天，去迎接陽光」。

◎水芙蓉版原目：

蒼涼的心路歷程、心中自有丘壑在、道路伸展的地方、攜回一束小花、舊年新歲、牆和橋、家與燈、站在比現實更高的地方、明天，去迎接陽光、昨夜風雨中、夏日，在燃燒。

◎漢藝色研版新增篇目：

新版小言，並抽去蒼涼的心路歷程等一篇。

◎說明：

本集據水芙蓉初版編入。

漢藝色研版新增篇目收錄於水芙蓉版末。

蒼涼的心路歷程
——代序

人的一生往往充滿了矛盾、衝突、苦悶，有時困頓於無可奈何的逆境，有時滯陷於生活的泥淖，有時膠著於苟安的無進步狀況。生存彷彿只是一種不盡向上的掙扎、一種不甘妥協的反抗、一場不甘屈服的搏鬥，正如契訶夫所說：「生命的本質不外乎慵倦與挫折。」經過長時期無休無止的折騰下來，有形無形的網一時無法突破，心中自懸的標的仍在遙遠的撲朔迷離中，卻以心智慵倦，逐漸失去鬥志。也許，便一恁這般沉淪於泥淖中，不再掙扎、不再追尋。讓生命一點一滴麻木地虛耗在瑣碎之中。也許，便一恁這般淹沒於情緒的低潮，從此對一切興趣索然，對未來更茫無把握——這是人生最危險的紅燈信號，生命最可怕的低潮時期。與其等待外在新的轉機來改變和推動的力量，不如及早在內心自拓丘壑，化積鬱為祥和。擷取心靈深處最真的回音，提升為生存的勇氣！

心中自有丘壑，只消凝神一顧，便能獲得寧靜。只要隨時退隱，便能得到新生。在內心潔淨的世界裡，肯定自己存在的價值。保持性靈的純真，更不為喧囂浮華、物欲橫流的外在因素侵蝕。

通向心中丘壑的是一段孤獨、寂寞而又蒼涼的心路歷程。但唯其寂寞，才能不斷地自我期許、自我琢磨。唯其孤獨，才能堅持自我，肯定自我。待一番尋覓，一番歷練，一番覺醒，一番悟澈，又將獨自領略怎樣天清地寧、雍容肅穆的更高境界?!

於倚風樓・民國六十四年春初

心中自有丘壑在

×月×日

又是沉悶的日子。低氣壓，密雲不雨，空氣中彷彿布滿了汲汲的濕霧，黏附在人身上，沁入吸呼中。這樣的天氣，最是令人煩膩。

膩味的生活就跟這樣的天氣一樣。只不過在陰鬱窒悶的日子中，還可以盼望明朝是晴朗的好天氣，或者落雨颳風也好。唯有不變的生活，永遠是一座轉動不停的巨磨，那樣冷酷無情地碾壓著縶在它旁邊的人們所投下去的青春、美夢、希望、理想……

年幼時不懂得生活，以為只是嬉戲玩耍、只是童話故事中公主和王子美麗的傳奇。年輕時憧憬著生活，認為那是多采多姿，充滿著熱情和冒險、溫馨和詩意。只有當生活的鐵軛真正套上了頸脖的人，才深深體會到有一位過來人下的結論：「生活是什麼？只是一堆瑣事的總和而已。」

「瑣事的總和」，一點也不錯。看看那些日常生活中最瑣碎而又最費神的衣食住行，從一枚針、一撮鹽，到安排一角遮風避雨的居處，耗費了一生中多少的時間和心力！看看那些最繁冗而又毫無意義的俗務：酬酢、應對、感情的糾葛、責任的負荷、人與人的相處，以及工作、權位、浮名……又剝奪了一生中多少的精神與時間！更有由此引起的種種煩悶、瞋恚、苦惱、憂慮。這些那些，長年累月地淤積、侵蝕，逐漸蒙蔽了人們性靈上的光彩，湮沒了那份「真」，擾亂了那份內心的寧靜。多少人栽倒在生活中，迷失了自我！

「死亡只能埋葬軀殼，生活卻能埋葬靈魂。」一人生存在世上如果只成為行屍走肉，豈不比進了墳墓還更可悲？

噢，那卑瑣的生活已使我心力交瘁，已使我十分厭倦。多久以來，我一直想尋求解脫，想俟機引退，想找一角遠離塵囂的僻靜處所安棲。不為遁世，只為找尋內心的寧靜，讓思想澄清，讓性靈淨化，返真還樸，恢復自我。

我嚮往著的是一片幽邃的山林，結草為廬。坐聽松濤鳥語，閒看白雲出岫，淡泊寧靜，更無半點俗念。

我嚮往著的是一角清靜的海濱，砌白石為屋，晨觀海上日出，夕聆浪濤拍岸，胸襟坦朗，更無一絲煩慮。

嚮往越甚，厭倦越深，我應該有所抉擇。但願我能擺脫那堆瑣事，擺脫那無形的桎梏！

×月×日

如果說枯燥乏味的生活是一片無法跨越的沙漠，那麼，真純的友誼該是一支橫貫沙漠的小溪。與一二知己互訴衷曲，暢談甘苦，彼此同聲一歎、勉勵一番，彷彿肩頭的重負、心頭的積鬱便都減輕了。

今天，凌與宛不約而同來訪，宛的興趣是多方面的，從不放棄任何生活中的享受，凌卻是個把生活看得太嚴肅的人。

我們啜著濃醇的咖啡，毫無拘束地說話，像一串串雨珠撒落在湖面，激起一圈連一圈的漣漪，散開、擴展、消失，又再串綴。我說起我對生活的厭倦，說起想引退的動機……

宛玫瑰花瓣似的手指停止攪動咖啡，抬起那雙黑亮的明眸盯著我。

「噯，妳是說妳竟想離開這繁華世界，做起高雅的隱士來？」

「我若隱居只為求一時的寧靜，絕不是想附庸風雅。」

「難道妳就不怕那無邊的寂寞？」

「我早已習慣與它廝守，何況在人群中也常有比獨處更甚的寂寞之感。」

「妳怎能忍受那感情上的折磨？」

「有感情並不在朝夕共處，靈犀一點，便已融會貫通。」

「妳又怎能抵禦消弭那種種的欲念？」

「欲念都由外在的因素誘發，若無因素，更無欲念。」

「究竟妳比我豁達，超然不同凡俗！有時我也會感到生活空虛無聊，但是我就不能想像我一旦捨棄那些聲色的娛樂、愛情的遊戲和物質的享受，又怎能活下去！」

宛輕柔的聲音迴旋在空氣中，像小提琴演奏曲嫋嫋的餘音。但另一個金石擲地般的錚聲把它截斷了，在一旁以雙肘支頤、一直沉默著的淩，忽然微微冷笑著說：

「生活，為的是征服它，逃避是沒有用的。」

「妳弄錯了，我絕不是逃避。剛才我已說過，只是暫時引退，為的是重獲那份被瑣務擾亂了的心的寧靜。」我分辨著。

「生活的進行永遠是持續不息的，哪有停止了心臟活動的人還能呼吸、脫離了現實的再能跟得上時代？」

「可是，我實在難以忍受生活中的瑣事——妳聽說過櫟木的故事麼？當它是山上的一株樹時，經過多少狂風暴雨，屹立不倒。當它成為棟樑時，支撐著宏偉的建築，穩若磐石。誰知最後卻被一些小蟲蛀蝕了。那些瑣事便是那些小蟲，而我怕自己還不及那櫟木堅固呢！」

「木先潮濕然後生蟲。至要的是先乾燥自己。妳若心理健康、觀念正確、目標堅定，卑微的小蟲又奈何得妳？」

「可是……」

「人生原是與苦俱來的。做人便是從痛苦中去學習、修養、覺悟，這才能領會人生的真諦。經不起生活考驗的人，便是懦夫，是弱者！」

凌說得激昂慷慨，振振有詞，我竟一時為之語塞……

宛如凌都去了，她倆不曾幫我減輕重負，卻給我留下了更多的矛盾與衝突。我並無做「超人」的奢望，因為我只是極平凡的人，我也不承認是懦夫，在與生活展開冗長的戰鬥中，我一直是不屈不撓地戰鬥著。我只不過是厭倦了瑣事，渴望著過一種單純、寧靜、屬於性靈的生活，卻不知從何尋求？……

×月×日

昨夜未曾睡好，一晚上只聽得窗外風風雨雨，更加上惡夢擾人，彷彿才一交睫，又無端地怵然驚醒。幾番輾轉，曙色已透入紗窗，起身上學的孩子與枝頭早起的小鳥掀起一片嘰嘰喳喳，劃破了清晨的靜謐。

一天的序幕掀開，又面對著繁瑣的生活。

一宵風雨，將滿枝盛開的玫瑰摧墜泥濘，遍地殘紅落葉，我懶於掃除，椅上扔著未縫完的衣服、未織成的絨衫，我亦懶於拈針。郵差送來兩張晚會的請帖，我只不經意地撇在一旁，有訪客揿動門鈴，我只讓女傭出去諉稱病了。電唱機上積滿塵灰，翻開在桌上的書卷，只有窗外吹進的風偶然來掀動……我像一座準時工作了許久的時鐘，發條忽告鬆弛，像一部轉動了許久的機器，零件磨損而又缺少滑油。

籬畔一角，數叢紫陽花經過風雨的洗禮，似乎開得更鮮妍了。它不及玫瑰嬌豔，卻比玫瑰經得起磨練。一隻粉蝶，正悠然尋芳，幾隻蜜蜂，自忙採蜜，這兩種小生物所表現的，正是生活的兩個極端。一個是恣意享受，一個是嚴肅地工作。我很想知道這兩者之間可有煩惱和厭倦、可有衝突和矛盾？但看他們翩躚自翩躚、忙碌自忙碌，似乎從不知道世間還有所謂這些那些。

那麼，是因為人類的智慧才產生這種種嗎？

宇宙是那麼廣袤，人類卻各自用薄薄的牆把自己圈在極微小的一個角落，人生是那麼豐富，人類卻一輩子只在可笑的瑣事中打滾。這便是人類的智慧，把人人都造成了畫地為牢、自築樊籠的傻瓜！

噢，我寧可是那自由自在的小小蟲豸，要不讓我倒退回去，做個混沌初開時愚鈍的原始人罷。只有單純，單純才是真正的幸福！

×月×日

夜已深靜，被一天的疲倦所征服，眾人都沉沉熟睡。獨我繞室徘徊，復又案前癡坐。隨手從故紙堆中拾起了閱讀筆記，翻閱著當時任興之所至摘錄下來的片言斷句，這裡收集著不少前人對生活所下的定義，奈越讀越令人困惑，我正待闔起扔下，另一段文字似雨後虹彩般吸住了我——「一般人隱居在鄉間、在海邊、在山上，你也曾最嚮往這樣的生活。但這乃是最為庸俗的事。」——人人都認為隱居乃是雅事，他卻說是庸俗，這人的觀念，似乎很特別，該文作者瑪克斯・奧瑞利阿斯，這位曠世奇人不僅是位苦修的哲學家，竟還是叱吒風雲的古羅馬皇帝！我接著往下看去——「因為你隨時可以退隱到你自己心裡去，一個人不能找到一個去處比他自己的靈魂更潔淨——尤其是如果他心中自有丘壑，只消凝神一顧，立刻便可獲得寧靜，所謂寧靜亦即是有條不紊之謂。充分利用這種退隱的方法，使你自己得到新生。」——我默誦了一遍又一遍，就像一個在幽邃的山洞中迷失了方向的遊人，摸索了許久，四面碰壁。幾疑已陷入絕境，忽然眼前一亮，終於發現了一線蔚藍的天空，又似一道來自天際的曙光，砉然通過心靈的黑夜，頓覺茅塞盡開、蒙昧盡去。真是：

眾裡尋他千百度，驀然回首，那人卻在燈火闌珊處。

這許久以來，我苦於瑣事煩擾，一直想尋一角幽邃僻靜之地退隱而不可得，原來無需旁求，就在自己。屬於自己的那方小天地才是外面任何客觀的事物不能涉及的清淨地！儘管生活中許多繁瑣之事令人困擾、許多庸碌之事令人苦惱，「只消凝神一顧，立刻便可獲得寧靜。」多麼神妙，又多麼簡捷！就在那凝神一顧間，心瓣啟闔，把一切壞的印象都摒除在外，只留下一片瑩潔、一片安詳。

記得在《荒漠甘泉》中也寫過這樣一則故事：

「有兩個畫家，相約各畫一幅圖畫，表露安息之意。

「第一個畫家畫了一個大湖，風平浪靜，湖面如鏡，山上的美景在水中映得清清楚楚。

「第二個畫家畫了一片極大的瀑布，旁邊有一棵小灌木的枝子彎在水中，它頂端的分枝上擺著一個小巢，幾乎被浪花浸濕，中間睡著一隻知更鳥。

「第一幅畫僅是停滯，第二幅畫才是安息。」

安息，也就是內心的寧靜。

沒有風浪，與世隔絕的寧靜只是生活的停滯，唯有在生活的逆浪狂濤中，不需求外在的幫助，仍然能從容撐持心靈之舵的，才是真正的內心之寧靜。也唯有在這樣的寧靜中，性靈生活才能默默地生息，思想情緒才能安住其位，互放光輝。

從此，我不再嚮往著山林和海濱，不再妄想著避世和退隱，當前要務，將是全心致力於心內丘壑的培養和擴展。

從此，我也不再在乎生活是狂風暴雨抑是陰霾密布，在我那小天地中，將永遠是另外一個清澈明淨、雲淡風輕的境界。

浮生散記之一．《新時代》月刊

編註：本文原刊於《新時代》第一卷第十期，一九六一年十月十五日，頁五十六～五十七。

道路伸展的地方

×月×日

我又獨倚窗前，靜靜地眺望著，新鮮的空氣使我頭腦清醒，空曠的四野令我胸襟豁達。吾愛吾廬，因為它不似宮殿式的建築，四周砌起高高的圍牆與外界完全隔絕。也不似堡壘式的大廈，陰森森巍然矗立，與大地完全脫節，而小屋數椽，建立於地勢稍高的空曠地界，窗戶敞開，抬起頭來，是一片廣闊的藍天，俯下眼睛，是大地上錯綜的道路。

路從遙遠的地方伸展前來，在不遠處分成了左右兩條，又各自伸展向無限遙遠的地方，路旁栽著蒼鬱的樹，在路上投下清幽的綠蔭。路畔叢生著鮮妍的野花，替路添綴了不少生意。但路只沉默地伸展著，像一個嚴肅的工作者，從不為浮華所動心。

這可敬的、沉默而嚴肅的工作者，是它，聯繫起城和城，從繁榮的都市到冷僻的山村，從荒涼的沙漠到文明的疆域；是它，溝通了思想和文化，融貫了人和人的感情。不分日夜，無休無息，它載負著歷史的憂鬱，載負著人類的幸與不幸，從無垠到無垠，從智慧的起點，到善惡的終站。

路是無所窮盡的，如同人類的願望和欲念永無止境。

路是人開闢的，也是為了人開闢的。人人有選擇路的自由。人絕不會「無路可走」，而只能怨自己不善擇路，不會走路。

路上負荷著悲傷，也負荷著歡樂和痛苦。路上有戰爭，有凱旋者，但也有失敗者，然而每一個人必須腳踏實地，一步一步向前走去，若妄想試探捷徑的，往往便會錯入歧途，誤盡蒼生。

行星有行星的軌道，生命有生命的旅程，星星以它的清輝照亮自己的軌道，生命以「愛」和「善」光耀自己的旅程。最悲哀的是那些永遠在黑暗中摸索的人生，一無貢獻，也一無所獲，只是白白地虛此一行。

路伸展著，從無垠到無垠。紀德說：「伸展道路的地方，我步行的欲望。」我要加上一句：「道路伸展的地方，我遐思的願望。」當我疲倦的雙腳暫時小憩時，我那生命的鷹隼——思想，便破籠而出，沿著路翱翔、盤旋、渴望探索路的奧祕；究竟從何開端、從何結束，伸展最終的意義又是為何？一路上也有不少前人勘察的跡象。只是總沒有一個完全準確的標示，眾多的意見，反使人徒增困惑——路似乎只為伸展而伸展，如同樹木只為生長而生長。

在窗口，我靜靜地觀望著沉默的路，和人們在路上的活動。我從不用第三者冷靜的欣賞態度，而是抱著同情、喜歡或沉痛的心情，分嘗這一切。因為我原也屬於芸芸眾生中的一個。我常常逗留在窗口，直到晝光消退，路隱沒在夜的黑幕中，路上的行人停止了活動。

今天，當我怡然離開窗口時，第一顆黃昏星已在東邊閃現。在黑夜趕路的人，該不會迷途了。

×月×日

醒來，習慣地先把窗簾拉開，躺在枕上等清晨第一道朝曦來問晨安。可是等了許久，玻璃窗上仍是灰楞楞的一片，彷彿天一直沒有亮，我下牀推開窗子。猛地一團濡濕冰涼的東西直撲向臉上，原來是霧。濃霧充塞在空間，就如天地初闢，一片混沌，看來是凍凝的、靜止的，然而卻在不停地翻騰、湧升。迷濛中漸漸顯露山一截皚白的路，慢慢延長、伸展，像是從雲端懸垂下來的。當霧終於完全消散時，路又在朝陽下閃耀著。那些展開一天智力和勞力活動的人，開始在路上匆匆來去——凡是路伸展的地方，總是充滿了勤勞和希望。

然而，路的那端來了個踽踽獨行的旅人，他的神情有點畏葸，他低垂的目光透露著懼怯，他那拖曳的腳步更顯示著心情的沉重。他趑趄地走前幾步，又遲疑地停下來望望前面，像一個怕上學又不得不去的小學生，故意在路上延宕著時間。在他後面的人，都一個個超越

了他

「喂，朋友，你可是迷了路途？」我忍不住從窗口探問著。

「是……唔，不是。」那人怯怯瞥了我一眼，又低頭望著自己的腳尖。「我只是有點害怕，有點擔心。」

「別人能為你分憂麼？」

「我是懼怕前面的路也許崎嶇不平，也許隱藏危機，也許會有阻礙，也許又長滿了荊棘……」

「但也許平坦無阻，也許經過一番驚險便是康莊大道。決心去走，沒有走不通的路，只有艱辛和順利的分別。」

「可是，我又擔心費盡艱辛跋涉，結果卻並不能到達成功之頂峰。」

「你若到達成功之頂峰，是你辛勤的成果，你若不曾到達，但自問已貢獻了生命力，應無憾恨。」

他緊蹙著眉峰，向路的無盡處凝望了一會，歎口氣，喃喃自語著：「路是那麼漫長，怎麼能教我不憂懼、不擔心……」他又拖著沉動的腳步，三步一歇、兩步一停的上了路，陽光把他的影子曳得長長的。又有兩個行人從他後面超越前去。

望著那蹣跚的背影，我恍惚若有所失，順手握起筆在桌上打開的記事本寫著：一個缺少信心、沒有勇氣、經不住試練的人，在追求人生的路程是注定要失敗的。太多的憂懼往往會延誤一切可能的成就。

×月×日

屋子裡有點悶熱。當中午的陽光烘蒸著時，柏拉圖的烏托邦並不能使我心神涼爽，我擱下厚厚的書本，走向窗前。

麗日當空，伸展著的路被照射得煥發著金色的霧雰，彷彿即將蒸騰融化，路上行人稀少。那邊，一老一少從容走來，老人斑白的頭髮閃著銀光，青年有一副誠懇的容貌，兩人邊走邊說，看來是父子倆；一個正以自己的智慧和經驗，引導下一代走上正確的人生之路，這是幅感人的圖畫。當我把視線從那裡收回，這才發現在兩條路的會合處，有一個人在不停地徘徊，她在左邊路首停下來觀望一回，又轉向右邊路端勘察半晌。剛猶豫地跨出腳步，又倏地收回來，朝右邊試探著——最後還是重回出發點。她那迷茫而困惱的神情引起了我的同情。

「喂，朋友，妳可是遺失了什麼？」

「什麼也沒有。」她撩起風吹亂的長髮，煩躁地回答：「我只是在選擇我要走的路。」

「妳盡可以按照妳的願望，選妳所喜歡的那條。」

「但兩條路都占有我願望的一半，也同樣地喜歡或不喜歡。」

「孰重孰輕，就沒有個分別？」

「在我心靈的天秤上就像兩粒等重的鑽石。」

「既是兩條都一般重要，妳就隨便決定一條，然後專心奔赴。」

「苦惱的就是無法決定：而當我選擇了任何一條，就覺得捨棄的才是更好的。這樣我將一輩子悔恨不已，抱憾終身。」她絞著雙手，苦惱的神情益加溢於眉目之間，時光無情地從身畔冉冉逝去。路上灑滿陰影，已瀕近黃昏，而她，那猶豫不決的人兒，卻依然徘徊十字路口，一步也未曾前進。

我悯然離開窗口，耳畔似乎浮起一位哲人沉痛的聲音：「三分之二的人類的生命消耗在猶豫上，而最後的三分之一則消耗在悔恨中。」噢，就是那樣的人！她一生做任何事情都在猶豫不決中，事先被不能決定所苦惱，事後又馬上為悔恨所折磨，這又是多麼悲哀的人生！

×月×日

晴好的日子，最是令人心境開朗。已經是十月份了。但倚在窗口，和風拂過臉上，是那樣軟綿綿的，那路畔的小花，在璀璨的陽光下正開得如錦如織，我記起家鄉用來形容這般秋天裡的春天的一句話：「十月芙蓉小陽春。」多麼可愛的「小陽春」！

一對年輕的情侶正攜手並肩在路上走過去，兩人眼中閃著柔和的光輝，臉上流露著喜悅的神情。一個不小心被石子刺了一下，另外一個立刻痛惜地用手帕小心紮好。一個顯得有點虛乏了，另外一個便伸出手臂扶持著，他們正是那種最親密合作的旅伴，在開拓人生的旅程上，腳步一致地邁向前去。緊接著，一陣歡笑，一陣高歌；另外一群更年輕的行人似浪潮般湧到路上，他們有挾著書本、有揹著畫板、也有帶著測量儀器或別的什麼的，渾身洋溢著青春活力，向前跨著勁健而輕捷的步伐，進行復進行。忽然，其中一個年輕人被路旁的花朵吸引，悄然離開夥伴，停下來欣賞著，他這裡聞聞，那裡摸摸，摘了身邊的，又發現前面的更美，他嘴裡哼著輕快的曲子，一路被吸引過去，卻渾然不知夥伴們已越走越遠了。

「嗨！年輕人，你為什麼盡停在路畔？」我大聲向他提醒著。

「噯，這些花兒太美了。」他抬起年輕的笑臉，稚氣的眼睛似藍天一般純淨。「我只是停下來欣賞一下，不然太辜負它了。」

「你不怕耽誤了趕路？」

「耽誤不了，我不會逗留很久的。」

「可是，你已經逗留很久了，看看你的夥伴們吧！」

年輕人恍然驚覺，驀地回過頭去，卻見在夕暉籠罩下，路上一片沉寂，只路遠遠的那端，恍惚還隱約閃動著一團光影。

「唉，我真糊塗！幾乎誤了大事。」他頓著腳恨恨地譴責著自己。「我不能做落伍者，一定要趕上去！」說著，他已跳躍上正路，踉蹌地追奔前去……我望著路上被撒下的凌亂花草，不禁默然半晌，在人生的旅途上，總有不少美好新奇的事物如花草般吸引著路人。年輕時往往不懂得珍惜光陰，逗留忘時，待怵然驚覺，離開要走的路、離開同路的夥伴，卻已經很遠很遠了。也有的勉力追趕上去；若追趕不上的，便將自慚形穢，只覺事事總不如人，壯志未遂，抑鬱終生。

也許，每個人都該唸唸泰戈爾這幾句詩句：「不必逗留著採摘路旁的花朵來保存，一路上，鮮花自會繼續開放！」

×月×日

醞釀了半天，雨終於落下來了。大地已乾渴了很久。我彷彿聽見乾燥的泥土吸入了雨水的茲茲聲，空氣中的窒悶也一掃而空。還有路，路被潤濕著像上了滑油，漸漸地，雨越來越驟密，風也加入助陣，風和雨織成了一片灰濛濛的煙霧，天上沒有一隻飛鳥，路上不見一個行人，只有路樹，在風雨交襲中搖晃不停。

一陣斜風挾雨絲撲在我臉上，正待關上窗子，卻見煙霧中彷彿有一團灰黑的影子移動著，走近了，竟當真是一個人，一個在大風雨中還在趕路的旅客。雨順著寬闊的肩膀往下淋，腳踩下時，路面的積水又直往上濺，但那人跨著穩實的步子，似乎全無感覺。

「喂，風雨中的旅客，可要進來躲避一下麼？」基於人類的同情心，我向那人揮手呼喚。

一張飽經風霜的臉向窗子抬了起來，雖然雨使他幾乎不能張開眼睛和嘴，樸實的臉上仍然現出坦率的笑意，「謝謝妳，這雨不會下太久，而且，我已習慣在風雨中趕路。」

「鳥雀歸巢，野獸入洞，人都有他遮避風雨的屋頂。而你卻揀這樣的天氣趕路。」

「噢，我趕路從來不揀天氣。如果既害怕風吹雨淋，又擔心日曬霜打，那我要走的路將永走不完，我追求的目標也總保持著遙遠的距離。」

「是什麼輝煌的目標，使你這樣勇往直前，無休無息地追求？」

「我的目標，不敢說怎樣輝煌，只是自己認為是值得追求的。」

「但你從不疲倦麼？」

「會的，但只要坐下來想一想越來越迫近的目標，便像抹上了萬靈油膏，疲倦立刻消失，而重又活力充沛。」

「難道你從未遭遇過失望？」

「有過，但當我試著去忘記失望的悲哀時，希望之火立刻又復燃起來。人唯有在生命中一些較小的事情上遭受挫折，才能了解更多成就的全部價值——噢，雨快停了，我還得趕緊上路。」他拭拭臉，擰一擰衣服上的雨水，便向我揮揮手大踏步走了。

雨果然慢慢地小了、停了，雨過天青，陽光從雲隙透射下來，照著被雨洗淨的路，相互輝映，宛似虹彩直展向天際，那旅客有如虔誠的朝聖者，一步一步跨著莊嚴、堅定的步子，走向那無垠的彩虹的路。

我肅然離開窗前，走向書桌，鄭重地在潔白的稿紙寫下了〈祝福篇〉，祝福所有在人生旅程上默默奔走的人！

浮生散記之二・《新時代》月刊

編註：本文原刊於《新時代》第二卷第六期，一九六二年六月十五日，頁三十八～三十九。

攜回一束小花

×月×日

像一匹疲於奔走的馬找到一個驛站，一隻倦於飛行的鳥獲得一枝棲息，我終於覓得這一角僻靜的處所，如今，離塵囂已是很遠很遠了。除了自己，我是空著手來的，沒有攜帶一支筆、一本書，甚至任何印刷著字跡、與現世有關聯的紙片，我卸下一切世俗的負載，如同生下不久送去上帝面前受洗的嬰兒，把自己投呈在大自然面前。

噢，我不是逃避生活，世上儘管有躲避烈日的篷帳、有躲避風雨的棚屋，但沒有躲避生活的所在，而在生活的搏鬥中，我並不卑怯，我也不是脫離現實，生命有如植物，而現實便是土地，沒有植物能不生根於土地而生存。現實儘管不美且令人窒悶，我也還能面對它不屈。更不是為感情上有什麼糾葛，儘管當年輕時也曾如狂瀾激流，如今也只似那止水，蘊伏於靈魂深處，微波不揚。我所以覓一角僻靜的處所，只為我病了，需要養息。

病了，是的，但不是軀體上的病，我畢生與病魔抗爭，從不懼怕，從不畏怯。「因病得閑殊不惡，安心是藥更無方。」蘇東坡的修養雋語，早便成為我不得不躺下時的「床右銘」。而此刻，病了的卻是我的心靈；歷史的憂鬱、生存的壓力、生活的磨難，載負太重。它已感到無比疲倦不勝厭煩，對過去的成就不屑回顧，對未來的日子茫無把握。不再憧憬，停止嚮往，凍結希望，更缺少原動力。像是生鏽的錶鏈，思想的指針滯留在一點；像是被煙煤淤塞的燈盞，不再發出光和熱。

不發光的生命，靈魂陷入黑暗。

不發熱的心靈，生命變得荒涼。

燈火，燈火在哪裡呢？用熊熊的渴望之火把它照上罷！

燈在這兒，卻沒有一絲火焰。

這是你的命運嗎？我的心呵！你還不如死了好！

——泰戈爾

不會發光和熱的心靈，存在已等於幻滅。

醫術高明的醫生曾從死亡邊緣救回多少病重的人，但可有治這心靈凍結的大夫？

神奇的特效藥曾治癒多少絕症，但可有專治這心靈委頓的藥品？

噢，沒有，沒有聽說過。

總是心緒不寧，總是怔忡不安，沮喪中，我無意記起了一個詩人的話……只要你認識了自然，在這世界上寂寞時便不寂寞，窮困時不窮困，苦惱時有安慰，挫折時有鼓勵，軟弱時有督責，迷失時有南針……

似電光一霎，閃過幽閉的心室。迷茫中且循跡探索召喚的路徑——

於是，我暫時拋棄屬於塵囂的一切，擺脫世俗的羈絆，脫去城市中所穿那些強人保持太多拘束的外衣，悄悄地來了這裡。

×月×日

我把自己交託給孤獨，沉默莊嚴地一旁守護。

孤獨不是逃避現實，只是與侵蝕性的外在因素短暫隔離，自內在心靈中去尋找真正的自我、肯定存在的真實。孤獨並不一定寂寞難受，有時，生活在人群中卻常常感到更難堪的寂寞。而沉默，如果說的只是貧乏的言語，為什麼不讓嘴閉上！如果唱的總是千遍一律的歌曲，為什麼不讓它停止！如果思想的弦琴已彈不出新穎動聽的旋律，那就不要再撥弄撫奏罷！

沉默中，脈搏的躍動，呼吸的吐納，使我體會到生命的存在。在陽光、微風、溪流、花木的生意、小鳥的飛翔，告訴我宇宙萬物正在生長、活動、拓展……綿延不絕。一切在沉默中發出光輝，成為音樂，成為詩歌。美妙、和諧而莊嚴的自然的音籟，應該用纖柔敏感的、心靈的耳朵去諦聽。

噢，我不願多想，不願多說，只是默默地傾聽，默默地體會，默默地吸收，默默地領悟。

沒有絮語，沒有贅言，沒有辭句，沒有字粒，更沒有噪音嘈雜。

一定要有完全的休止，才能譜出完美的樂曲；一定要有絕對的靜默，才能感到聲音、語言的可愛。

靜默中，獨自走向心靈的世界！

×月×日

像剛上學的孩子欣然打開了第一冊有精美圖畫的課本。我原無心閱讀，而書卷卻自動展開在我面前——自然，這部廣博、微妙、玄奧而又生動瑰麗的巨書，竟是那樣地引人入勝，怡情悅性，我不僅用感官的眼睛在看，更運用心靈在讀。噢，也不是我在閱讀，而是它在滲透，一分一寸地，浸潤了我靈魂的沙漠。

像方乾透的海綿，飽吮那煥發的美、凝聚的菁華。

像撮鬆軟的泥土，汲取那雨的潤澤、甘露的養分。

幽閉的心瓣在滋潤中盈盈展啟，瑩澈如璞玉，輝映著日月星辰、山嵐波光、雲影霞彩、花香草青——這光影、這芬芳、這顏彩、這清新的大氣、金色的霧雰，流動的輕風，竟如此滿溢而豐盈。噢，且蘊蓄這無限溫馨，在心靈深處慢慢開放罷。

×月×日

屋後有小山，山不頂高，但引領人接近穹蒼，我仰臥在山巒上，身下綠草如茵，耳邊松濤蕭蕭。展延在上面的是一望無際的藍天，白雲在天上悠然飄浮，陽光以無比的光和熱向大地萬物傾注，承受著那光和熱，我閉上了眼睛，只覺得弦線般繃緊的神經在緩緩鬆弛，四肢百骸被熨過的舒散，心靈的寒冬因陽光的接觸而復甦，恍惚有什麼在溶解、在蒸發……

溶解掉吧！蒸發掉吧！那些鬱積著的困瘁、塊壘、煩惱、苦悶，一切庸俗的、蒙塞性靈的垢疵，讓生命如同輕盈的雲，進入空間的澄藍。

×月×日

屋側有小溪，清澈明瑩，終日潺潺不息。我靜坐溪畔，看溪水流過附滿綠苔的石頭，挾著纖細透明的小魚小蝦，偶然墜下一二片花瓣或葉子，便一路載負著流向遠處。我讓雙足浸入水裡洗濯，水滑過腳背，是那樣地清冽涼沁，我又掬起溪水，洗著臂和臉，清涼直透肺腑，彷彿一注清泉從肌膚滲入心田——

似乎記得在《聖經》上曾看到這麼一句：「主引我在靜水之旁，使我靈魂甦醒。」

於是，我靜坐溪畔，洗濯復洗濯——

×月×日

今天散步中，我通過了架在小溪兩岸的木橋，越過竹林中青草葺蔓的小徑，林外，金色的霧雰籠罩下是一片空曠的田野，空氣中混合著泥土的氣息和植物的芬芳，我發現莊稼人都是天生的藝術家，看那一畝畝錯綜相間的豆架，疏落有致的蔬菜和勻淨排列的禾稻，不全是最美的主體圖案！

有人在一塊地上耕種，兩對夫婦和一個幼童，看來是祖孫三代。年輕的農夫驅著牛耕地，年老的那個用鋤頭耙著鬆土，兩個農婦便在整理好的田壠上栽下一棵棵薯苗，一株株玉米。只有那天真活潑的小孩，赤著雙足在一道道田溝裡蹣跚地跑來跑去，有時一滑腳撲倒了，鬆土便陷下一角，而他身上也沾滿了泥土。老農夫大聲伴責著，孩子卻一骨碌爬起來跑得更起勁。年輕的母親也幫著吆喝，卻抑制不住聲音中洋溢的愛寵。

有人在水田裡插秧，三個蒙面女郎穿戴一身七彩花布，手法熟練、動作一致地插下一叢叢青翠的嫩苗，笑語盈盈，偶或穿插幾段歌聲，散揚於晴好的碧空，三三兩兩高腳白鷺掩映在禾苗間，一副悠然自在的神態。忽然振翅高高沖上半空，潔白的羽毛灑一片淡金，又輕捷地降落在另一片田裡。一輛滿載甘蔗的牛車，緩緩地行經水田，駕車的男孩愉快地吹著口哨。牛頸上一串銅鈴搖曳叮噹伴奏，一路迴響在田野。

每個人都在勤奮地工作，每個人都歡歡喜喜，那單純的喜悅，那樸質的感情，那力的合作與表現，還有溫煦的陽光、清新的空氣、泥土草木的芬芳，融會交流、互相輝映，形成自然與人生最大的和諧，也是人性最樸素純真的一幅速寫。

人們尋覓愛和美，愛和美卻散布在未被物質文明矯飾的山野；人們追求幸福，幸福卻自在單純樸實的人心裡。

我捧起一撮泥土又讓它從指縫間流去。噢，肥沃的泥土，萬物之母，接觸妳、親近妳的人有福了！

×月×日

大地，如此古老而又如此年輕的大地！永遠坦誠地開放著，有似心胸廣闊的母親，容納並孕育著愛和生命。

行經溪畔，溪水沖激流奔。我聽到生命的吟唱，穿越阡陌，稻葉搖曳招展，我聞到生命的芬芳。攀上山徑，山風挾著松濤，我感到生命的氣息，到處，到處蘊藉著生命、充溢著生命、展示著生命，坦坦蕩蕩，欣欣向榮，勇往直前。噢，大自然所努力追求的，便是生的喜悅、生的歡樂。幾天來，我已不知不覺投進這匯聚了歡樂的海洋，悠然怡然地浮泳其間、浸潤其間，在淡淡的喜悅中，清晰地意識到自己的存在。

能返璞歸真，單純的生活真好，我重又找回內在的自我，享受生命純真的溫馨。

×月×日

深夜，我被雷聲及風雨聲驚醒。在寂靜慣了的鄉野，這可真是一番不平凡的熱鬧。黎明打開窗子，迎面便撲來一陣密密驟驟的雨絲，遠遠近近的竹林、田野、叢樹、山巒，全籠罩在迷濛的霧雾中，世界變得朦朧了。彷彿聽見乾渴的大地正在暢飲著滴滴甘霖。我也索性把頭臉和手都伸出窗外，承受淋沐。雨珠是冰涼的，風也是冰冷的，涼沁將神智自惺忪中振拔出來，猶如黎明第一道曙光通過靈魂的黑夜。記得小時候有一次發高燒，打針吃藥久不見退，只昏昏沉睡，母親急得直在觀音大士像前敬香祈禱。忽然起風下雨，燥熱窒悶的天氣驟轉涼爽，她起身關窗，卻聽見我的聲音——雖然輕微，但不是囈語而清晰地在喚她，一摸額角，欣然發覺燒竟全退了——這一刻，我恍然也有那種退熱祛悶的感覺，這場雨，把血液中與高熱昏曚作戰後殘留的毒素、渣滓，全沖刷了，新的細胞和血球正在滋生繁殖，像枯葉落盡的樹木在雨水滋潤中又萌發新芽。而雷聲，雷霆萬鈞的雷聲，震撼沉鬱的心靈於現實的冬眠中。

感謝罷，感謝這場風雨的洗禮！

×月×日

昨日風雨帶來今朝黃金般的平靜，當陽光再度照臨，萬物閃耀著新的光彩，天更藍，山更青，樹和草更綠，溪水盈盈欲溢，田裡剛插下的秧苗已舒展新葉。一切都顯得更清新、開朗、煥發而生意盎然。

低潮過去，沉睡的生命之流又躍躍欲試，奔越前進。冰凍漸溶，蟄伏的思想之翼又將奪繭而出，自由飛翔。我滿懷信心，重新調整生命的琴弦，願以我真純柔弱的琴音，和著自然的脈搏一起躍動，願以我簡單樸拙的小調，和自然偉大的樂曲一起唱和，加入那無比莊嚴和諧的大合奏中……然而，然而我卻隱隱聽見一個聲音在呼喚我。

那個呼喚我的聲音來自遠處，來自另一個紛擾的世界——是為人未了的責任、生活未完的義務。儘管深深依戀，但必須忍痛捨離，回到我來的地方。

已是無數次的珍重道別、無數次的叮嚀祝福，而我卻仍低徊留戀，噢，這些時日的盤桓，不該留著點什麼供日後緬懷麼！回顧四周，只見溪畔一簇簇淡雅的小花，正開在陽光下燦然微笑。這些日子裡，我曾以無限愛心，密切地注意它們結蕾、含苞、吐蕊，已深深地有一份默契，就留一束小花罷。

這一束可愛的小花中，一朵是寧靜，一朵是純樸，一朵是容忍，以及更多的謙遜與和平。

我將攜回我那小小庭園栽植，待它們繼續開放。

噢！這次我真的走了，走了！

浮生散記之三・《文壇》

編註：本文據《曇花開的晚上・一束小花》添筆而成。

舊年新歲

×月×日

褪色的紙板上只剩下了碩果僅存的一張日曆，輕飄飄地，好似禿枝上落剩的最後一片黃葉，孤零零地在寒風裡瑟縮著，隨時都可能被吹墜塵埃。平時我從不計算日子，當我一早醒來看見這唯一的一張薄紙時，才驀地感到那漫長的三百六十多天，彷彿一晚上便在枕畔給偷走了。一種恍惚若有所失的惆悵，像一陣潮汐從心底湧升，立即滲透了全身每一根神經。孩提時代，往往離過年還差一大截，便巴不得一把將剩下的日曆全扯掉。如今，要我撕下這一張，卻不由得手軟心怯，只為我不願失去這一天，這一天，也就代表了一年的終結。人到中年，每逢歲序更換，總免不掉引起一番感觸：為失去的光陰悼惜，為留不住的青春悲哀，唯恐當生命之史冊中回憶之頁逐漸增加時，未來之頁便越來越薄了。

家人卻在忙，除舊布新，以一片潔淨來迎接新的一年，這是可喜的習俗。大家手和腳都忙著，腦子便沒有餘暇來傷感了。於是，我在頭髮上紮上一條紗巾，捲起袖口，也讓自己像一具轆轤般，在屋子裡轉個不停。

下午四時——屋子已整理乾淨，該收藏的藏起、該撤除的撤除。案架壁角都一塵不染，玻璃窗櫥都明澈晶瑩，如有尚未清理檢討的，那就是我自己了。生活上、思想上，有什麼要揚棄或保留的、要改善或加強的？言行上沒有什麼值得欣慰的美德，或感到疚歉的錯失嗎？但是，我只默然佇立窗前，窗外那條沐浴著金色斜陽的路上，絡繹不斷地有行人匆匆經過：有農人肩挑著重甸甸的籮擔，那裡面該是他一年來辛勤耕種的收成；有學生揹著大大的書包，象徵他一年來努力求到的學識；有人攜著七包八包的坐在三輪車上，那是商人滿載著一年來賺到的盈利；有人挾著公文包急急忙忙走路，那是樸實的公務人員，一年來默默地為國家和民眾服務著；有人神采奕奕地邁著壯闊的步子，那是我們的戰士，想是趁休假返家省親，好向堂上報導這一年來的功績……不管是有形無形的收穫，在一年終了，對自己是心的慰藉，對家人是喜悅的獻禮。夕陽淡去，行人漸漸稀少。寒風挾著黃昏悄悄來臨。我放下窗簾，退回桌前，默默翻閱著堆在桌前那疊剪報和原稿，這便算是我一年的收成嗎？在那裡我是不是已傾注了全部熱忱和心血？是不是已盡量運用了屬於我的時間？我那微小的成績對人類、對社會又貢獻了什麼？我沒有怠忽自己的計畫，沒有辜負親友的期望嗎？我拿起筆把這一項項寫在紙上，而那一連串的問號卻反使我陷入困惑了。

深夜——那一陣熱鬧和歡笑似潮水般降退了，爆竹聲也隨之零落消失，亮如白晝的燈光一盞盞熄滅，夜已漸深，各人道了晚安去休息，我回到房中，只留著几上一盞幽淡的小燈，獨自坐在朦朧的光影裡，像蝸牛縮進牠的硬殼，我退守到「自我」的領域，表面的歡樂隨著聲和光消散，剩下依然是負重的心靈。我要守著這一年的最後一刻在我眼前過去，如同一個癡情的少女，守望著載著她愛人遠行的船兒揚帆出港。

夜多麼靜！沒有風吹樹梢，沒有狗吠蟲鳴，彷彿一切都屏氣凝神，在側耳傾聽，在等待什麼。室內，伴著我的只有鐘聲滴答，已快近午夜了。秒針在緩緩移動著，我第一次發現鐘面上那一點點綠色的螢光在黑暗中閃爍著是那麼美妙。就當我凝視時，那滴答滴答的聲音在寂靜中似乎變得更清晰、更響亮，整個屋子、整個空間全被那有節拍有韻律的金屬聲充滿了——

「唔，人，難得妳記得守候著我。」

我愕然四顧，寂無一人，只鐘面上的螢光在一閃一眨。

「是誰？誰在說話？」

「是我，即將完畢的一年。馬上，我便將從時間那無盡的環索上解脫下來，存放進『過去』的庫房了。」

「終於，你還是去了……這一年，也完了。」我不勝惋惜地歎息著。

「這一年，我已竭盡我的責任。妳不向我告別和道謝嗎？」

「你就猜吧！反正留是留不住的。」

「人是這樣忘恩負義的麼！辛勤地服務了三百六十五天，就連謝都不肯說一聲。」

「道謝！噢，我不知道用什麼來謝你，那庸俗而又繁瑣的生活麼？那些心靈上的困瘁和沉鬱麼？那些無盡的期待和千斛鄉愁麼；抑是拿頭上剛生的兩莖華髮、心智上新添的一份健忘？這一年，又何曾在我生命中增加什麼光彩，倒是悄悄地竊走了我一些美麗的夢想和青春的朝氣。我不怨恨你不公平，只慚愧自己太寒酸了。不能將榮耀歸於你，去吧！我已不能從你彌補那已失去的、尋求那尚未獲得的，你又怎好向我索取什麼道謝？」我懊喪地將臉埋在掌心裡。真是不該守候著最後一刻過去的。讓它在枕邊、在夢裡、在不知不覺中悄悄地逝去不更好麼？那樣，人不等看到自己的白髮、額上的皺紋，不等感到老態龍鍾，是永遠不會為韶光易逝而悲哀的。渾渾噩噩豈不比清清楚楚活得更容易……

那金屬聲音又響了，低沉地，似乎有一點瘖啞。

「這一年中，難道妳就未曾有過行動的光輝、希望的鼓舞、收穫的安慰和更接近目標的喜悅？還有，家人的安樂、生長的歡欣……人呵，不應該太苛求了。」

「可是，我還有預期中未完成的計畫、未達到的願望，以及許多要做未做的事。」

「那些，妳盡可以留到我的下一任，他會帶給妳珍貴的禮物——新的時間之頁。每頁都是潔淨而空白的。只待妳自己去填上妳的計畫、妳的心願、妳待做的事——噢，看我弟弟已經來接替我了。別了！一切的一切。」

「他在哪裡？」我放下掩臉的手，但眼睛卻睜不開來，彷彿一年來積下的困倦全堆壓在眼皮上了。我不知道自己在喃喃些什麼，一縷意識像輕煙般離我而去。迷糊中，恍惚聽見午夜的鐘聲在響……

元旦，早晨——黎明從窗上透入的第一道曙光，驅散了昨宵的夢，喚醒了沉睡的靈魂，也為我行了次洗禮，洗去了積集在心靈上的抑鬱和困瘁。噢，多麼、多麼美好的晴天——這簇新的一年的第一天！澄藍的天空明淨得沒有一絲雲翳，陽光以無限熱情撫擁著大地萬物。小鳥枝頭忭然鳴唱著迎春曲，應和著鳥聲吱啁的，是孩子們天真無邪的笑話和歡呼。寂靜的街巷剛從寒冷的黑夜甦醒過來，立刻便充滿了生意和活力。接著，左鄰右舍的門一扇扇打開了。一疊祝賀聲彷彿一串愉快的旋律從鍵盤上滾落下來：

「恭喜！新年快樂。」

「恭喜！新年納福。」

「恭喜！新年事事如意。」

「恭喜！新年好運亨通。」

那互相祝福聲中流露出一片真誠，那樣地親切，那樣地融洽，縱使舊年有一點隔閡，往日有一點芥蒂，也都在這時消除了。大家交換著新的願望，彼此祝福今年有個良好的開始！

為歡迎福祉降臨，一個個穿上簇新的衣服，一個個容光煥發、神采飛揚，一個個顯得那麼親切、仁慈、慷慨、和善。上帝創造了人，這一天該是最完美可愛的了。

新的一年，對人們當真那麼重要麼？是未走過的路程更新鮮？未開拓的地域有更豐富的礦藏？是未來的思想使靈魂更偉大，未來的日子使理想更提高？

一抬頭，牆上的新日曆吸住了我的視線，那一片蒼綠的樹林，烘襯著一株含苞待開的桃花，一支澄碧的溪流，白鵝三五優游其間。全幅圖畫未著一字，卻已春意盎然。兩旁四個恭賀新禧的金字在朝陽映耀下閃閃發光，厚厚的日曆本上一個鮮豔的紅1字，象徵著完整，象徵著美滿。這是正月初一，三百六十五個日子的頭一天——我恍惚又聽到了那個金屬的聲音：「……那珍貴的禮物——新的時間之頁。每一頁都是潔淨而空白的，只待妳自己去填上妳的計畫、妳的願望，以及妳的行動……」

噢，完全空白的、簇新的三百多個日子，又交付在我手裡，每一天都可以充滿希望、愛和光輝，每一天都可以用自己的思想、意志、行動來支配。去年，去年已成為過去，好或壞都已無能為力。而明年，那未來的日子又隔離得那麼久遠，尚屬捉摸不定、觀望不清。重要的是安排展開在面前的今年，它能實現去年未完成的心願，它將使無數明年更充滿希望——我肅然凝然，對著日曆，滿懷虔誠地默默思忖，應該怎樣謹慎地、鄭重地用自己的生命之筆，來填滿這一頁頁新的時間之頁。

記住不要填上憂鬱和煩惱，那像可怕的蛀蟲悄悄地齧蝕著珍貴的健康；不要填上自私和猜疑，那像片烏雲，將遮蔽所有品性上的光輝；不要填上憤懣和憤怒，那像些野火，將焚毀理智和教養；也不要填上猶豫或懶惰，那是狡猾的小偷，專趁人意志鬆怠時偷走一切。待年終檢視，依然是一片空白，該多麼悲哀和慚愧！

第一筆，我將填上「勤奮」，像紀德說的：「只有使自己的靈魂永不鬆懈，永不祈求安息，人才能永遠年輕。」第二，我要填上「誠摯」，對生活的態度是真誠，對理想是忠誠，在感情上是懇摯，對生命更是忠實。其次是「單純」，不慕浮華虛名、權勢功利，只求淡泊寧靜、精神滿足。我的生命之筆，將蘸上至情至性、至善至真，鄭重地落下去，使未來的一年成為最完美的一頁！

凝眸處，那片盎然的春意，那個鮮紅的1字，彷彿逐漸融化在陽光中，滲入我的皮膚，滲入我的血液，化作一股新生的熱力。我重又充滿信心，充滿活力，充滿希望，於是，我舉步走出屋子，走到園裡，走進明燦的陽光中，我欣然伸出雙臂，迎接那新的三百六十五個日子，我要向一切一切，誠懇地祝福：

恭喜，新年進步！

恭喜，新年如意！

恭喜，新年快樂！

浮生散記之四・《新時代》月刊

編註：本文原刊於《新時代》第二卷第二期，一九六二年二月十五日，頁三十八～三十九。

牆和橋

×月×日

我們生存在這樣一個時代，生長在這樣的大地上，當你經過寬闊的街道，當你穿過狹隘的巷衖，當你從這條路走到那條路，你所能看到的，全是橫亙在前面、排列在兩邊的牆。

我們是生存在這樣一個世界，生長在這樣的城市。當你需要呼吸一口新鮮的空氣，當你渴望著看看天空、曠野和遼闊的遠方，但壟斷空氣、阻擋你視線的，全是鱗次櫛比、參差綿延的牆。

人類據說是打從伊甸園裡偷食了禁果，才開始有遮蔽裸體的智慧，卻不知從什麼時候起，有了用牆來圍困自己的智慧。從那簡陋的泥土牆、塗上白堊的竹片牆、木板牆，到厚實的磚牆、堅固的石牆、插上碎玻璃似一排利齒向空中咬齧的圍牆，以及巍然矗立在雲霄、睥睨著腳下蠕動著的人類的高牆。所有的牆，彷彿只有一個目的：把無邊無限的大地圈圍成孤立的一格一格；似乎只有一個作用：將人類幽禁在裡面。

人類自甘被幽禁在牆裡，隔絕了自然，隔絕了燦爛的陽光和清新的大氣，一個個帶著蒼白的臉、近視的眼光、狹隘的心胸、衰弱的神經，匆匆地出來又進去。

牆內的人享受著安逸、溫暖、柔情和關切。沒有人會去注意牆外的風雨，去理會牆外發生的一切，去顧憐牆外漂泊流浪的人。

牆內的人捱受著沉悶、單調、繁瑣的生活，卻沒有人懂得去領略牆外絢麗多姿的雲彩，去欣賞牆外清幽如水的月光，去接受曙光的莊穆洗禮和四季不同的景色。

究竟是先有了自私的觀念才築牆，抑是築牆才產生自私的觀念？

究竟是聰明的人設計了牆，還是愚蠢的人想到了要造牆？

然而不管最初最聰明人還是愚蠢的人創造了牆，開始造牆的人怕不早便化作一撮灰塵、一縷輕煙。而牆卻似不朽的真理般，流傳到如今。

在人類生存的世界，牆果真便占著那樣重要的位置麼？

每當牆阻擋了我遠眺的視線，我忍不住抱怨；每當牆壟斷了我的陽光和空氣，我忍不住憎嫌。但是，不管我走出去多遠，還是回到牆內；儘管我心存厭倦，依舊住在牆內，住在這到處是牆的城市，住在這用牆分隔了的世界。

思念渴望空曠，心靈嚮往遠方，笨重的身軀卻永遠留在牆內——這注定了是人的悲哀。

而隨著文明進步，牆卻越築越高，那最高的牆幾乎從地面直達天壁，住在都市裡的人的天地，也就越來越狹小了。

望著對面正在興建中逐漸增高的牆，以及四周環繞著的牆，我感到有一份近似窒息的壓迫。

×月×日

興建中的牆還在繼續增高，一塊磚一塊磚砌上去，將空間剖開兩半，將雲和樹遮斷，將一抹陰影投射在路上。

牆左邊的鄰居嫌惡地說：「這家人家真缺德！他們的牆遮掉了我家小園裡一角太陽。」

牆右邊的鄰居輕蔑地說：「這年頭，能蓋房子的，準是攬到了昧心錢！」

牆對面的人家冷漠地說：「不管搬來什麼俗物，最好是少來往。」

附近的人經過牆下，彼此都用猜疑的口吻推測：「這牆裡，將來不知道搬來什麼樣的人家？」

牆的主人來巡視了。男主人用手指敲敲牆說：「牆就是要造得厚，可以防止宵小。」女主人比比牆的高度說：「牆應該高些，免得屋子裡的行動被外面的人看到。」

牆裡牆外瑣絮的人語，使我領悟到另外一件事情：原來隔閡於人與人之間的，不只是有形的牆，還有一種跟人類的歷史一樣悠久、比任何磚或石的牆更堅固厚實的、無形的牆——

那是人與人之間的自私、成見、防嫌、猜忌、妒嫉、自負、孤僻……

那些「自私」的牆，似鐵鑄的一般，把造牆者圈圍在牆內，他所想的、所做的都以他自己為中心。他可以從牆外的世界獲取所有的利益，但從不貢獻。不管是金錢抑是感情，都不會從牆裡漏出來。

那些「成見」的牆，堆砌在偏執的觀念中，一層比一層深。凡摒之於牆外的，沒有誰能逾越。

那些「防嫌」的牆，豎立在造牆者的四周，有似一頭刺蝟身上的尖刺，永遠在戒備狀態中，向任何人防禦地豎起它的刺，不讓近前。

那些「妒嫉」的牆，總是建立在一個狹隘的心胸中，像一座發射電流的機器，向所有比自身更美好的一切，暗暗地放射出陰毒的電波。

那些「自負」的牆，自以為天壁由它來支撐，築得比任何牆都高，森嚴地矗入雲霄，令人仰望而不可及。

那些「孤僻」的牆，堅冷似冰磚。築牆的人默默地隱逸在牆內，像蝸牛深居在硬殼中。對牆內的人，沒有人了解，對牆外的人他亦無取無求。

那些「羞怯」的牆，薄而柔韌，像繭的軟殼。築牆的人怕與牆外接觸，卻又躲在牆後，偷偷窺視牆外的人。就像有人愛火，卻又受不了炫耀的光和怕被熱炙傷。

而橫亙在整個人類之間，還有種族與種族間那些「隔膜」的牆、「歧視」的牆，以及「仇恨」的牆。像山嶽縱橫於宇宙般，永恆屹立於世上。

許許多多有形的牆，經過時日的消磨，經過風雨的侵蝕，或是人為的災害，總有一天會傾圮、會摧毀、會撤除。唯有無形的牆，無論是自然的力量，抑或人的意志，都難以推倒。更悲哀的是愚昧的人們往往自己築了牆卻不知道，還抱怨這世界太冷漠了。

忽然，我感到警怵，感到惶惑。我不是超人，而是這芸芸眾生中的一個，這幾十年來，大概總亦築過了或多或少的牆。

對著那磚砌的有形的牆，我該坐下來，靜靜地思索，深深地反省：究竟，究竟自己曾築過了什麼樣的、無形的牆？

×月×日

在室內的牆上，我掛了一幅畫。畫的是長橋、流水、朝陽。一條橋，像一道空靈的長虹，橫貫空中，繫住蔥翠的兩岸。橋下一泓清澈的流水，橋上一片空曠的藍天。凝眸處，常常為之怡然神馳，忘卻了這是幅畫，而畫後面還有一道結結實實的牆。

是的，世上還有那牆擋不住的，是那思想，是那意念，是那願望。我的眼前有一座橋，我的思念中亦有一座橋，當我登臨，便從牆內超脫——縱使世上的橋遠不及牆多，但橋的存在，是跟牆的存在一樣地真實。

人在一生中，若走過了許多的路，必定也經過不少的橋，凡是路的盡頭，路斷了的地方，橋便架設起來。從簡陋的獨木橋、古拙的石板橋、危顛顛的鐵索吊橋、隨波搖晃的浮橋、彎彎有致的拱橋以至壯麗堅固的鋼筋水泥大橋，所有橋的架設，只有一個任務：聯結起路與路，此岸與彼岸。從一個陸地到一個陸地，一條河流到一條河流，一座山谷到一座山谷，橋填補了空間，縮短了距離。橋的這端與那端，也許是兩個不同的世界，橋的那邊與這邊，也許原來有著隔閡。是橋，使雙方攜手，讓彼此了解。如果沒有橋，路將無法貫通。如果沒有橋，山是山，河是河，陸地是陸地，永遠不能聯繫在一起。

同樣的一些材料：鋼、鐵、木石、水泥……但是，卻造成兩種截然不同的建築——牆和橋。一個形成隔閡，一個專任溝通，人們所以不曾在這全是牆的世界上窒息，只因為還有橋。

如果說開始築牆的人，是那種屬於胸襟狹隘、眼光淺近、一切以自我為出發點的人，那麼橋的發明者，應該是屬於那種高瞻遠矚、熱心公益、處處替大眾著想的人。

走近橋，使我怡悅，走上橋，使我欣忭，橋上佇立，更使我胸襟豁達、心境開朗。而每次當我經過橋上，總是由衷地向那造橋者致予虔誠的敬意！

凡是終日蟄居牆內的人，都應該安排一個時間去走走橋，凡是只懂得造牆的人，更應該學著怎樣去築橋！

而此刻，我默坐牆內，心，卻嚮往著有橋的地方。

×月×日

有形的牆使我窒悶，無形的牆令我惶惑。乃使我嚮往著空曠的地方，嚮往著有橋的地方。於是，我離開了牆圍著的屋子，離開那些永遠帶著冷漠迫促的神情，在牆內牆外忙碌的人群，走向田野，走向山林。陽光擁抱我，空氣洗濯我，清風吹散了我心頭的困瘁，還我清新健朗的身心。

我走過一片田園又一片田園，我經過一座小小的村舍，門前瓜棚下，一家人正圍著吃飯。看見我，一個個立刻堆著笑，比劃著碗筷，邀我共餐。

白木桌上，一碗綠的青菜，一碗紫的茄子，是他們自己田裡的收成，一盤煎魚，也許亦是自己捕捉來的。我謝謝他們，但我有比接受了一頓盛宴更多的感動——那是他們用來款待一個陌生過客的、坦率的熱忱。

我穿過田岸，繞著山崖拐了一個彎又一個彎。剛聽得什麼琤琤琮琮，便看到一道清澈的山泉，從洗得乾乾淨淨的岩石缺罅一路流下澗中。我彎著腰，伸出手去，就差一個手指，考慮著連鞋踩進澗中還是脫掉再下去……手臂上被什麼輕輕觸了一下，是一隻木杓！一個赤足的姑娘拿著它站在我後面，肩上掛一擔空水桶。

她很自然地遞給我木杓，放下水桶，耐心地等我接了水來潤喉嚨，水涼得激牙齒，喝得又猛，我一下子嗆得滿身的水，也濺濕了她的藍衫。我透過濛濛的水珠望她，她也正望著我。忽然大家都笑起來，她笑著接過木杓逕自去接水，我笑著一面拭著臉上的水慢慢走遠了，才想起來還沒有謝她。

我走進一座樹林，每一棵樹都縱橫地伸出歡迎的手臂，幾乎使我迷失了方向。一個小男孩挽著隻大篾籃穿過林子，一面唱著一支山歌，我隨著愉快的歌聲走出樹林，走近了，才看清男孩有一張黧黑的圓臉，一雙烏黑的眼睛，也看見那一籃赭色的松實上，擱了兩束鮮妍的杜鵑花。

我問孩子哪裡摘來這美麗的花束，他便從籃裡取出來，連同一個憨直的微笑，一起送給了我。不等我說個謝字，已自蹤跳著走了。

夕陽在天空塗上最絢麗的一筆彩霞，我也該回去了，回到那出發的地方。捧著花束，我走過黃昏的田野，走回牆的世界。但是，我不再窒悶，不再惶惑，因為我已尋到了橋。人與人之間，原來便有那無形的橋，可以隨時貫通，卻被善忘的人們遺忘了、冷落了、堵塞了，無意間，我又發現了它。

那不是技術，而是人性中最尊貴的品質。那不用計畫，而是與生俱來的——那便是「真誠」。

與真誠互相配合輔助的還有懇摯、同情、親切、坦白、善良、慷慨……

人與人之間的橋不比牆，牆是必須一層層堆砌、建立，但是誰若擁有那些人性中尊貴的品質，誰便擁有橋。奇怪的是大多數人寧可用盡心計去砌牆，卻往往忽視了橋的存在。更有人為了造牆，不惜抹煞橋、犧牲橋——越是文明社會，越受世故薰陶，重視名利權勢和物質的人與人之間，牆最厚、最高，也最多。倒是山野地方，在那些單純樸質的人之間，隨時會遇到真誠的橋、友善的橋……

我為我的發現感到忭奮，我也為我的發現覺得悲哀。牆的世界，多麼冷酷！幾乎每個人都幽禁在寂寞的囹圄中；橋的世界，又多麼和諧！幾乎人人都可以生活得融融樂樂。為什麼大家卻只顧造牆，而沒有人記得去修一修橋？

我返回住所，把來自曠野的鮮花供養在案頭，有形的牆、無形的牆，依然密密圈圈，層層隔閡。我不該抱怨，也不該憎嫌，也許，目前我最需要的亦是怎樣學習著去修橋築橋！

浮生散記之五・《文壇》

編註：本文原刊於《文壇》第四十四期，一九六四年二月，頁八十四～八十六。

家與燈

×月×日

我穿過樹林，群鳥棲息枝頭，松鼠匿入樹洞；我越過田野，地鼬出沒在土穴，蜥蜴隱藏於草叢；我經過山谷，麋鹿偃伏在岩冋，野兔從一個地穴鑽到一個地穴；我橫過沙灘，蟹從石罅伸出牠的雙螯，蚌背負著牠啟闔自如的小屋——那都是牠們的家，無論是海闊天空，奔馳山林，泅游海洋，而外面又是那麼廣大神妙，但是，總要返回自己的窠巢。

此刻，我靜靜地坐在屋頂下，眼前書卷盈架，隔房兒語隱隱，一支古老而幽美的旋律正繞空低迴。我悄悄地倚立紗窗前，紫藤披覆懸垂，陽光弄影斑爛，三五隻嬌小的翠鳥正跳躍穿梭在花葉間。我悠然漫步於小園中，綠蔭沉沉，花枝扶疏，空氣中飄浮著植物與泥土混合的芬芳——這不是別處，正是我小小平凡的家。

我的家，我並不陌生。但當我睽別了一些時日，它又更顯得親切可愛、寧靜而安詳。老人慈祥的笑容，宛如冬日的陽光，孩子天真的笑語，彷彿春天的溪流，狗兒依戀地俯伏在腳畔，小貓用牠茸茸的頭頰擦著我的手。牆上有我所欣賞的畫，櫥裡有我心愛的書，園裡有我手植的花木，廚房裡散布出誘人食欲的烹調香味……這些那些，形成一種溫柔甜蜜的氣氛，有如一片輕霧，朦朦地包圍起我。把外界的一切隔在霧外，逐漸引退、遠去——

噢，在這世界上，能有一塊屬於自己的小天地——家，該是多麼地幸運！

×月×日

該是多麼地幸運！在這世界上，人人能有一塊屬於自己的小天地——家。在風雨飄搖的日子，家裡依然是寧靜而乾爽，在天寒地凍的季節，家裡總是最溫暖安逸的地方。當整個地球瀰漫著火藥氣和血腥味，唯有家，永遠充滿了愛以及關懷。

人是社會的動物，而社會，複雜得像個萬花筒。要周旋其中，沒有不披上世故的外衣，約束行動，壓抑人性，戰戰兢兢，唯恐有失；小心翼翼，處處設防。唯有回到家裡，才能獲得解脫，覓得自我。也唯有與家人坦誠相處，人的真性情才像被拭去塵垢的鑽石，重放光彩。

事業的創造，理想的追求，工作的進行，這其間，總不免會遭遇到失敗和打擊、挫折和困難，而家是唯一能治療這些精神上的創傷的醫院。家人的鼓勵、安慰和同情，將是敷潤傷處的一帖萬靈軟膏。

在人生的旅途上，有那麼些憂慮、煩惱、苦悶、憤懣、寂寞、困頓……橫貫在生活裡面，就像無法跨越的沙漠，橫亙在地球上。而家，便是那沙漠中的一角綠洲、一抹輕蔭，供困乏的身軀憩息，是一注清泉、一泓溪流，洗心滌慮，濯盡性靈上的塵垢。

家是唯一培植高尚的品性、孕育偉大的理想的溫牀、播種愛和幸福的苗圃。凡是懂得在家勤於耕植灌溉的人，才能預期在外面廣袤的世界中獲得更大的收穫和成就。而萬一在外面的世界上失去了一切，家仍是屬於自己的小天地。

有人說家就是天堂，有人說家是一個充滿愛情而沒有競爭的世界，但也有人把家看作套在頸上的枷，看作無形樊籠。與其說那是各人的觀念不同，不如說是每個人在某一時期的看法。觀念，有時往往是跟著年齡變更的。

幼年時，家是心目中的安全堡壘，父母的愛，是一道堅韌無比、足以阻擋任何危害災難的圍牆。牆裡的世界安謐、和平，充滿了關切和溫暖。幼小的生命便在陽光中欣然茁長，稚弱的心靈便在愛的甘霖下滋滋向榮。

記得有一次一個迷失了路的小女孩，嚶嚶地坐在路畔啜泣。許多大人圍著她哄勸著、慰問著，有人問她名字，有人問她可是餓了，有人要給她糖吃。但她只惶惑地睜開淚花模糊的眼睛，向陌生的四周看了一下，立刻又闔上了。隨著抽抽噎噎地迸出一聲：「我要回家！」一串淚珠又流下蒼白的雙頰，流過顫抖的嘴唇，滴在那揉皺了的紗裙上。這一聲「回家」，包含了小心靈中全部的感情，是那樣地真誠、那樣地迫切，世上還有什麼能比孩子心目中的家更安全、更值得依賴呢？

但是，當羽毛漸漸豐滿，當意志慢慢長成，年輕的心充滿了對事物的好奇，像那灌滿了氫氣的氣球，想飛揚，想騰躍。那不可知的遠方，那未曾開墾的海岸，在年輕的夢想中閃耀著美麗的光輝。於是，站在家的屋簷下，年輕人悲哀地歎息：

「討厭這低矮的屋簷，阻礙了我的視線，在那遙遠的地方，一切都那麼美麗而奇妙，但我所能看到的，卻永遠只是這平凡簡陋的一角。」

於是，坐在家的廳室裡，年輕人委屈地抱怨：

「可惡這狹隘的天地，限制了我的發展。外面的世界那麼廣闊、豐富，而我卻只能做井底之蛙，長日蟄伏在泥窪裡。」

「可是，你該知道，唯有在家裡，你才能享有人間最真誠的愛。」

「有時候，感情會是一種無形的束縛。」

「也唯有在家裡，才享有世上最縝密的關切。」

「太多的關切，有時反令人窒息。我嚮往自由，我要展開我理想和願望的雙翼，衝破這些阻絆，任海闊天空地飛翔、遠揚。」

終於，年輕人不顧一切地跨出家門，獨自去世上東闖西蕩。歲月在追尋中逝去，有的遭遇了失敗，或厭倦了夢想，像紀德筆下的浪子般：一邊含笑，一邊掛一臉眼淚，又踅回家裡平息創傷，調整心弦。有受不住單獨闖蕩寂寞、浮萍般無根的空虛，便開始用自己的愛心和雙手，重新建立一個家。

正如一位先哲所說：「年輕人收集材料，預備造一座通到月亮上的橋，或許在地球上造一座宮殿。而最後那中年人決定用這材料造一間木屋。」一間木屋，一個屬於自己的家。經過了年輕時單獨闖蕩的寂寞和空虛，中年人用全副心力來安排溫暖舒適的家。家的責任，又使中年人感到自己的重要，而產生更大的求生存的力量、更強的願望、更完美的計畫，追求更高的榮譽和更大的成就。

中年人最大的驕傲是：事業的順遂與家庭的幸福配合一致、互相輝映。那時，家是他的樂園，是他的王國。

中年人最大的矛盾是：雄心與家庭起了衝突，魚與熊掌，難捨難取。那時，家是他的累贅，是他的枷鎖。

但最後，在安排在他面前的兩條路中間，總還是選擇了那回家的一條。

而飽經滄桑，歷盡世故，到了晚年，家更是最安樂的所在。在老人心目中，世上最美麗的地方，不及自家半幢小屋安逸，世上最輝煌的宮殿，不及自家三間茅舍舒適。世上最大的歡樂，總不及那份融融的天倫之樂。看穿了浮世名利，唯一剩下的願望，便是安安靜靜在家裡安度餘年。

家是一株大樹。樹在地下扎根，幼嫩的枝條又從樹幹萌芽、茁長，枝葉藉樹幹生存，樹幹藉枝葉滋潤。而樹高千丈，葉落終須歸根。

家是人類生存於世上唯一的根據地；向自然開拓，向社會發展，向目標邁進，向生活中一切艱難困苦作戰，均以家為出發點。

讓世上有家的人全愛自己的家，沒有家的人，都建立一個屬於自己的家罷！

×月×日

夕陽墜下樹巔，染滿天彩霞，又將黃昏了。

一群歸鳥，輕疾地掠過簷前，投入園中的樹上。

一陣鈴聲，孩子推門進來，愉快地喚：「媽，我回家了。」

我闔上手裡的書，那本書述說一個古老的故事：一個人周遊世界為的尋求他所缺少的東西，而一無所得。結果空手回到家裡，才發現自己所需要的原來就在家中……

放下了那本故事書，心頭卻存留一份淡淡的迷茫。

我默默佇立簷前，凝望著雲彩變幻無窮，微風穿過庭前的老榕樹，一陣悉索，彷彿有一個聲音低沉地響起在我耳畔：

「妳是不是也在家中獲得了妳所需要的東西？」

「也許。」我聽到自己矜持地回答。

「妳也曾有過美麗的夢、輝煌的理想？」

「是的。」

「妳也曾有過崇高的願望，創造一番事業的雄心？」

「當然。」

「妳也曾立志要造福社會，對世界有所貢獻？」

「不錯。」

「而現在，」那冷漠的聲音裡有著揶揄：「妳卻自甘平庸，把一個小小的家當作妳的世界，還誇說獲得了一切？」

「噢，不，我並未把家當作整個世界，而是在家裡開拓另一個世界。」我連忙辯護。

「是麼？那我猜在這個世界裡一定是瀰漫著油味煙氣，充滿了那些卑微而繁雜的瑣碎事體。」

「但也不缺少親情似陽光、友愛如甘露、仁慈的和風、智慧的芬芳、勤勞後的收穫、充實中的喜悅，以及心底和生活中那許多待開墾掘發的寶藏。

「在愛的園圃裡，灌溉民族的幼苗，培植優秀的下一代，這是愛的工作。縫紉是一種綜合了設計和創造的藝術，烹調也是一種生活的藝術——包括口腹的享受和健康的生長。在園裡栽植些花草蔬果，豢養些溫馴可愛的小動物，讓人感受到一切生命的美妙和喜悅。在晨曦、晚霞中散一會步，自然的玄妙盡人領略，欣賞幾幅名畫，聆聽幾支音樂，心靈上有無限的潤澤。至於閱讀報章雜誌，使每個人與外界的一切溝通、聯結；專門性的著作告訴人不朽的真理和宇宙的奧祕，更有不少教人信仰和愛、善和美的書本，引人進入更高的境界。如有不平在心裡升起，如有熱情在心中澎湃，那麼用一支筆寫出來，是性靈最高的寄託。再有片刻忙裡偷閒，展開思想的雙翼，輕疾地衝出屋頂，在星空，在遠方，在浩瀚的海洋上，自由飛翔、迴旋，更是精神上無上的享受——而由於閱讀和沉思，心境和思想的領域，更在不斷地擴展、更新。

「雖然卑瑣的現實生活繫人於簷下，豐富的精神生活卻超越這一切。世界，不應該僅僅限於字面的解釋，人們所局蹇其間的家，果然是一個有形的、狹隘的世界，但他盡可以拓建一個無形的、更廣闊的精神世界。」

「那麼，就在妳無形的世界中，便包含了妳全部輝煌的理想和偉大的抱負，容納了妳所有崇高的願望和美麗的夢嗎？」

正當我十分得意於自己的長篇解釋和分析，那冷峻而揶揄的聲音卻挫折了我的盛氣，幾乎使我一時語塞。

「不知你唸過那幾句格言沒有？」沉吟片刻，我緩緩地抬起頭來，背誦著書上的一段，微笑中不覺閃過一片淚光：「如果能做天空的星星，就做天空的星星；如果做不成星星，就做山上的燎火；如果做不成燎火，就做家中的一盞燈吧！」

當我的語聲幽幽地頓落時，那冷峻的聲音彷彿也化作一聲輕微的歎息，散失在晚風裡。

晚風裡，三五片落葉，悄然飄墜在階前。

籬外，在濃鬱的暮色中，每家的燈，都一盞盞亮起來了。

誰又知道，在這世上，多少有抱負、有作為、有理想的身心，卻自甘默默地做家裡的一盞燈！

浮生散記之六・《文壇》

編註：本文原刊於《文壇》第四十三期，一九六四年一月，頁四十五～四十七。

站在比現實更高的地方

×月×日

接連數天淒風苦雨，天是灰色的，心情是黯淡的，大地呈現荒寞，思想陷入晦澀。今天，雨停了，風仍然遒勁，陽光若隱若現，然而，我家裡卻驀然間顯得生趣蓬勃、春意盎然，不為的是花壇上那幾朵迎風初放的杜鵑，那數點冒雨甫茁的新綠，而是家中來了一群孩子的同學，一群生活在她們最快樂的、黃金時代的女孩子。立刻，一陣陣笑語聲充滿了小小客廳，像斟得太滿的汽水，氣泡四溢飛濺，急促的說話像一串串捋下來瀉落地下的珠子，清脆的笑聲似搖曳在疾風裡的鈴鐺。學校的活動、同學的新聞、老師的舉止、電影明星的動態……一個接一個話題，彷彿一場沒有終點的接力賽。接著，有人捩開了電唱機，瘋狂囂鬧的熱門音樂有如瀑布洪水般奔騰傾注，低幽的女中音呻吟著：「Where the boys are…」，扭曲的男高音嘶喊著「Oh…yeah…」。和著拍手、頓腳、口哨，漫天陰霾給嚇散了，一屋子清靜也被驅走了。年輕人的心情，是那麼風風雨雨，就似這初春天氣，乍熱又轉寒，鬧夠一陣子，靜下來，又像一群棲息在屋簷上的鴿子，咕噥咕噥，彼此傾訴著心曲。熱門音樂換上了一支柔和的鋼琴奏曲〈少女的祈禱〉。那明快的節奏、低迴的旋律，蘊藉著少女綺麗的夢、純真的心聲、光輝的理想。樂曲一遍又一遍地播放，她們絮絮地說著各自的夢和理想。輕聲細語，無限真誠，無限柔情，無限憧憬，一個說她將用一串音符，譜出世上最美妙的樂曲；一個說她要用最輕柔的材料，像月光、天璧、彩霞，建築二十世紀地上的殿堂；一個說她要創辦一座教人以愛和美的學校，絕對不在女孩子的頭髮上吹毛求疵，和幽閉她們在沒有色彩的世界；一個說她要做一個女航海員，獨力掌著舵，乘長風破萬里浪；一個說她願有一枝觀音菩薩手裡的楊柳枝，灑一滴甘露，消弭人類疾病的痛苦；一個說她願第一個居住在月球上，俯瞰地下蟲豸似的人們；一個說她愛星光燦爛，要做個摘星者；一個說她要唱出最動聽的歌曲，讓全世界的人都頌讚她的聲音……一個個說得那麼莊矜、嚮往、熱忱，彷彿在預誦各人立身入世的宣言。我的眼前現出一個個可愛復可敬的幻象，一片光輝豪邁的景象，萬花爭妍、瑞雪紛飛，是因為她們，世界才顯得如此清新，抑是世界在她們眼中顯得格外美好？那般軟款溫柔的氣氛和活潑飛揚的情緒，恍惚在我積塵的心靈中喚醒一點久遠的、朦朧的意念，我開始費力地去追索、捕捉——

怎麼一會兒都沉默了？除了音樂還在迴盪，我放下編織，悄然走向鄰室，原來就在我徒自尋思間，客人都已散了。空了的杯碟，一地的糖紙，几上、椅子上散疊著唱片和翻開的畫報。電唱機亮著小燈，〈少女的祈禱〉仍在徐徐奏放。望一眼門外，履聲裙影已杳然遠去，一園樹蔭沉沉寂寂，春意又隨著青春明朗的歡笑一齊撤離，但是沍寒已開始解凍，一池止水被激起漣漪。一扇許久以來嚴扃的小扉被什麼敲響了。我惘然坐下，把停止在終點的唱片又撥回起點，獨自低迴迷失於逝去的歲月——

×月×日

是什麼敲響了那許久以來的嚴扃的小扉，找來生鏽的鑰匙？是那明朗的歡笑，是那嘹亮的歌聲，是那年輕人美麗而奇妙的夢想？

年輕人，在那屬於做夢的年齡，夢想的天地能有多廣闊便徜徉在多廣闊的天地中，夢想的世界能有多絢麗便遨遊於多絢麗的世界裡。趁現實那無情的巨手還不曾伸入真誠無邪的禁地，庸俗的觀念還不曾浸染純淨的思想，生活中的瑣屑還不曾侵蝕充滿詩情的靈魂，每個少男少女，全有特權做夢想王國的主人。

有什麼能比夢更神奇、更涵博？時間無窮盡，壓縮在分秒之間，空間無限度，容納於方寸之地。而宇宙萬象、人間哀樂，盡包含在一剎那間。

有什麼能比夢想更輝煌、莊嚴？憑一個熱情的意念、一份嚮往，使世界改觀、生活改善，使人類的智慧發揚、人性的光輝不朽。

人人有他年輕的時候，人人有過屬於夢想的時代。

自然，我也曾有我美麗而荒誕的夢想，在我年輕的時候。

我夢想我是和平女神，消弭地球上所有的戰爭，把安樂賜給喘息在戰亂中的人類。

我夢想有一支那樣的號角，能喚醒沉睡中的靈魂。

我夢想擁有一支可以隨意使用的畫筆，畫下天地間最美的景象、人間最可愛的事態。

我夢想我是個靈魂的工程師，專在人們心靈的園地中建造真善美的樓台亭榭。

我夢想騎白馬而來的王子，帶我去幸福的國土。

我夢想星星作我的雙眼，晚霞裁我的衣衫。

我夢想世界是個大花園，我是那園裡一個勤勤懇懇的小園丁。

我夢想有這樣一個地方：現實不太殘忍，而夢境又不會不真實。

我夢想！我夢想……

我擁有我的夢想，像統治者擁有整個天下，窮人擁有他僅有的家當。

當父母在耳畔諄諄教誨，當教師在課堂反覆講解，我心裡卻兀自在低低吟唱：

年輕的我，擁有我的夢想：

我將夢境伸展在腳下；

請輕輕地走，因為你正踏著我的夢。
年輕的我，擁有我的夢想：
我的夢境伸展在我前面；
請輕輕地說，因為你會嚇醒我的夢。

沒有人輕輕地走，沒有人輕輕地說。日復一日，年復一年，夢想終於隨著年齡的增加、現實的折騰、生活的磨練，逐漸地褪色、減退、埋沒、窒煞……

今朝，是什麼敲開了許久以來嚴扃的小扉？摸索於布滿蛛網塵埃的門內，我深深地感到：當我年少矇昧、耽迷於夢想時，完全忽略了現實。如今深陷入現實又幾乎完全忘卻了年輕時的夢想。

人有時候的作為是非常可笑的，沒有人能忍受長日關閉的門窗的窒悶，但是，卻常常不自覺地把生命中最美麗的部分幽閉起來，以至終此一生，不再開啟。

如今，無意間又觸開了那扇嚴扃的小扉，我舉起回憶的撣子，輕輕地撣落裡面厚厚堆積的塵灰蛛網，檢視那些業已褪色了、黯淡了、完全失去了昔日熠熠光彩的夢想——記得歌德曾說過：「人在青年時希望的事，將在老年成就。」我不禁懷疑這話是否說得太樂觀、太肯定了一點？多少人與生活搏鬥時不得不放棄了願望，多少人屈服於現實，乃至窒煞了理想。

誠然，年少矇昧，自有不少夢想忒煞虛幻、忒煞縹緲，還有狂妄幼稚、荒謬可笑的。但也有多少是融合了美麗的憧憬、崇高的理想、遠大的抱負，以及宏偉的願望。然而，能在以後的生活中真正獲得成就的，究竟有幾分之幾？不變質，不淪於庸俗的，又有幾分之幾？

一般所謂成就，也許是加上了中年人中庸的思想和老年時沖淡的胸襟罷？一把熾熠的火炬，與一支微弱的火柴，同樣總是火！很多追求真理之火的人，到最後，不就滿足於一支火柴的微光麼？

夢想如同黎明的曙光，挾著萬道光芒升起在生命的春晨。但能在生命的日暮黃昏，擁有成就的微光而安然自得的人，也還算是有福的呢。

返顧我生活的軌跡，很僥倖的，居然還有那麼一點點夢想的影子，像一顆微弱黯淡小星，正遠遠地循著軌道行進——早年我曾有一個夢想：是做一個在人們的心靈的園地建造真善美的樓台亭榭的工程師，而如今，我正是一個孜孜不息從事於筆耕的人。但是，應付繁瑣的生活，總是占去我更多的時間，日常的煩慮又填滿了思想的空隙。那夢想中的目標，猶自隔著萬重煙雲，高懸在迢遠的天邊！我還不敢斷言：在我生命的日暮，是不是能擁有一支火柴的微光而沾沾自得。

×月×日

重又坐在書桌前，蘸一筆幽淡的燈光，靜靜地書寫是多麼可喜的事！半個月以前，我因事去B城，順便探訪了菲和淑，回來經過D鎮時，又去看了瑩——這都是在那金色的年代，一起熱中於編夢的友伴。睽違一、二十年，重敘往事，自有無限喜悅。但是，帶回來卻有比喜悅更多的悵惘和憾恨。

這次短短的會晤，卻使我深深地體會到時間僅能或多或少地改變一個人的外貌，而無情的現實，卻更厲害地改變一個人的內心，甚至改變了整個生活觀念。

讓我在這裡簡略地記下她們的近況吧！

慧黠而熱情的菲嫁了個長袖善舞的丈夫，生活優裕。那天，我在她家那最新式的公寓住宅裡等了將近一小時，她才從「行」裡回來，歲月似乎只為她增加了豐滿，一派雍容華貴，只是過於「人工」了些。見面時，熱情不減當年，並且更滲入了社交性的熱絡。寒暄一番後，我問她在什麼行裡工作。不料她一聽卻笑不可抑，就像我是個沒見過世面的土包子。笑完了才告訴我說她去的是證券行，做的是股票。很夠刺激！她又抱怨似的說一天的時間實在不夠支配，除了每天規定跑證券行，應酬也忒多，什麼歡迎歡送的酒會，金銀婚生日的宴會，會後不是接上牌局，便是接上派對；會前又必須跑美容院、裁縫店。還有各種熱鬧不能不趕，布店委託行不能不參觀——像今天，晚上七點半鐘就必須赴一處宴會，現在還沒有去做頭髮。老朋友難得碰頭，一定得另外揀個日子好好聚一聚……她的忙的確不假，同我說話那一下就接了三個電話，一面又去翻案頭日曆上的記載。我連忙識相地向她告別，並藉口第二天回去，辭謝了她改日招待的約請。臨行前，我忽然想起似的提到她以前的夢想，她的表情就像提到她小時候溺濕了褲子。

「那時候真傻！盡會想些莫名其妙的事情。」

現在呢？她在鼻子裡不屑地嗤笑了一聲：

「享受生活還來不及，誰有時間去想那些空空洞洞的東西？」

看到淑，乍一眼幾乎認不出了。原來纖秀文靜的她，憔悴一如寒風裡將萎謝的黃花，嫻雅的風度換來如許庸凡，他們是普通公務員之家。小小兩間配給的住宅，幾乎塞滿了重重疊疊的架床。去時，六個孩子三個上了學，兩個大一點的在為爭一塊積木吵鬧，小的一個躺在牀上哭喊，後面廊上瀰漫了嗆人的煤煙，水聲嘩嘩，淑正蹲在一大盆衣服前面使勁搓洗——我們的談話不時中斷，她一會哄著小的，一會叱責著大的，一會又去看煤球著了沒有？地上有一籃沒有打開的蔬菜，盆裡還浸著大半盆衣服。而她說話的範圍，盡不出瑣瑣碎碎的生活苦經，我故意提起她從前的夢想鼓舞她，不想她只是悲哀地搖搖頭，像完全被打敗了的俘虜。

「生活早就埋葬了我從前那些美麗的夢想，如今連追悼都已懶得追悼。」

而現在？她沉痛地歎了口氣：

「現在還會有什麼夢想？我覺得連思想都停滯了。」

她倒是誠意留我吃便飯，但我覺得哪怕只為她再增添一分麻煩都是罪過，便在一片大哭小喊聲中匆匆離開。

D鎮是一個快車不停的小站，看來比較閉塞落後。按址找到瑩家裡，出來接待的是她在中學教書的丈夫，態度十分冷漠，聽說我是她從前的同學，才變得熱忱起來，連忙向後面叫了兩聲，然後告訴我，瑩在禱告，一定要告一個段落，才肯出來。什麼時候她信了教？我那麼一問，似乎引起了那位清癯的先生滿腹積鬱，他說瑩的信教，完全是逃避現實，她永遠對現實不滿，便找到那麼一個處所從生活隱遁。不僅是信，簡直是迷、是狂。她摒棄生活中的一切活動，對外間任何事情不聞不問。除了每天早晚上教堂，還在房裡設了個神龕，不時禱告。有時喃喃不停，有時痛哭流涕……這時瑩出來了，蒼白的臉上有一種空漠的神情，見到我，並沒有預期的驚喜，倒像我是個不速之客衝入了她的禁地。我提到從前的事，她毫不感興趣，我說起其他的事，她茫然不解。我說起她以前的夢想——她曾經是個想像力豐富、最擅把未來編織得多采多姿的可愛的孩子，但是，她仰望著虛空，緩緩地說：

「是的，我曾經追求我的夢想，但當現實無法獲得時，我便把所有的夢想獻給了主！」

那麼現在呢？她仍然凝望空中回答：

「不管現在以及未來，我已把自己完全交託在萬能的主宰手裡，唯有主能恕我罪過，給我慰安，甚至永恆！」

我與她丈夫對望一眼，黯然苦笑。彼此再找不到可談的話，我告辭，她也不甚挽留，送到門口她說：

「我會為妳禱告，求主赦免妳的煩惱。」

有人說夢想和現實是不能並立的，或者是夢想把現實昇華了，創造出新的現實，或者是現實把夢想抑滅了，始終只是平凡庸俗的人生。也許，造物者唯恐前者掠奪了他的功績，而對後者特別寵愛。要不然，為什麼世上獨多的是平凡庸俗的人生？

×月×日

多麼明朗而晴好的日子！冬天裡的春天。紅的杜鵑、黃的扶桑，相映烘襯，開得格外嬌豔。我站在窗前享受著陽光，一面眺望花壇上栽植的花草，有的又添了幾片葉子，有的綻露出幼嫩的蓓蕾，小東西全都蘊藏著無限生機。一隻不知名的鳥，隱身在密密叢叢的榕樹枝上，正唱得起勁。婉轉圓潤的歌聲有如誰捋下一串串珍珠，撒落在金屬的盤子裡，花草彷彿也都為歌聲感動，有的凝神一注，有的欣然點頭……但歌聲乍停，一陣撲翅聲，鳥兒飛走了，數片葉子輕悄悄地被震落下來。園裡依舊陽光燦然，光燦中似有一份寂寥。

我佇立窗口等待著，聆聽著，沒有，再沒有歌聲。

飛走了的鳥兒，就像失去了的夢想！

夢想，是的，就像一隻善唱的夜鶯，停歇在生命的窗口，在每個人年輕的日子，唱出一支支婉轉動聽的青春進行曲，一支支頌讚真善美的短歌。鼓舞著欣欣向榮的生命，滋潤著稚弱柔怯的心靈，把未來渲染得多采多姿，使向前邁進的步履輕快而有力——然而，當探索前進的步履一步步陷入現實的泥沼，高潔的鳥兒受不了塵俗的薰染；清越的歌唱也再不能振拔漸被名利權勢虛榮以及繁瑣生活所填塞的心竅。於是，失去知音的夜鶯不是黯然飛走，便是由憔悴而至羽摧翼折，黯然殞滅！

噢，我生命中的夜鶯，你又在哪裡？

你可能覓得舊時的途徑，再來我生命的窗口啼唱？清晨，當我思想尚是清澈的片刻；夜晚，在我從繁瑣的事務中解脫出來，心情獲得寧靜的剎那？

從開始編織夢想的年齡到現在，我已失去生命中許多寶貝，像青春、熱情、頰上的嬌豔、眼中的光彩……但願我能留下夢想，哪怕只是有限的一些。盡可以讓雙腳站穩在現實中生活，而讓心靈站在比現實更高的地方！

一個美麗的夢想，常使醜惡的現實，變得稍微可愛些；一個光輝的夢想，能使人在冷酷的現實中，產生創造生活的勇氣和向目標邁進的力量。

我敞開生命的窗子諦聽著，等待夜鶯的歌聲，牠只是飛開了一會，該不會離得太遠或迷失了方向罷？

浮生散記之七・《文壇》

編註：本文原刊於《文壇》第五十七期，一九六五年三月，頁三十～三十三。

明天，去迎接陽光

×月×日

是白天還是黃昏？是晴朗還是陰雨？時間消逝，光陰流走，我全不知道，我全不關心。恍惚總是從一個夢中醒來，又昏眩地沉入另一個夢中。——那不能算是夢，只是一些凌亂紛雜的碎片。猶如小時碎了的萬花筒：剩下一把彩色的玻璃片，我的神智便在那些凌亂繽紛的碎片中無力地浮沉，沒有思想，沒有感覺，也沒有任何掙扎的意志。

每一根神經都放鬆了，就像那弦線散亂了的弦琴、那發條鬆弛了的時鐘，不再每天反覆彈奏那支生活的老調，不再每天搶著跟時間爭分秒。夢的碎片忽聚忽散、變幻無窮，彷彿載我於一艘帆船上，海濤洶湧，破浪前進。我欣忭地呢喃自語：噢！回家了多好！彷彿又棄我在一座荒島，草木淒迷，荊棘蔓延。一片幽暗闃寂包圍我，有如死神的衣襟向我掩覆，呼喊不應，後退不能。疾忽間，又是峻嶺當前，我胼手胝足，費力地向上攀登，卻永遠望不到峰頂。好累人喲！疾忽間，橫亙在前面的是一片沙漠，無垠無涯。我一步一步艱辛地跋涉。

烈日烤得我口好渴、好渴……突然，天崩地裂，我身如一片毛羽，虛飄飄地，墜入陰冷、黝黑的無底深淵。飄忽、旋轉、下墜……兀然驚醒，眼前猶是昏暗一片，分不清是曙光還是暮色。

黯淡的光線中，有人持著針筒，站在我牀前。

「謝謝！」我接受了注射，迷迷糊糊地說：「謝謝！」然後，一個轉側，又被碎夢淹沒。

當我醒來，彷彿從遼遠而陌生的地方醒來。當我睡去，又落入未經探勘的另外一個混沌世界！

分不清幻覺和真實，弄不清白晝和昏夜，豈不迷糊得可愛！不用再反覆彈奏那支已令人厭倦的生活老調，不用再為瑣事跟時間爭奪分秒。豈不輕鬆得逍遙自在！

沉睡復沉睡。

病了，那是屬於最原始的天然治療。

而唯有睡神的雙翅，使我高舉，使我超越，使我從現實生活中獲得解脫！

×月×日

雨聲淅瀝，從黃昏滴到黎明，從清晨滴到深夜；睡著，擂打著我破碎的夢、不安的靈魂；醒來，敲擊著我脆弱的神經、幽暗的心靈。一串串寂寞的時光，就像花壇上的玫瑰，悄然凋零在風雨中，一瓣瓣墜入泥濘，散入虛空，杳無蹤影。好清冷的光景，好黯淡的日子，好悲哀的心情！沒有溫軟的手輕按著額角，沒有關切的眼神低低俯視，沒有親切的聲音噓寒問暖。口渴著醒來，几上拿到的只有一隻空杯。

一隻空杯！多少次似這般惘然醒來，以為自己是躺在闃寂的太平間裡，只有淒涼的雨聲，為我低誦著輓歌、吟唱著葬曲。

噢，寧願昏睡，使人迷糊。

寧願做夢，使人超脫。

當頭腦清醒，當心靈復甦，卻有個病苦的軀體，像笨重的、上鏽的錨，滯留在深邃沉寂的海底：一任冰冷的海水沖激、浸淹……

×月×日

沒有陽光，沒有鳥聲。沒有花開、沒有歡笑和喜悅的日子，生命若已凍結，世界似已凝固。

可敬的醫生們一再作化驗、檢查，卻總不能確定病的根源，我只在暗中喟然，那也許不是別的，怕是心血哩！平時一點一滴絞出來化作文字。看來是崇高的思想，動人的故事，感情的昇華，靈性的流露……忽然間控制循環失常，溢出了絞榨機器，誰知那過於炫耀的色彩，卻令人如此心悸！

其實短短數十年中，已數不清多少次與宿疾新症周旋，卻從來不曾似現在這般消沉、沮喪、心情黯淡、情緒低落！

這不是屬於對死亡本身的恐懼。

這不是屬於對生命本身絕望。

彷彿是為生存作戰，歷盡苦難，曾跋涉多少崎嶇路程。為理想奮鬥，歷盡艱辛，曾攀越多少危崖峻嶺。而最後橫亙在面前的，卻只是一片泥淖、一片荒漠、一片死氣沉沉的沉寂地帶。困陷其中，比恐懼更使人沮喪，比絕望更教人窒息。

生存如果只是單純地為了生活，繁瑣而庸俗的生活，有何意義，有何價值？成天局促在三間小室中，蟄伏在低矮的屋簷下，為油鹽柴米煩心，為一天三餐忙碌，為無謂的應付打攪、為深夜等門焦灼，為雞零狗碎的事勞神。剩餘被宰割得支離破碎的時間，心力交瘁，思想麻痺，只能為浪費了那些寶貴的、生命的原料而徒自懊傷。

噢，多麼，多麼可怕的生活泥淖，可怕的沉寂地帶！

當我攀越山嶺，有接近蒼穹的亢奮；當我奔走前途，有接近目標的喜悅；而當我困陷沉寂地帶，便只有被世界遺棄的悲哀。

沉寂地帶，沒有花木，沒有流水，沒有綿延的路，沒有巍峨的山。只是一片荒蕪，一片沙漠。

猶如生命中沒有鼓舞，沒有激發，沒有勉勵，沒有督促。只是一片空虛，一片迷茫。

頭上是寂靜的蒼穹，

腳下是寂靜的大地，

前面等待著的，是寂靜的墳墓。

果真是這般境界，倒也心中一無挂罣、一無俗慮、一無煩惱。但沉寂不是寂寞。寂寞是一注清澈的冷泉，來自深山幽林。流濯滌蕩，乃使性靈超潔，心境寧靜，思想卓越。而沉寂卻是一池止水，浸滲日久，唯有淤塞，唯有窒息，唯有腐朽……

也許是循環吧，由於情緒的低落，病便趁隙來襲；而由於病的侵蝕，心情更黯淡……

×月×日

停止了雨、依舊是陰霾的天。

停止了針藥，依舊躺在牀上。沒有痛苦，只是軟弱，只是不能有所用心。

窗外有被荒蕪了的花壇。

室內有被塵封了的書桌。

我的內心充滿了憐惜之情，而使心尖發酸，分不清是為花木的凋零唏噓、是為冷落的斷章殘篇嗟吁，抑是為自己的柔荏無助歎息。

這一生，對世俗的名利沒有奢望，對浮泛的繁華不感興趣，只求過一種至情至性至善的生活；以整個生命點燃熱忱，以全部熱忱投向自己所愛好的、信仰的。

在生活的天地中擁有清潔的空氣、明燦的陽光。

在生命的王國中擁有美妙的理想、豐沛的感情。……

然而，生活中常有憂患和煩惱參半，理想永遠似隱蔽在雲霧裡的山峰，縹緲而高不可及。感情生活，卻是如此這般地令人失望。

人是感情的動物，但人若依賴感情生活，誰知你這一生將獲得些什麼，又將失落些什麼？越是渴望從獲得中求得幸福的，越將陷入失落的悲哀。而一旦當你參悟到人是不能憑藉感情而生活時，這其間已不知經歷了多少失望、多少辛酸！

我恨自己的軟弱，竟妄想從感情中得到治療，得到鼓舞，得到生存下去的力量和勇氣。

……人除了他自己之外……在世界上是孤獨的，被遺棄的；他除了安排自己之外，沒有其他目的，除了自己鍛鍊自己之外，也無其他命運可言……存在主義者的話，確是有他卓越的見地。也許，早就該擺脫感情的煩擾，重新安排自己、鍛鍊自己，化柔荏為堅毅。

荒蕪的花壇上，僅留下一株茉莉在寂寞地開放。雖然那麼纖瘦伶仃，依然皎潔芬芳，微風中送進幽幽的清香，彷彿它謙遜的聲音在說：多謝妳往日的灌溉，我在這兒陪伴妳哩。黃昏後，幽香更馥郁，我闔上眼睛，恍惚時光倒流，故宅的庭園裡，撲流螢、數星星，花香沾滿袖襟，雪白的珠羅紗帳頂上，懸垂著茉莉花球，一室溫馨，滿簾生春，幽香繚繞中懵懵醒來，又在幽香繚繞中怡然尋夢去——那似乎是很久很遙遠的事了，花香依舊，追不回來的是逝去的童年、青春，以及美好的時光！

很遙遠了，時間與時間的距離，猶如心靈與心靈的距離，已經伸展、延拓，便再也拉不攏、縮不短。丈量著距離，丈量著光陰，終於，在沉默中又度過了一天，我已消受了白晝的岑寂，咀嚼過黃昏的沉鬱，這一會又待準備去細味長夜的苦澀——噢，長夜漫漫何時旦？

×月×日

曚曨中，沉睡的靈魂猛然被一陣持續不斷的鐘聲喚醒，一陣清澈、洪亮，而又如此莊穆的鐘聲，沉緩地，悠揚地震撼著黎明前的寧靜，一個緊接著另一個的餘音，在空氣中擴展、迴盪，彷彿江中的波浪，一波將平伏，一波又湧升，我完全清醒過來——一種從未有過的清醒。屏息凝神，讓心靈浸溶在壯闊的音波中，展向無限，展向無涯——當鐘聲甫歇，餘音嫋嫋中，一片啾啾唧唧、嘰嘰喳喳的鳥聲又驀地沸騰喧譁，彷彿就為等待著這黎明的來臨，這一天的開始，爭著唱出牠們的頌揚、讚美，唱出牠們欣忭的生命之歌。

一道曙光挾著閃耀的光芒升起，突破了晨霧，也砉然通過了那幽閉的靈魂。陰影消散，頓使我感到軀體上的桎梏盡除，精神上的渣滓盡去。就在這晨曦照耀、黎明來臨的瞬那，我重又深深地嘗味到生命強烈的、完整的、真實的感覺，感到心臟可愛的律動，感到脈搏親切的跳躍，感到對生存要求的欲望，重又勃然萌發。

——如果我能擺脫了這疾病，我將擁抱世界……噢！能把人活上千百次，真是多美！——一個世紀以前那位樂聖的呼籲，變成一支感人的短歌，那一個個錚鏘的音符，灑落在我耳畔，躍動在我心弦。擁抱世界！多麼豪邁的語氣，多麼宏偉的胸襟！擁抱世界，為什麼不能那樣做？用對人類的熱愛，用對藝術的赤忱，用思想的雙臂，用智慧的胸懷，用孜孜不倦於追尋真理的精神。也許，有那麼一天，當你面對世界，伸出雙臂，世界已盡入懷中！

不需要活上千百次，只要一次，能不受命運的擺布、不受環境的支配、不受感情的牽制，完全由自己的意志、自己的理想安排，真真實實地活一次，便已不虛此生。

重新再生活一次，正如吉辛所說：把身體的疾病認為是自然過程的一種自然的結果……記住它不能影響靈魂。靈魂是有永久性的。身體只是心的衣服或茅舍。讓肉體受痛苦去！我，本我，要站在一旁，成我自己的主人——我是我自己的主人。我必須有勇氣從生活的泥淖中振拔，從狹窄的感情樊籠中解脫，不做生活的奴隸，不做感情的俘虜，不做疾病的囚徒，健康地來復，將是一種再生——像從礦裡提煉出無渣的純金屬，從自己身上發掘出新的自我，重生在一個新的生命上，新的天地裡以及對事物的新的觀念中。

猶記得當我惶恐地初執筆桿，有一個嚴肅的聲音在我心裡宣稱：把理想帶給生活在現實中的人，把希望帶給生活在苦難中的人，把陽光帶給生活在陰暗角落的人！

但是，自己心裡若沒有陽光，又拿什麼去散布給別人？

不該再遲疑，不該再猶豫，躺了這些些日子，已該重新站起來。走出去，去迎接陽光。整個世界就在外面，展示在陽光下，像一座茂盛、綺麗的大花園，生生不息，廣袤無限。

噢！明天，就在明天，我要站起來走出去，去迎接陽光，去擁抱世界！

浮生散記之八．《文壇》

編註：本文原刊於《文壇》第七十八期，一九六六年十二月，頁十八～二十。

昨夜風雨中

×月×日

一夜的喧騰，一夜的猖狂，一夜的憂懼和怔忡。顫慄在風雨聲裡，輾轉在睡與醒之間，再也拼湊不起夢的圓。

怎樣的一個夜？是世界末日，是地球浩劫麼？一陣比一陣獷厲的風，挾著震人心弦的聲勢，撲擊著房屋，撕裂著樹木，搖撼著大地。怒吼中不住夾雜著被凌虐的呻吟——其實能夠發聲音、會走動的動物，早就屏聲懾氣躲藏起來了。喧嚷的是一向沉默而固定的東西：屋簷的鐵遮被掀弄得不屈服地銳聲號叫；竹架竹籬經不起摧折迸出脆弱的呼喊；樹枝掙扎著、搏鬥著，一陣呼嘯，一陣低咽，卻禁不住斷枝折葉而啜泣；瓦片翻落街心，沙石叩擊門窗；驟雨不是落，是箭一般射，密密地一排排射過來，擔心薄薄的屋頂會被射穿，而睜眼躺在牀上的我便是鵠的。

風雨騷擾終宵，尋夢不成，讀書不能，思想是吹斷了線索的珠串，東一顆西一顆零亂散落，再也無法穿綴。好一個惱人的夜呵！

好一個淒厲的夜！但這原該是一年中最美麗的夜，天上月圓、人間團聚的夜，是屬於詩的夜，是屬於神話的夜，是屬於鮮花供奉、馨香獻祀的夜。有多少盼望、多少期待、多少祝福、多少感恩，為這一個夜！

當我們每一個人從孩提時開始，純稚的小心靈中便對這一個夜充滿了憧憬和幻想；一天天從月牙盼到月圓，盼到一輪明月從深邃的蒼穹，投射下清澈皎潔的柔暉，把大地沐飾成璀璨的銀色世界，給人間添注無限遐思和柔情；那美麗的嫦娥在廣寒宮裡可是逍遙自在、獨自翩翩起舞？那可愛的白兔可是殷勤地舂著玉杵，在磨長生不老之靈藥？還有那貪心的吳剛，可還懸吊在金桂樹上……夜漸深、蟲鳴唧唧，月色如水，晚露輕霑，秋風涼沁透羅衫，偏還要等看絢麗的月華……

月圓是團圓、是完整、是美滿。

月圓之夜，天上人間，一片祥和、恬靜、安樂、融洽。

亙古迄今，月球、地球遙遙呼應，相互輝映。然而，今夜是什麼岔出了軌，竟充滿了殺戮之氣，彷彿盛怒之下，要摧毀這居住了人類的地球。

怕是月神真的震怒了哩，人類居然冒瀆了祂的尊嚴，侵犯了祂的神聖，破壞了祂的寧靜。幾千年來，人類在地球上製造戰爭，互相殘殺，製造罪惡，彼此傷害還不夠，怎敢又侵占月球的崇高？那潔淨的地方又怎能容許人類的罪行，那清靜的地方又怎能容納人間的混亂？等著接受懲罰罷；一抹臉，不再以柔暉照耀，一彈指，招來了狂風暴雨，一頷首，吸起了潮水倒灌，山洪引發。別盡誇耀自己已征服了月球，這宇宙間還多的是人類所不能征服的事物，還多的是人類所無法探知的自然奧祕，別太狂妄了呵！

任憑狂風更兇猛地震撼著大地，彷彿地球即將碎裂，任憑驟雨更急烈地沖激著大地，一似洪水即將氾濫。在大自然的震怒中，人的那點威嚴又顯得何等渺小，人的那點驕傲又顯得多麼無助。要毀滅便毀滅罷，這世界已經太古老、太腐化了。再來一次開天闢地，再來一次洪荒時期，待一切都從頭創造。也許，當濕漉漉的黎明來臨，我的臥牀已成為方舟……

×月×日

當濕漉漉的黎明來臨，沒有方舟載浮載沉，風的威力倒是減輕了，間歇地發作一陣，像是累了、乏了，又不好意思戛然收場，拖著個耍花腔的尾巴。雨也收斂了那份射箭般的遒勁，軟軟地灑落著。懷著又從洪荒回到真實世界的僥倖，我起來掀開了窗簾，卻什麼也看不清，窗扇成了一幅幅最現代的抽象畫。玻璃上黏滿了落葉殘枝，水滴斑斕，風惱它擋住了通路，便潑污了它的晶瑩。當窗子被拉開，我的視線猝不防毫無阻攔地衝了出去，跌落在街心。竹籬完全垮圮了，住的屋子袒裸著，失去了屏障，也失去了遮攔。以後，隨便什麼時候我從書桌上一抬眼睛，也許就正碰上一雙好奇探索的、人的眼睛、牛的眼睛或狗的眼睛。我手栽的玉蘭花樹支離歪斜地傾倒在一邊，窗前架上的珊瑚花藤凌亂凋萎，窗戶袒露著。沒有了綠蔭，也沒有了蔽覆。從此，熾熱的陽光將長驅直入，風挾著雨肆無忌憚也闖蕩進來。而早早晚晚，車輪碾過我的思想，腳步踩著我的夢，小販聒噪的鈴聲就抖落在我枕畔……只是一道薄薄的籬牆，它所代表的卻是寧靜、安全、保密、距離，還有、還有那屬於人的尊嚴。

人實在是最軟弱的動物，如同他的肌膚必須要以衣服來保護一般，他的尊嚴亦必須常常以外殼來維持。

但是，不以「智慧」標榜的小動物卻沒有那麼多的顧慮。看看那雞們，一隻隻興高采烈地走出倒圮的柵欄，走出小院的範疇，公雞鼓舞著雙翅，母雞率領著小雞。一面忙不迭在泥濘、殘葉中搔爬，一面喜孜孜互相呼喚。一定在說：外面的天地原來這樣廣闊，可口的食物又這樣豐富，真好喲！小貓咪從花壇竄向街上，矯捷伶俐的身影活潑地跳躍穿梭，頭上鮮紅的蝴蝶結在潮濕的草叢間忽隱忽現，繫著的鈴鐺便響著一連串快樂悅耳的韻律。只有大狼狗儼然蹲在斷垣處，冷靜地觀察這一切。相信牠心裡一定也渴望著出去奔跑闖蕩，但牠懂得牆倒了，無形的界限依舊存在。雞矇昧無知，貓不受拘羈，而牠是狗，多一份領悟力就多一重約束。我知道當我一轉身時，也許牠就情不自禁忘記了人的約束，挑個空隙溜出去，逆著風奔馳一番，碰著朋友追逐一陣，在草地上打兩個滾，然後又偷偷地溜回來躺在階前，擺出一副若無其事的神態，伸著舌頭喘氣。

也不知從哪來這些撿柴的孩子，三三兩兩，冒著細雨，頂著勁風，那樣專心一致地拾起一根斷枝，撿起兩枝竹片。也許他們並不對昨晚風雨扼煞了的中秋有太多幻想，卻確知今天的實惠得自風雨。撿回柴枝，可以燒出飯菜充飢，可以燃起溫暖的火焰——那個大點的男孩子逕自過來把整片倒下的籬笆拖了過去，瞅我一眼的神情好像說：妳反正得再築新圍牆了，待我替妳把腐朽的先清理了罷。

我要築新的圍牆麼？

我必須再築圍牆，圍住那一院子的荒蕪貧瘠，圍住那一屋子的落寞岑寂，圍住那一份脆弱的安全感，再圍上三年、五載、半輩子？

三年、五載、半輩子！驟然間像患了胃酸過多症般，我有種冒酸作嘔的感覺。已經多少個三年五載了，蟄居在這落後的小鎮上，雖然有我所喜歡的清靜淡泊、淳樸風氣、閒暇歲月。但那狹隘擁塞的大街小巷，那骯髒凌亂的市場，那污濁的小溪、溷濁的溝渠、發酵的垃圾、可怕的落後閉塞。沒有文化，沒有新風氣，沒有進取的動力。像上了鏽的鉸鏈，與時代進行的輪子脫了節。只能沉滯地轉動著，而在這遲鈍的轉動中，卻消磨了我生命中最可貴的一部分。

沉滯是可怕的：沉滯的雲層令人窒息，沉滯的水流導致腐化。長久停留在沉滯的氣氛中，將使人活力減退、意志消沉、情緒低落、精神頹廢、心靈枯萎、思想遲鈍、感情麻木……

再築起牆籬，圍上三年五載，那不僅是存在於空間，而在心理上卻是惰性的延續，在時間上卻是慵倦的滯留。在人生的旅途上，更是生命不斷地荒廢。

陳舊的、腐朽的，任憑它毀去罷，我又何必費事再築一道新的圍牆？

×月×日

鳥雀試想高飛而高飛不起，躲在窠裡時卻又苦想著牠無法翱翔的海闊天空——彷彿是歌德的話。

鳥兒不能高飛，想必不是雙翅受傷，就是羽毛未豐。卻有一種動物，頭生雙翼渴望展翅高飛，腳長鬚根偏難移拔。本身就是矛盾，就是衝突，就是分裂——

那樣的怪物不是別的，是人類。是人類中一些不甘屈服於凡庸的命運、不願做生活的奴隸、亟欲振翼高飛、而又高飛不能的人。

這樣的怪物，這樣的人，其中的一個，便是我。

靈魂渴慕星辰，思想渴望遠方，舉雙翼而飛向崇高，飛向空曠，飛向開拓，飛向創造，飛向海闊天空的新境界……但是，責任、感情、生活習慣以及惰性，就像一根根細而韌的鬚根，伸入生活的泥濘中，像一支支牢牢的吸盤，固定在一個地點、一個角隅。

沒有比自身的背道而馳、自身的分裂更使人苦惱，更教人難受，更令人惶惑……

或說：

——那就抑止飛翔的欲望罷！

但那是不可能的。若性靈再不能提升，精神再不能超越，必定將在生活的泥淖中窒息。

——要不且試試拔起或扯斷那些鬚根。

就只為缺少那份忍心、那份強項、那點不顧一切的勇氣。

——這一生豈不注定了要承受矛盾、衝突和分裂的痛苦麼？

注定是一回事，不甘屈服是一回事。這其間，將永遠在掙扎。

然而，掙扎總是一股向上的潛力，一種不屈服的精神。

記得有種叫草履蟲的生物，牠生存於水上——只是淺淺的一滎水、小小的一滴水，總是不停地來回浮游、爬行，一挨著水的邊緣便馬上折回頭，從來不爬出邊緣。也有人的生活便像這草履蟲，一輩子故步自封，把自己局限於狹隘的圈子中，永遠來來去去兜著圈子打著轉，全無意義地忙碌。充其一生，從來不知道界限外面的世界，也從無超越這界限的念頭。當他誕生時便已肯定了一生的命運——這是更可悲的人生。

至少，掙扎是一股向上的潛力，一種不屈的精神。

至少，堪以自慰的一點，是怪物聊勝於草履蟲。

×月×日

再沒有狂風，再沒有暴雨，晴朗的天空明淨透徹，教人奇怪風雨究竟從哪兒來、又去了哪兒？那樣地暴戾，那樣地兇猛，那樣地銳不可當，如今卻全無蹤跡；璀璨的陽光下，曾被摧毀的又以新的面目展示；浸淹過的田裡竄著新綠，折斷了的玫瑰萌發了新的蓓蕾，路上的缺罅補了砂石，斷垣殘壁修葺一新。唯一沒有修築的，是我家的圍籬。

已習慣在外面遊蕩的雞失落了兩隻，不知是迷失了途徑、抑是貪戀廣闊的世界？貓咪不再沉迷於溫軟的椅墊，只在草叢中追逐蚱蜢，嬉弄青蛙，鈴聲遠遠地灑落彷彿鈴響在沙漠；連最馴順的狗兒竟也變野了，時常不見牠伏在門口石階上，或是在院裡巡邏，待喚回來時，便扮一副誠惶誠恐、犯錯領罰的可憐相，喉際嗚嗚地彷彿說：主人別怪我，自由的誘惑實在難以抗拒呵！

習慣了自由的，便更難以承受約束。

鄰居打從門前經過時就說：「圍牆可以修築了，提防狗在外面唬著人。」

朋友來訪時也說：「圍牆真該修築了，這樣不是太不謹慎麼？」

家人肯定地決議：「牆一定馬上要修築。」築起來再圍住那一院子的荒蕪貧瘠，圍住那一屋子的落寞岑寂，圍住那一家人的尊嚴和安全感麼？抑是圍起來代表惰性的延續、慵倦的滯留、生命的荒廢？

但我只是默然憮然，沉默不是同意，也不是否定。早在人類的祖先穴居時代，便習慣於把自己圍困起來；一個山洞，一座篷帳，一間茅屋，一幢高樓，一個庭院——牆的存在已歷史悠久。代表什麼，只屬於個人的看法。而那些羽毛剛豐、翅膀硬朗、沒有生活羈絆、不受感情牽制的，任什麼石砌的牆、磚造的牆、鋼筋水泥的牆，也影響不了他的高飛遠航。要飛飛不動的，困住他的卻是無形的、生活習俗的牆，感情的牆、惰性的牆，自己在不知不覺中砌了起來，又那樣一年一年糊裡糊塗地加高、增厚，而限制了自己的活動。

若要超越自我而創造，首先卻要超越這些無形無質的牆，摧毀那些柔韌無比的牆。還不該築的牆就築罷。圍不住青春時光，圍住一院子寂寞也好。留著青春總是荒廢了，還不如寂寞。是「有翅難飛」最佳的伴侶，寂寞讓人深思，寂寞讓人創作。而讓心靈在思考中飛越，靈魂在筆底下超度——這可是什麼有形無形的牆都阻擋不住的。

×月×日

當暴風雨過去，是一片寧靜。

當流浪顛沛告一段落，是擇地安居。

寧靜並不是說再不會有風雨，安居也不能保證再不會流浪顛沛。而在這其間，安居就必須要有一片屋頂，一道又一道的牆。

被風雨摧殘的牆又修築了起來。不是厚厚的紅磚，不是結實的水泥，還是最薄最透氣的竹籬。車輪不再輾過我的枕畔，腳步不再踩碎我的夢，探索的眼光不再投入窗中，而我的視野亦再度被阻斷於籬前。收起眺望，仍只能埋首案頭，刻劃格子填滿已未。仍只能攬鏡憑照，尋數白髮可曾萌長……

彷彿有振翼的聲音，躍躍欲試——

正是，正是那渴望飛翔的雙翼。曾經願似矯捷的燕子，剪一片片雲彩，飛向南方，飛向那永恆的春天——四季有不凋的花、不朽的愛。曾經願似勇猛的大鵬，翼負日月，翅挑星辰，橫貫汪洋大海，飛越千山萬嶺，飛向閃耀著真理光芒的遠方。曾經願似驕傲的雲雀，一翼沖天，在雲霄中、在彩虹上，歡唱著心靈之歌，歌頌生命、崇揚自然、讚美萬物——怕只怕有一天，那將似兀鷹的雙翼，就像電影〈麥坎納淘金記〉中盤旋在沙漠上空、徘徊於荒山深壑的那隻。慵倦、衰憊，失去光澤的翼翅高飛無力，只能等待一些回憶的殘骸——

彷彿有振翼的聲響，攪亂心弦——

有躲避風雨的屋頂，有躲避風浪的港灣，矛盾是躲避不了的。我只有捧一卷書埋進沙發，掩藏自己的無可奈何。書上說：「讓你自己成為自己的川流和海洋的探險家吧——把你的視線轉向內心，你將發現你心中有一千處地區尚未發現。那麼，旅行去，成為家庭宇宙的地理專家。」既是高飛不能，既是想去哪裡都不是肯定的目的，只代表尋求，那就使一個哥倫布，尋找自己內心的新大陸和新世界去罷。當所嚮往的天地仍在虛無縹緲間，當渴欲振翼高飛而飛不起，也許，只有退而在自己的領域中去追尋、去開拓、去創新——

彷彿有振翼的聲音，美妙地震顫在空氣中——那是樹上的鳥兒。暴風雨未曾使牠們羽摧翼折。當牠們翱翔天空，翕忽翩翩；當牠們追逐淩風，迴旋翻騰。歸來，整理一番翎翮，待明朝再出發、再飛翔。

風暴未曾改變什麼，明月又是柔暉撲面。濃濃的暮色襯出新竹籬朦朧的影子，圍住一院子濃濃的寂寞，也圍住一院子的蕭瑟，敢情秋已經很深很深了。

浮生散記之九・《文壇》

編註：本文原刊於《文壇》第一一九期，一九七〇年五月，頁六十六～六十八。

夏日，在燃燒

×月×日

也不知春天是怎麼來怎麼去的，用了一季的寒冷去盼望、去等待，那屬於盼望中的腳步應該是輕盈的，韻姿應該是嬌柔的，行動應該是優美的……但猛然間那樣熱情如熾、莽莽撞撞、不講時序就闖到面前來的，卻不是春，而是夏！

一個悠長的冬季在等待，一個漫長的夏季剛開始，而一個春季，竟短促得連綺麗的春夢都未曾撈到一覺。春雨幾番，春風數度，只留下些許匆遽間來不及開完的花，在灼灼的驕陽下蒸發；鳳凰木火焰似的繁花，染就巨幅豔麗的抽象畫。玉蘭花的馥郁醞釀著醉人的醺意，相思木輕輕灑下淡黃的淚朵——等花開花謝，已到處是濃濃的綠蔭。

夏天裡最美的就是那一簇簇的華蓋、一叢叢的翠遮。在燃燒的空氣中庇護一份蔭影，在灼熱的陽光下守著一片清涼——鳳凰木以它細緻的嫩葉精心織繡，玉蘭花用它寬闊的梭形疏朗間架。而老榕樹密密麻麻、層層疊疊，小小厚實的圓片綴成了一眼望不透的蒼鬱。

是我親手栽下玉蘭花的幼苗，是我親自監督鳳凰木移植，年復一年，嫩枝和幼苗均已成長。唯有老榕樹，誰也不知道它曾閱讀過多少星月、經歷過多少風霜？枝枝虯虯的根莖從泥土裡竄出來蟠踞在地面上，細細長長的鬚根自枝端飄垂，彷彿慈祥老人的五綹長鬚，但只要那麼一挨著泥土，便深入潛行，又長成茁壯的枝幹。寬容廣庇，一左一右，兩株老榕樹正好在階前互相參差掩覆成天然的拱門；綠叢中是鳥的綠園，濃蔭下是我的篷帳。

我的篷帳，不是遮風遮雨，不是蓆地而眠，只是在瑣碎俗務的空隙，自那兒獲致片刻的寧靜，讓緊張的神經得以鬆弛，煩膩的情緒得以安撫。在枯燥單調的日常生活中，自那兒覓得一份悠閒自適。讓性靈從現實的囚禁中解放，給幽閉的思想以迴旋飛揚的空間，而躲避陋室的燠熱，更是最佳的蔭蔽。一陣陣清風透過葉叢，拂拭了身上的汗水，驅散了心頭的躁鬱。

綠蔭匝地，風透樹梢，鳥在葉叢，我在樹下。攜兩冊書，挾一疊原稿，老藤椅容納我以舒適的窠臼。

由著興致，讀幾頁好書，品嚐些智慧的果實。

捕住靈感，寫下些章句，撒下些單純的字粒。

閉上眼睛，聽鳥兒吟唱、樹葉絮語，氣流在周圍升騰，大地在身旁蒸發。朦朧間，自己彷彿也在升騰、也在蒸發。軀體漸漸失去了界限，向無限舒展，思想縹緲隨風，意識游離恍惚，超越時間和記憶，進入純粹的空間……

蒸發掉一個午晝，又一個晝午。

蒸發掉一份思想，又一份感受。

蒸發掉那些欲望，和那些渴慕。

蒸發掉那些煩惱，和那些憂慮。

夏日在燃燒，大氣在蒸騰，大地在蒸發，我在迷離狀況，若不是一片又一片落葉輕擊我額頭，頻敲我臉頰，也許，我便這般升化。

落葉，噢，夏天的落葉！那不是別人，只有榕樹。

蕭殺秋風它無動於衷，凜冽的嚴冬它也毫不在乎。當所有的樹木裸裎顫慄，它依然一身蒼翠，傲然挺立在寒風裡。而如今，當失落了一季豐采的樹們又已生氣蓬勃，綠意盎然，它卻獨自忡忡地落起葉來。不只是三片五片隨風飄，更是大把大把地往下撒。不消片刻，髮上、懷中、衣兜裡，便沾滿渾圓、厚實、半青帶黃、斑斕有致的葉片，腳下鋪了厚厚滑滑的葉氈。再抬頭仰望，仍舊密密層層，濃蔭覆遮，恁誰也猜不透幾時落盡。

於是，冗長的夏日，似有所等待：等榕樹葉子落盡。

一如沉寂的生活中有所等待：等環境轉變，黯淡的日子過去。

一如寫作的過程中有所等待：等情緒穩定平衡，心靈的慵倦消失。

當老葉落盡，相信一定萌發新芽。
當逆境過去，相信一定會有新的發展。
當慵倦消失，相信一定會有新的突破。

×月×日

漫長的夏日晝午，空氣在蒸發，大地在蒸發，時間也在蒸發。化為霧雰，化為氤氳，化為烏有，化不開的是那燠熱。薰風吹著，榕樹葉紛紛墜落，大狼狗愛瑪四肢放肆地躺臥在樹腳畔，身上蓋滿了葉片而不感覺，只在碰上尖聳的耳朵時才閃彈兩下。鳥兒們躲藏在葉叢裡，零零落落地唱兩聲，又嘰嘰喳喳閒談幾句，突然，有的衝出去飛進燃燒的大氣，飛向白熱的太陽；也只打一個迴旋，馬上又回來鑽進綠蔭深處。而跳躍撲翅間，更撩撥得樹葉一個勁地往下落。

一次又一次，從老藤椅的窠臼中站起來抖掉落葉，書拋在一邊，筆掉在階前，思想靜止在一個階段——一個休止符，心弦鬆弛瘖啞，已奏不出和諧幽美的音律。

鬆懈，一切都鬆懈。沒有新的構想，沒有新的創造，沒有新的啟發，沒有新的振奮，沒有新的激勵，沒有新的汲取，沒有新的靈感……只因為，只因為生活的輪子朝朝暮暮，歲歲月月，只在舊車轍上遲鈍地原地重複輾轉，已失去了彈性。周圍習見的事物也不再引起新奇和崇敬。

單調，苟安，又咄咄逼人的生活，就像《神曲》裡那個領受責罰的巨人——施栖佛斯日日夜夜推石頭上山。拚一身氣力，使勁把巨石一步一步從山腳慢慢地推上山頂，剛鬆手喘一口氣，石頭又滾落下來，於是，重又掙扎著推送上去……周而復始，循環不息，當一息尚存，將永無停止之日。

撇下那塊磨人的石頭不管罷，
那是不允許的。
乾脆留在山頂，
留不住的。
那就任憑擱置山麓，
根本不可能。
那麼……
什麼也不那麼，只有過一天算一天，等著瞧！
等著瞧！等什麼？等奇蹟、等神赦？
人嘛，本來一輩子之於在等待中。

童年等待著長大，
青年等待著愛情，
壯年等待著功成名就，
暮年等待著天倫之樂。
農人等待收穫，
商人等待利市，
作家等待靈感，
公務員等待加薪晉級，
政治家等待高官顯爵，
一介主婦等下班、等放學、等親人回家。
戰亂等和平，
囚禁等自由，
黑夜等黎明，
雨天等晴朗，
今朝等明朝，
而此刻，在燃燒的夏日，等榕葉落盡新葉萌芽。

晝午已蒸發殆盡，夕陽樹顛，逗留著最後的夕照。我憮然從藤椅中起立，甩一甩頭髮，抖一抖衣襟，從落葉堆中撿起了書和筆。

一則休止符並不是心靈之歌的終止，
再重彈時也許境界更高。
等待也不一定浪費生命的原料，
光陰原來就在燃燒的夏日中蒸發。
卻不清楚究竟是我在耗損時間，抑是時間在耗損我！

×月×日

如果，如果時間是有形的，光陰是一種物質，那一分一秒，累年累月的堆積起來，一定非常非常可觀，也許世界都將為之壅塞，而每個人生平所耗費的時光若堆在一旁，怕不像寶塔似的，望著令人驚心動魄，怵然警惕，再不敢隨便蹧蹋浪費。就因為光陰是無形無質的，人人活得都像有一輩子揮霍不盡的財富，常常糊裡糊塗、隨隨便便、毫不在乎地任由自己的時間在身畔、在腳旁、在手指縫裡，在做白日夢時、在吃喝玩樂間，涓涓不絕地流失，偶然也有猛然悔悟，懊惱地惋惜一聲：「唉！又白白過了一天！」「又白白過了一年！」……又白白過了一天！在生活中我一直很節儉。如今，竟對生命作了最大的奢侈——懶散。坐在篷帳下任憑一縷意識迷離恍惚，卻偏說溽熱把時光蒸發了。

而榕樹葉子卻越落越多，早晨掃過，中午就滿地。午間掃了，傍晚又堆滿階前。傾入垃圾箱裡，清潔夫嘟囔著提出抗議。當作燃料罷，早已燒電燒瓦斯。當作肥料罷，化學肥乾淨又便利。女傭將葉子積存掃集一堆，便在牆腳下點火燃燒起來。

忽竄忽曳的火焰嚇走了樂園中的小鳥，瀰漫四溢的濃煙薰跑了篷帳下的我。

嚴扃門窗，我把自己關進書房，且坐下來等，這次是等煙消霧散。

這一角天地，有我心愛的滿架書籍，有我喜歡的各種小玩意，有裝飾牆壁的照片圖畫，有點綴壁架案頭的花花草草。近二十年來，作息於此，思考於此，做夢於此，自我鞭策於此，修心養性於此。可是，這一刻環顧四周，卻忽然顯得如此隔閡和疏遠，一冊冊密密排列的書冷然凜然，一件件擺設的小玩意呆滯黯淡，圖片已蒙塵，花草更憔悴，而鏡中的我，蒼白、悒鬱，神情落寞，一副倦怠模樣，一種迷茫姿態——噯，這就是我套在生命表層的外殼？

生命表現在一個人外層的原有兩種因素：一是天生有形的肢體、五官、容貌；一是無形的一面，吸收了有形世界一切美好的菁華，再提升為自內蘊發的氣質，提煉為傑出的思想，而形成外在優美的風度、嫻雅的氣質、高尚的舉止，因而神采奕奕、容光煥發、安詳寧靜、充滿自信。

外在的丰神是由內涵的光彩而來，人生的色彩，是從心靈的色彩而來。而心靈內蘊的色彩，是由吸收並汲取外界的一切美和菁華而來。

當你在一個地方待得太久，你便會變得與周遭的環境相似。沒有新奇，沒有崇敬。也就不再汲取，不再提升；更不求超越，不求突破。缺少新的養分和潤澤。慢慢地，心靈困乏，思想枯澀，精神貧血，生命力衰憊，而影響所及，外形也變得平庸、呆滯、愁苦、迷茫、冷漠……

忽然間，我感到難忍的焦渴，彷彿剛跋涉過旱荒的沙漠，又彷彿被幽閉在真空狀態，我渴望著聽到夏雨傾瀉的迴響、接觸到甘霖清涼的潤澤，我的雙唇、咽喉以及心靈，同樣地乾渴苦焚。

推出門去，碧空依然金光燦燦，更無半點雲翳。牆畔，落葉將熄未熄，餘煙裊裊娜娜，青青黃黃，都已化作灰燼。也有些剩下的遺落在四周。

有的燃燒是一種蛻變，火中鳳凰便從烈焰中獲得新生。有的燃燒是一種歷練，麥粒和果實由於一個夏日的燃燒，醞釀成熟；鐵經過火中錘鍊，成為不銹鋼。

有的燃燒是一種超化，化有形之物為灰燼，隨風化烏有，入土作肥料。

從落葉灰燼的圓塚，我又仰望老榕樹，究竟落剩多少？但，依然蒼鬱遒勁，蔭如華蓋，毫無半點稀疏凋零之態。

噢！多麼不可思議、不能相信！我盡量踮起腳尖，翹起下頦，湊近最低的枝椏；可不是真的，每一枝細細的樹梗上，都有兩種不同的葉子；一是深暗、蒼老，或間有黃斑的老葉，危顛顛一莖繫連。一是嬌嫩、鮮豔、細緻、閃耀著光輝的新葉，蓬蓬勃勃，方生未艾。

原來，原來榕樹是這樣一種獨特的植物，它不是等老的枯萎凋謝了，再萌發新生的一代，而是當新的一面開始萌發，老的才一面慢慢地辭枝，新舊沒有明顯的交替，枝椏間總是蓊鬱青翠，參差交雜，所以它是永不凋落的長青樹。

而傻瓜還在等它落盡老葉再長新葉！

×月×日

不啻當年哥倫布發現新大陸，當我昨天發現了榕樹原來一面萌發新葉，一面才落葉。

這一發現，糾正了我錯誤的觀念，喚醒了我昏矇的心智，給予強有力的啟示。

不必等陳腐的摧毀，然後自廢墟中重建；不必等老殘的退避，新生的才能在原地崛起。

不是等逆境化夷、等困境轉移，而是自己該如何從囚蟄中釋放出來，從卑微中提升起來，從凡庸中擢拔出來。

不是任憑命運擺布、任憑命運支配，而是自己該如何從局蹇中改變命運，從飄搖中掌握命運。從困阨中扭轉命運，相信自己是命運的主人。

留戀一種沒有進步的狀態，美其名曰等待，實際上是故步自封，是偷懶的藉口、惰性的延續，是因循、是苟安。

目標不肯定的等待，沒有期許的等待，沒有準備的等待，缺乏自信的等待，消極的等待，無可奈何的等待……都只是長期地虛度光陰，而愚昧地關上所有的門——住屋的門、心靈的門、智慧的門、行動的門，讓時間在門外寂寂地流去，讓機會在門外悄悄地溜走。

因循是一種精神上的頑疾：由於它的浸蝕，使人漸漸地淪於消沉、軟弱、委靡、頹廢，以致生趣索然，一蹶不振。

苟安是一種心理上的蟊賊：總是偷偷地破壞人行為的衝勁、勇往直前的動力、奮發向上的進取心、激勵自勉的意念。最後，更失去了生之鬥志。

人可以為真理、為信仰或志趣而殉道，若只由於苟延殘息於局蹇的生活，把自己釘上精神的十字架，又是一種多麼愚昧懦弱的犧牲行為！

或說：一等大智大慧的人創造環境，二等堅強勇敢的人改變環境，三等隨遇而安的人適應環境，四等懦弱無用的人只能屈服於環境。

做人若只能做三、四等人，更是做人的悲哀！

漫長的夏日在燃燒，大地在蒸發，氣流在升騰。
靈魂在寂寞中燃燒，又在等待中熄滅。
不知道是我在耗損時間，抑或是時間在耗損我？
但，
相似的周遭已使我煩膩，
陳舊的窠臼已使我嫌棄，
昨日的等待已使我厭倦，
今天的決策，將是明天行動的準則。

生命的進展沒有止境，心智的拓擴沒有界限，生存的方式更是多采多姿，變化無窮。唯一的封鎖線，就是習慣性的因循，以及對不可知的未來的畏縮。

卸下十字架，突破封鎖線，邁出的第一步應該是由日常的憂慮煩惱中超拔，從風雨飄搖中確立自我，再度肯定生存的價值。

畢竟生命不是既定的，生活有各種可塑性，生存的價值，實現於人生目標的追求；崇高理想的努力，實現在科學的真、道德的善、藝術文學的美、信仰的神聖、世界的和諧……選擇適合自己的生存方式，貢獻自己、表現自己、發揚自己、超越自己，以止於至善。

也許，橫貫在前面的將又有一場艱苦的搏鬥，一段黯淡的時期，一截蒼涼的心路歷程，假以時日，付予熱忱，終將清明朗澈，重現一脈新氣象、新境界。

一如青翠亮麗的榕樹新葉，萌發自老葉叢中。

夏日，在燃燒。

接受夏日的挑戰，由燃燒而新生！

岡山・初稿於民國六十一年夏末
台北・繕正於民國六十三年秋初
浮生散記之十・《中華文藝》

編註：本文原刊於《中華文藝》第八卷第三期，一九七四年十一月，頁二十六～三十；第八卷第四期，一九七四年十二月，頁二十六～三十。

新版小言

每個人在成長、成熟到領悟生命的意義，自有漫長的生存之路要跋涉。同時，也必須經歷一番苦澀辛酸、起伏不平的心路歷程。現實總是會壓抑心靈的渴慕、限制意願的嚮往，不甘屈服的叛逆精神和拙於行動，乃形成無休無止的衝突、掙扎。對久被囚困狹隘環境、苦悶生活中的靈魂，紀德在他那本教人求超越、求解脫的《地糧》中諄諄提示：「別停留在與你相似的周遭，永遠別停留。當一種環境已與你相似起來，或是你自己變得與環境相似，此刻它對你不再有益，你應該離開它。」是一種警告，一種喚醒，亦是一種煽動。與「環境相似」有如安逸的陷阱，常常會在不知不覺中越陷越深，以致不能自拔。

所有未知的港灣，有我探勘的意願；所有伸展的道路，有我行走的欲望。當步履不能到達，唯有代之以惓惓思想，尋尋覓覓中，不時提升精神，從凡庸中擢拔。不斷擴充內在，開拓心中丘壑。絡續寫下這些篇章時，積鬱漸覺舒解，心胸也較開闊，等一九七三年離開居留了二十年「已與你相似」的小鎮岡山時，也就結束了這一系列文字。適出版社索稿，便採用原來總題目《浮生散記》作書名出版。

之後，總嫌「浮生」兩字太飄忽了，不符合旨趣，也不夠積極，人歷盡試煉，追尋理念，只為肯定自己，焉能飄忽隨命！趁這次重新出版，本想根據原來的意思，改名為「心中丘壑」，而漢藝色研出版社兩位年輕的負責人和編輯小姐，卻認為其中一篇〈明天，去迎接陽光〉作為書名比較響亮。

生命的腳步漸行漸遠更深，心中丘壑已是綠蔭掩映，靈光自照，雲淡風輕，恬淡自適。而在現實世界裡，只要是晴朗的日子，我每天清晨便踏著露珠去山崖、溪邊，共花樹溪水一同迎接朝陽。陽光照亮自然萬物，帶給我健康和滿心歡喜，相信太陽下永遠有新的東西。明天，是未知，是期許，是盼望。明天的陽光，一定更美好！

一九八九年初冬

艾雯全集2【散文卷・二】

作　　者　艾雯
編輯顧問　張瑞芬　陳芳明　應鳳凰（依姓氏筆劃排序）
主　　編　封德屏
執行編輯　王為萱
美術設計　不倒翁視覺創意

編輯製作　文訊雜誌社
　　　　　10048台北市中山南路11號6樓
　　　　　02-2343-3142
出　　版　朱恬恬
　　　　　11147台北市忠誠路二段50巷8號
　　　　　02-2832-1330

排　　版　浩瀚電腦排版股份有限公司
印　　刷　松霖彩色印刷事業有限公司
初　　版　民國101年（2012）8月
定　　價　全10冊（不分售）平裝新台幣4,600元整
ISBN　　 978-957-41-9320-2（第2冊平裝）
　　　　　978-957-41-9318-9（全套平裝）

◎財團法人國家文化藝術基金會贊助
台北市文化局 Cultural Affairs Bureau of Taipei 贊助

國家圖書館出版品預行編目資料

艾雯全集 / 艾雯作. -- 初版. -- 臺北市 : 朱恬恬, 民
101.08
冊； 公分

ISBN 978-957-41-9318-9（全套 : 平裝）. --
ISBN 978-957-41-9319-6（第1冊 : 平裝）. --
ISBN 978-957-41-9320-2（第2冊 : 平裝）. --
ISBN 978-957-41-9321-9（第3冊 : 平裝）. --
ISBN 978-957-41-9322-6（第4冊 : 平裝）. --
ISBN 978-957-41-9323-3（第5冊 : 平裝）. --
ISBN 978-957-41-9324-0（第6冊 : 平裝）. --
ISBN 978-957-41-9325-7（第7冊 : 平裝）. --
ISBN 978-957-41-9326-4（第8冊 : 平裝）. --
ISBN 978-957-41-9327-1（第9冊 : 平裝）. --
ISBN 978-957-41-9328-8（第10冊 : 平裝）

848.6 101013788